新 潮 文 庫

黒 い 雨

井伏鱒二著

新 潮 社 版

1931

黒い雨

1

この数年来、小畠《こばたけ》村の閑間《しずま》重松《しげまつ》は姪《めい》の矢須子《やすこ》のことで心に負担を感じて来た。数年来でなくて、今後とも云《い》い知れぬ負担を感じなければならないような気持であった。二重にも三重にも負目を引受けているようなものである。理由は、矢須子の縁が遠いという簡単なような事情だが、戦争末期、矢須子は女子徴用で広島市の第二中学校奉仕隊の炊事部に勤務していたという噂《うわさ》を立てられて、広島から四十何里東方の小畠村の人たちは、矢須子が原爆病患者だと云っている。患者であることを重松夫妻が秘し隠していると云っている。だから縁遠い。近所へ縁談の聞き合せに来る人も、この噂を聞いては一も二もなく逃げ腰になって話を切りあげてしまう。

広島の第二中学校奉仕隊は、あの八月六日の朝、新大橋西詰かどこか広島市中心部の或《あ》る橋の上で訓辞を受けているとき被爆した。その瞬間、生徒たちは全身に火傷《やけど》をしたが、引率教官は生徒一同に「海ゆかば……」の歌をピアニシモで合唱させ、歌い終ったところで「解散」を命じ、教官は率先して折から満潮の川に身を投げた。生徒一同もそれを見習った。たった一人、辛くも逃げ帰った生徒からその事実が伝わった。やがてその生徒も亡《な》くなったと云う。

これは小畠村出身の報国挺身《ていしん》隊員が広島から逃げ帰って伝えた話だと思われる。けれども矢須子が広島の第二中学校の奉仕隊の炊事部に勤務していたというのは事実無根である。よしんば炊事部に勤めていたとしても、「海ゆかば……」を歌った現場に炊事部の女子が出かけている筈《はず》はない。矢須子は広島市外古市《ふるいち》町の日本繊維株式会社古市工場に勤務して、富士田工場長の伝達係と受付係に任ぜられていた。日本繊維株式会社と第二中学とは何のつながりもないのである。

矢須子は古市工場に入社して以来、広島市千田町《せんだまち》二丁目八六二の重松夫妻の寓居《ぐうきょ》に同宿し、重松と同じく可部《かべ》行の電車で同じ工場へ通っていた。第二中学校にも奉仕隊にも絶対に関係がない。ただ第二中学の卒業生の一人で北支に出征していた軍人が、慰問袋のことで矢須子に鄭重《ていちょう》すぎる礼状をよこし、それから暫《しばら》くたって和歌を五首か六首か書いてよこしたことがある。それを矢須子が重松の家内に見せたので、「矢須子さん、これは相聞歌《そうもんか》というのでしょう」と家内が、年甲斐《としがい》もなく顔を赤らめたのを重松は覚えている。

戦争中には軍の言論統制令で流言蜚語《ひご》が禁じられ、回覧板組織その他で人の話の種も統制されている観があった。それが戦後になると、追剝《おいはぎ》の噂、強盗の噂、賭博《とばく》の話、軍の貯蔵物資の話、一夜成金の話、進駐軍の噂、その他いろんな噂が氾濫《はんらん》し、そのうち月日が経《た》つにつれて噂も話も忘れられて行った。矢須子に関する噂もその命脈通りに行けばいいのだが、そうは行かないで、矢須子の縁談で聞き合せに来る人があるたびに、広島第二中学奉仕隊の炊事部にいたという噂が蒸し返される。

初めのうち重松は、いったい誰がそんな流言を放ったのだろうと、その元兇《げんきょう》を探り出してやろうと思っていた。しかし小畠村の人で原爆の落ちるとき広島にいた者は、重松と家内と矢須子の他《ほか》には、報国挺身隊に所属する青年と奉仕隊員だけであった。報国挺身隊員というのは、広島市街の防火準備で家屋強制疎開の労役を勤めるため、県内の各郡から徴用した青年で組織され、小畠村の青年は神石《じんせき》郡と甲奴《こうぬ》郡の混成部隊である甲神部隊と名づける隊に編入されていた。この人たちは民家を倒壊させるのが任務であった。家の柱という柱に鋸《のこぎり》を入れ、八割がた挽切《ひきき》って棟木に太綱をつけ、二十人三十人の者が引張って倒すのである。平屋はちょっと倒れにくい。がさがさといった調子に倒れて来る。二階屋は割合に手易《たやす》くどっと一度に倒れるが、土煙があがって五分間も六分間もそれ以上も寄りつけない。ところが、甲神部隊のものも奉仕隊員も広島に到着して二日目に、漸《ようや》く仕事に取りかかった矢先のところで被爆した。即死したものの他は、みんな焼けただれた身を広島周辺の三次《みよし》、庄原《しょうばら》、東城《とうじょう》などに収容されたので、小畠村では消防団員が木炭バスで広島の焼跡へ出動し、つづいて終戦の日の早朝、勤労奉仕の青年団員が、三次や東城の仮収容所へ怪我人《けがにん》を探しに行った。勤労奉仕の青年団員は、出発に際して青年団長代理立会いのもとに、村長から壮行の辞を受けた。

「みなさん、戦時御多用の折から御苦労さまであります。今さら申すまでもなく、みなさんの連れて帰られる怪我人は、全身が火ぶくれになっているということでありますから、怪我人に対しまして、より以上の苦痛を与えさせないよう、御注意のほどをお願いする次第であります。敵は謂《い》わゆる新兵器を使いまして広島市の上空を襲い、幾十万にも及ぶ広島在住の無辜《むこ》の民を一瞬にして阿鼻叫喚《あびきょうかん》の地獄に晒《さら》したということであります。広島から逃げ帰った挺身隊員の話では、新兵器で広島の町が潰《つぶ》れたとき、『助けてくれえ、助けてくれえ』と泣き叫ぶ声が、その幾十万人もの声が、さながら地の底から湧《わ》き起って来るようであったと申されました。広島から帰りに見た福山の町も焼野原になって、お城の天守閣も涼櫓《すずみやぐら》も焼け失《う》せておったということでありました。戦争とはこのようなものかと胸を締めつけられる思いであったと申されました。しかし、いずれにしましても戦争が行われておることは、まぎれもない事実でありまして、みなさんは勤労奉仕団員として戦友を迎えに赴かれるのでありますから、撃ちて し止《や》まんのしるしとしてお持ちになっておる竹槍《たけやり》だけは、決して落さないように御注意のほどをお願いするのであります。今、みなさんを見送るに際しまして、朝まだきの暗がりに、明りもつけず壮行の辞を述べるのは甚《はなは》だ残念でありますが、時局がら御了解をお願いする次第であります」

村長はこの演説を終ると、見送りに来ていた八十人あまりの人に「それでは、勤労奉仕団員の壮途を送るため、万歳三唱をお願いします」と音頭をとる両手をあげた。

勤労奉仕団員は、三次町を通過するものと庄原町を通過するものと、東城町を通過するものと三隊に分れて出発した。みんな荷馬車のあとから黙々として歩いて行った。東城に向った一隊は、小畠村と東城の中ほどにある油木《ゆき》町で、道ばたの農家の縁側に腰をかけて昼の弁当を食べた。そのとき家のなかからラジオの重大放送が聞えて来た。みんな暫く黙りこんでしまったが、

「今朝の村長の壮行の辞は、ちょっと長すぎたなあ」

と馬の手綱取りをする男が云った。この言葉をきっかけに、みんな竹槍をどうするかについて相談し、縁側を貸してくれた農家へ置土産として来ることに一決した。

東城町の収容所は間に合わせの古い建物で二人の監視人がいたが、どうしていいか

誰も手のつけようがなかった。被爆者たちは畳の上にごろごろ転がって、みんな顔が焼け爛《ただ》れているから誰彼の区別もつかないのだ。なかには頭の髪のあるべき部分がつるつるに禿《は》げ、ねじり鉢巻をしていたと見える跡だけ皮膚が正常に残って、両の頬が老婆《ろうば》の乳房のように垂れさがっているのもある。怪我人たちは耳だけはみんな聞えるので、一人一人から名前を聞きながら、丸裸のものには皮膚に墨汁で名前を書き、布ぎれを少しでも着けているものにはそれに名前を書いた。怪我人たちが苦しがって呻《うめ》いたり動いたりして位置を変えるので、お粗末だがそうでもしなくては人別して行くことが出来なかった。

「医者は何しておるんだろう。医者は治療しないのか」

奉仕団員の一人が監視人にそう云ったが、医者も治療法のわからない病人だから滅多なことは出来ないと手を控えていた。怪我人の火傷の苦しみ以外の苦痛も何に原因しているか知れないので、ともかくパントポンという薬を注射して、六人だけの苦痛を一時的に和らげた。医者はその薬をもうそれきりしか持っていなかったそうだ。

これは後日、重松が広島を引揚げて来てから勤労奉仕団員の一人が聞かしてくれた話だが、もうそのころには重松自身に原爆症状が現れていた。少し野良《のら》仕事に精を出すと体がだるくなって頭に小さなぶつぶつが出来て来る。髪の毛を引張ると少しの痛心がけていても、数日にして体がだるく重くなって、数日にしてみもなく抜けて来る。こんな場合、重松は休養して充分に栄養を摂《と》るように心がけている。一般被爆者の症状は、何ということもなく体がだるく重くなって、数日にして頭の毛が痛みもなくすっぽりと脱落し、歯もぐらぐら動きだして抜けてしまう。体がぐったりとなって死んでしまう。もし発病初期に体のだるさを感じたら、何よりも先《ま》ず休養して栄養を摂ることが肝腎《かんじん》である。無理を押して仕事をするものは、下手な植木屋が移植した松の木のように、次第に気力を失って生命を断って行く。小畠村の隣村でもその隣の村でも、被爆を免れたつもりで広島から至極元気で帰郷して、一箇月か二箇月ぐらい根をつめて働いていたものは、一週間か十日ぐらい床について死んでしまった。発病が体の一局部に現れると、この病気特有の痛みを感じ、肩や腰の痛みも他の病気とは比較しがたい症状である。

重松は巡回診断の医師からも、はっきり原爆病だと診断された。福山の藤田医師からも同様の診断を云い渡された。しかし矢須子は決して病気ではない。然《しか》るべき医師の健康診断を受け、また保健所でも被爆者定期健康診断を受け、血球数、蛔虫《かいちゅう》、尿、血沈、打診、聴診、その他、ことごとく異常なしと診断された。これは終戦後四年十箇月目のことで、矢須子にとっては勿体《もったい》ないほど喜ばしい縁談ばなしが持ちあがっているときであった。先方は山野村の或る旧家の若主人である。矢須子をどこで見かけたものか、仲人《なこうど》を介して話を持ちかけて来た。矢須子に聞いてみると異存はないと云う。重松は今度こそ原爆病の噂で話がお流れにならないように警戒して、然るべき医師に矢須子の健康診断証明書を書いてもらって仲人に郵送した。

「今度は大丈夫だ。念には念を入れろだ。このごろの人は、結婚する前に健康診断書を取交す傾向だからな。先方でも、妙なことだとは思わんだろう。あの仲人は元軍人の奥さんだと云うことだし、都会的な新式の風習も知っておるだろう。今度こそ大丈夫だ」

重松は家内にそう云って半ば自負していたが、この念入りなやりかたは気がきいていて間が抜けるといったような結果を招いた。仲人は矢須子の健康について、小畠村のどこかの家へ聞き合わせに来たと見え、原爆投下の日から小畠村に帰るまでの広島に於《お》ける矢須子の足どりを知りたいと手紙で云って来た。但《ただし》、これは仲人としての自分ひとりの希望であって、求婚する本人に連絡した上のことではないと云ってあった。

重松は重ねてまた自分が負目を感じることになったと気がついた。家内はその手紙を読むと黙って矢須子に渡し、畳に目を落していたが立って納戸《なんど》に引込んでしまった。矢須子も納戸に入って行った。暫くして重松が覗《のぞ》いて見ると、家内が矢須子の肩に顔を凭《もた》せかけて二人しくしく泣いていた。

「よろしい、今度という今度は、わしが悪かった。だが、人の噂だけで業病扱いするとは何ごとか。いや、我々は再起をはかるんだ、突破口を見つけるんだ」

そうは云ったものの気休めにすぎなかった。

矢須子はそろそろと立って、箪笥《たんす》の抽斗《ひきだし》から取出した当用日誌を無言のまま重松に手渡した。昭和二十年度の矢須子の日記である。表紙に日章旗と海軍旗を交叉《こうさ》させた模様がついている。広島の千田町にいたころには、夕食後に矢須子が卓袱台《ちゃぶだい》を机にしてこれに日記をつけていた。どんなに疲れた日でも必ずつけていた。

矢須子の日記のつけかたは、四日間か五日間ぐらい簡単に五行か六行で片づけて、五日目か六日目ぐらいのところで、数日間の出来事をまとめて詳しく書き記すやりかたである。これは重松自身がずっと以前から実行していた方式で、重松が教えてやったから矢須子が踏襲したものである。帰りが遅くて眠くてならない晩は、簡単に片づけることにして置くところからこの着想を得た。重松自称の「緩急式」という日記形式である。いずれにしても重松は、矢須子のこの日記を筆耕して仲人に送る必要があった。

昭和二十年八月五日以降、数日間の日記文を重松はそのまま書き写した。

八月五日――

富士田工場長に明日の欠勤届を提出し、家に帰って荷物疎開の支度をする。内容は、おばさんの夏冬の紋附、帯三本、冬着三枚（このうち、ひい婆《ばあ》さんの嫁入りのときに着て来たという黄八丈《きはちじよう》、これは大事な品）夏着四枚、おじさんの冬のモーニング、夏冬の紋附と紋附羽織、冬の洋服二着、ワイシャツ一枚、ネクタイ一本、卒業証書（国民学校）、私の夏冬の式服、帯二本、卒業証書（女学校）。以上を菰《こも》で梱包《こんぽう》し、私の肩にかけて行く鞄《かばん》に米三合、当用日誌、万年筆、印鑑、赤チンキ、三角巾《さんかくきん》を入れる。（疎開荷物は、終戦後二年目に小畠村へ梱包のまま返送してもらった――重松後日記）

夜半、空襲警報が発令され、B29の編隊が上空を素通りした。三時ごろ警報解除。おじさんが夜警から帰って来て、先日B29が小畠村附近に「府中《ふちゆう》町を空襲することも忘れているのではありません。いずれそのうちに空襲しますから」と、ふところ手をして云うような、しかし文章に異様な凄《すご》みをきかせた伝単《でんたん》を落して行ったそうだと仰有《おつしや》った。やはり府中町も空襲されるだろうか。先日、山梨県から来た人の話では、甲府が空襲される前に、B29が立派なアート紙のパンフレットのような伝単を落して行った。米軍の占領したサイパン島かどこかの島で、日本人が食糧を充分に貰《もら》って楽しく暮しているという記事が書いてあったそうだ。アート紙なんて広島では見ることも出来なくなっている。

三時半、就床。

八月六日――

朝五時半、能島さんのトラックが来て、疎開荷物を運ぶ。古江《ふるえ》町で閃光《せんこう》と轟音《ごうおん》。広島市街に噴火のような黒煙。帰りは草津町に出て船で御幸橋《みゆきばし》下へ着岸。おばさんは無事、おじさんは顔に怪我。世紀的な大椿事《だいちんじ》である。しかし全貌《ぜんぼう》はよくわからない。家が十五度ぐらい傾いているので防空壕《ぼうくうごう》の入口でこの日記を書く。

八月七日――

昨日、宇品《うじな》工場の工員合宿所へ移ることに決定したが実行不可能のため中止、おじさんの言葉に従って古市へ避難。おばさんも御一緒。工場の事務所で、おじさんは落涙数行。広島は焼けこげの街、灰の街、死の街、滅亡の街。累々《るいるい》たる死骸《しがい》は、無言の非戦論。

今日は工場の損害調査。

八月八日――

朝飯の炊出《たきだ》しに忙殺。

工場運営に関する協議決定事項の大要が発表された。

八月九日――

今日も罹災者《りさいしや》が避難して来る。工員と無関係な人も混っている。その人たちは殆《ほとん》どみんな怪我をしている。満足な服装をしているものは一人もない。なかには遺骨の箱包みを抱いて来て、「なむあみだぶ、なむあみだぶ」と云《い》いながら窓の廂《ひさし》の裏にそれを紐《ひも》で吊《つる》す人もいた。また、新しい葉書をみんなに三枚ずつ配って「どうぞ御遠慮なく。みなさんの安否を気づかっていられる人に、おたよりなさい。こんな葉書は、うちで製造しとりますから、なんぼでも差上げます。しかし、ここだけの話ですよ」と自暴自棄の軽口を云う中年者がいた。首を穢《きたな》い布で繃帯《ほうたい》して、ごつい顔をした男である。葉書は、爆破された郵便局かどこかで拾って来たものだろう。今、午後一時、たいていの人は昼寝の最中である。今日は幾らか思考力が復活しかけたような気がするので、六日以来の出来事を思い辿《たど》って行くことにする。

六日の朝は四時半に、能島さんの操縦するトラックが来て疎開荷物を積んだ。同行は能島さんの奥さん、宮地さんの奥さん、吉村さんの奥さん、土居さんの奥さん。みんな同じ町内組の人や隣の町内の人ばかり。それぞれに疎開荷物の脇《わき》に乗った。出発は五時半。

街道を己斐町《こいまち》から古江に向って行く途中、空地利用の五坪か六坪くらいの粟畑《あわばたけ》に、褐色で等身大の男の人形を案山子《かかし》に立てているのがあった。能島さんはトラックを徐行させながら、「あれを見ろ、変なものがある」と云うように仕切の桟を叩《たた》いた。人形とは云っても塑像のように顔や手足が克明に出来て、腰に菰を巻きつけてあった。張子細工のようにも思われたが、能島さんの奥さんが「あれは南方土人の案山子を持って来たんでしょうか」と云い、宮地さんの奥さんが「あれは百貨店のマネキン人形が、油脂爆弾の煙か何かで黒くなったもんでしょう」と云った。「わたし、ぎょっとしました。黒こげの実際の人間かと思いました」と土居さんの奥さんが云った。

古江に着いたのは午前六時半ごろ。農家はまだ雨戸をしめていたが、能島さんの奥さんの生家ではお父さんとお母さんが、蔵の戸を明けて私たちを待っていて下すった。私たちは荷物を卸して土蔵に入れた。能島さんの奥さんは念のためだと云って、私たちに荷物引換の証文を書いてくれ、私たちを母屋《おもや》の座敷にあげて茶菓子の代りに味噌《みそ》を添えた胡瓜《きゆうり》を出して下すった。みんな親切な人ばかりである。奥さんのお父さんは、婿《むこ》の能島さんを頼みに思っている風で、「うちの桃はまだ少し青うがんすが、みなさん召上ってみるか。夜露に冷えておるうちが良うがんす」と云って外へ出て行ったかと思うと、桃を十箇ばかり笊《ざる》に入れて持って来た。オオクボという種類の桃だそうだ。ちょっとまだ青かったが能島さんの奥さんが皮をむいて下すった。

かねがね能島さんも奥さんも、私たち町内のものに大変親切にして下すっている。人の噂《うわさ》では、能島さんは松本さんという左翼学者と以前から親しいので、戦争が苛《か》烈《れつ》になってからは当局の目を逸《そ》らすため町内づきあいに気をつかっている。松本さんはアメリカの大学を卒業し、戦争前にはアメリカ人とも文通していたので憲兵隊に何度も呼び出されたことがある。それで松本さんも市役所の人や県庁の役人や警防団員に対して気をつかい、空襲警報のときには誰よりも早く飛び出して「空襲、空襲」と呼び廻る。家にいるときでもゲートルを脱いだことはない。女子の竹槍訓練にも参加したいと申し出たそうだ。ちゃんとした学者でありながら、その心づかいが真《まこと》に涙ぐましい。松本さんのこの行きかたについて、いつか重松おじさんが、

「松本さんが役人の前でちらちらするのは、今、世の中が狂っておるからだ。屋形船さえ大根つむという言葉があるが、松本さんの行きかたはそれには当てはまるまい。山本勘助《かんすけ》も一時花作りと姿を窶《やつ》したそうなが、それともまた少し違う。転向者というのともまた違う。松本さんのようなのは、スパイ恐怖症というのだな。しかし、とにかく男というものは、羽織を脱がんならんときには、思いきって脱がんならんのだ」と云ったことがある。

松本さんはいつでも疎開できる身でありながら、自分がスパイだと疑われるかもしれないと警戒して、一所懸命、町の人の世話ばかりやいて毎日のように駈《か》けずりまわっている。能島さんもこの流儀で行っているとは云うものの、私たちがそれに附込んでトラックを操縦させたり、着物を預けたりするのはどんなものだろう。能島さんから見れば、私の着物や卒業証書などは、戦争前にはぼろ屑《くず》のようなものであったろう。

能島さんの奥さんの生家は奥ゆかしげな家である。これほどのお屋敷なら田地を何町歩《ぶ》ぐらい持っているだろう。何十町歩ぐらい持っているだろうかと私が外の築山《つきやま》を見ていると、警戒警報解除のサイレンが聞えて来た。時計を見ると八時であった。いつもこの時刻になると、アメリカの気象観測機がやって来て広島市街の上空を素通りする。例によってそれだろうと私たちは別に気にもとめなかった。庭にまぎれこんだ近所の子供が四人か五人、門内に乗り入れてあったトラックの枠《わく》にぶら下ったり腰をかけたりして遊んでいた。能島さんの奥さんのお父さんが、私たちにお茶を進ぜると云って茶道具をいろいろ運んで来た。私は茶の湯の作法を知らないし年下だから末席に坐《すわ》った。部屋のなかは涼しくて気持がよかった。お父さんは煮たぎる釜《かま》の蓋《ふた》を取った。そのとき戸外で青白い光が凄く閃《ひらめ》いた。東から西に向け、つまり広島市街から古江の裏山に向って飛び去ったようであった。太陽の何百倍もの大きさを持った流れ星のようであった。間髪を入れず大きな音が轟《とどろ》いた。「や、光が手走《たばし》った」とお父さんが口走ったのを私は耳にした。私たちは総立ちになると同時に外に飛び出して、築山の岩や木の幹を楯《たて》にして身を潜めた。トラックから飛び降りた子供たちは、叱《しか》られたかのように先を争って門の外に駈け出して行った。地面に転がった一人の子は這《は》い起きて、これは跛《びっこ》をひきながら駈け去った。トラックの枠に腰かけていたところを吹き落されたものらしい。「防空壕が裏にあります」と能島さんが云ったが、誰も立って行かなかった。能島さんも動かなかった。広島市街の方角に空高く煙が立ちのぼっていた。それが白い土塀《どべい》の上に見えた。火山の噴煙のようにも見え、輪郭のはっきりした入道雲のようにも見え、とにかく只《ただ》ならぬ煙であることだけは確かであった。私はしゃがんでいる両膝《りょうひざ》の震えが止まないので、かまわず膝先を風蘭《ふうらん》の宿っている岩に押しつけた。

「新型兵器を落したのかな」と岩かげから能島さんが云った。「もう大丈夫でしょうか」と能島さんの奥さんが云い、私たちは沢蟹《さわがに》が岩の間から這い出すように、すこしずつ岩かげから頭をのぞかせた。そうして築山から出て行くと、門のところに駈け寄って広島市街の方を見た。煙は上空たかく昇って、上になるほど大きく広がっていた。私はいつか写真で見たシンガポールの石油タンクの燃える光景を思い出した。日本軍がシンガポールを陥落させた直後に写した写真だが、こんなことをしてもいいのだろうかと疑いを持ったほど恐ろしい光景であった。煙が空高く、あくまでも高く昇り、横に棚引く雲を突きぬけて、傘の形をしたお化のような大きな煙であった。するとB29は油脂爆弾の種類のものを落して行ったのではないかと思った。奥さんたちはみんな、能島さんの云う新兵器説に賛成した。門の外の坂下に見える一軒の藁屋《わらや》は倒れていた。瓦《かわら》屋根の家は屋根瓦を剝《は》ぎ落されていた。

能島さんは奥さんのお父さんと何やら立ち話をして、次に泉水のほとりに行って暫《しばら》くまた立ち話をした。それから私たちの立っているところに来て、決意を持ったような顔つきで云った。

「みなさんは、おうちのことが御心配でしょう。もし御希望でしたら、今から広島市へ送り届けて差上げます。私の家内は子供の安否が心配で、今すぐ広島へ帰りたがっています」

私はお化のような雲を見て、あの雲の下に帰ることが出来るだろうかと疑った。冒険的にすぎる行動ではないかと思った。でも奥さんたちは「宜《よろ》しくお願いいたします」「助かります」「能島さんにお任せします」と口々に云って、では直《す》ぐ帰途につこうと話がきまった。

お父さんお母さんに御挨拶《ごあいさつ》がすんで、ふと見ると、茶釜の蓋が縁先の長石の上に転がっていた。お母さんは私たちに「これは鬼ヶ島征伐の桃太郎の黍団子《きびだんご》でのうて、普通の握飯ですが」と仰有って、握飯の竹の皮包みを一つずつ下すった。それから年とった下男に云いつけて、トラックの荷台に防火用の濡蓆《ぬれむしろ》を三枚も四枚も入れて下すった。

九時ごろ出発。往還に出ると、広島市の上空に黒雲が湧《わ》き起って雷鳴が聞えていた。能島さんは前方から自転車でまっしぐらに走って来る男を見ると車をとめ、何やらお互に耳打ちで話し合った。私たちに心配させないように往還の交通事情でも訊《たず》ねたらしい。

能島さんは三角路のところで車の向きを変え、もと来た道を引返して草津の浜に出ると、以前から知り合いらしい漁師の家でトラックを抵当にして闇《やみ》船を雇った。二噸《トン》半の大きさだそうで、釣船をちょっと大きくした程度の帆船だが、漁師の骨格や面《つら》だましいから見て如何《いか》にも頼もしげであった。そんな漁師を臨機応変に見つけ出す能島さんもまた頼もしい人に思われた。

奥さんたちは船のなかで広島市街と反対の方に顔を向けていた。さながら誓をしたかのように街の方を見なかった。私もずっと似島《にのしま》や江田島《えたじま》の方に顔を向けていた。能島さんは柄の長い攩網《たもあみ》を持ちながら、ときどき舷《ふなべり》から身を乗り出して海面のごみ屑を掬《すく》いとっていた。何が流れて来るか調べるためである。「おうい、田野村君や。今、もう引潮だろう」と闇船頭に云って、掬いとった板ぎれにじっと目をとめた。幅三寸ぐらいで、長さ六寸ぐらいに引きむしられた板の切れはしである。能島さんの顔は険しくなっていた。私はどうしたことかと思って能島さんの方に躙《にじ》り寄ったが、思わず目を逸らさないではいられなかった。それは紛れもない廊下板の切れはしである。富士山と帆掛船と松原の模様が白い木地のまま残り、あとはすっかり黒こげになっている。これはお化のような大きな火の玉が高空で閃く瞬間に、光の高熱が磨硝子《すりガラス》の模様だけ残して廊下板を黒こげにしたのだろう。その板ぎれを爆風が吹きあげて川か海に撒《ま》き散らしたものだと判断して間違いない。

能島さんはその板ぎれを海面に叩きつけた。

船は京橋川右岸の御幸橋のたもとのところに着いた。橋から川上の方は黒煙に覆《おお》われて、火焔《かえん》が至るところに見えながらも市役所附近はどうなっているのかわからない。もう日が暮れかけているように薄暗がりになっていた。千田町は焼けないで残っていたので私たちは上陸したが、憲兵が非常線を張っていて通行を許さなかった。土居さんの奥さんが「わたしたちは、この千田町のものです。わたしのうちには子供がいます。なぜ通さないんです。通ります」と憲兵に詰め寄った。憲兵は「非常線だ。引返せと云ったら、引返せ」と厳しく云った。

能島さんは悄然《しょうぜん》とした恰好《かっこう》でバリケードのところを離れて行った。そして引返して行くと見せながら、

「みなさん、私の後からついてらっしゃい」と小さい声で云った。「こうして古人の故知、または小細工を真似《まね》ましょう。いいですか、ずっと私のあとからついてらっしゃい。丁酉《ていゆう》の乱のとき、平八郎大塩中斎はこうしました。ずっと私についておいでなさい」

能島さんは、或《あ》る一軒の仕舞屋《しもたや》の土間に入って行き、その土間を素通りして裏口か

ら出た。次に、その裏手の家の裏口から土間を表へ通りぬけて広い通りに出た。どの家も傾いて壁がくずれていた。家の人もいなかった。
「まあ、驚きました」と宮地さんの奥さんが云った。私も驚いた。幾ら機転が利《き》くとは云え、私たちの通りぬけた家に人がいたらどんなことになるだろう。どの家でも類焼を予想して逃げ出していたのだろう。私は土間に入るときよりも、裏口から出るときの方が胸がどきどきした。

2

重松は姪《めい》の矢須子の日記をそこまで清書して、あとの続きは妻のシゲ子に手伝ってもらうことにした。字を書くことは重松よりも家内の方が上手である。それに一昨々日から重松は庄吉さんたちと共同で、鯉《こい》の稚魚の放養を始めたので、その必要がないのに池の見廻りに行かなくては何となく気がすまない。一昨日は二回、昨日は雨が降るのに三回も見廻りに行った。矢須子が昨日の夕飯のとき「池を見廻りに行くのは、おじさんの参覲《さんきん》交代のようなものですね。はたから見るほど嬉《うれ》しいものではないでしょう」と同情してくれた。しかし実際は、はたの者には知れない楽しみがある。魚を釣るのに似た楽しさである。

「おいシゲ子、ちょっと参観交代に行ってくるからな。この日記のこの続き、わしに代って清書しておくれ。お前の書く、例の水茎のあと麗《うる》わしきという書体でない方がいい。なるべく普通の書体で書いてくれ。水茎の何とかというやつは、実用向きでないからな。結婚の世話人が読みにくいかもしれん」

重松は出がけに家内へそう云《い》い置いて、岡の裏手の庄吉さん方の池を見に行った。これは重松が庄吉さんや浅二郎さんという人と共同で、鯉の稚魚を夏じゅう育てて阿《あ》木山《きやま》の大池へ放つため、糠《ぬか》や蚕の蛹《さなぎ》で飼っている養魚池である。

この村には十人あまりの原爆病患者がいたが、今では生き残りの軽症の原爆病患者が重松を含めて三人いる。その三人とも、栄養と休養に気をつけて病気の進行を喰い止めているが、休養すると云っても臥《ね》たきりでは駄目である。また臥たきりにしていられるものでもない。軽い用使いなどする他には散歩をするのがいいと医者も云っている。でも外見丈夫そうな一家の主人が、村道をぶらぶら歩くわけには行かないのである。この村では昔から散歩をする者などいた話を聞いたことがない。原則として散歩などということは有り得ないのだ。伝統的な風習の上から云ってそうである。

それで散歩の代りに釣をしたらどうか。診療所の医者も府中町の心臓病専門の医者も、軽症の原爆病患者には、精神的にも脂肪質の栄養食補給の一助のためにも釣が薬だと云っている。鮎《あゆ》の友釣は体が冷えるからよくないが、池の堤釣《どてづり》は一石二鳥の療養法だと云っている。釣をしている間は人間の思考力が一時的に麻痺《まひ》するので、釣は熟睡と同じように脳細胞の休養になるそうだ。しかし、いい年をして釣をしていると、忙しく働いている者から妙な誤解を受け易《やす》い。現に重松と庄吉さんも、池本屋の小母《おば》はんから聞きずてならぬ皮肉を面と向って浴びせられた。

折から農繁期のことで、みんなが麦刈をしたり田植にとりかかったり忙しくしている最中であった。農家では一年じゅうで一ばん忙しい時である。川の釣も池の釣も絶好期に入っている雨あがりの或《あ》る日のことであった。重松と庄吉さんが阿木山の大池の堤で釣をしていると、「よいお天気ですなあ」と池本屋の小母はんが声をかけた。それだけなら何のこともなかったが、小母はんは立ちどまって、「お二人とも、釣ですかいな。この忙しいのに、結構な御身分ですなあ」と変な口をきいた。

小母はんは手拭《てぬぐい》を被《かぶ》って、空の目籠《めかご》を背負っていた。

「何だこら」と庄吉さんが、水面の浮子《うき》の方を見ながら云った。「そう云うお前は、池本屋の小母はんか。小母はん、そりゃどういう意味か」

池本屋の小母はんは、すぐ行けばいいのに、わざわざ堤の下に寄って来た。

「小母はん、結構な御身分というのは、誰のことを云うたのか。わしらのことを云うたつもりなら、大けな見当はずれじゃった。大けな大けな大間違いじゃ。小母はん、何か別の挨拶《あいさつ》に云いなおしてくれんか」

温厚篤実《とくじつ》な庄吉さんも、日ごろに似合わず竿先《さおさき》をぶるぶる震わせていた。

「なあ小母はん、わしらは原爆病患者だによって、医者の勧めもあって鮒《ふな》を釣っておる。結構な御身分とは、わしらが病人だによって、結構な身分じゃと思うたのか。わしは仕事がしたい、なんぼでも仕事がしたい。しかしなあ小母はん、わしらは、きつい仕事をすると、この五体が自然に腐るんじゃ。怖《おそろ》しい病気が出て来るんじゃ」

「あら、そうな。それでもな、あんたの云いかたは、ピカドンにやられたのを、売りものにしておるようなのと違わんのやないか」

「何だこら、何をぬかす。馬鹿《ばか》も、休み休み云え。わしが広島から逃げ戻ったおり、あのとき小母はんは、わしの見舞に来たのを忘れたか。わしのことを尊い犠牲者じゃと云うて、嘘《うそ》泣きかどうかしらんが、小母はんは涙をこぼしたのを忘れたか」

「あら、そうな。そりゃあ庄吉やん、あれは終戦日よりも前のことじゃったのやろ。誰だって戦時中は、そのくらいなことを云うたもんや。今さらそれを云うのは、どだい云いがかりをつけるようなもんや」

小母はんは早く行けばいいのに立ちどまったまま、後家女房の勝ち気を見せて減らず口を叩《たた》いた。

「それでも庄吉やん、あんた、ようも云うたもんやな。あのとき見舞に来てくれたのを忘れたかとは、そりゃあ誰が誰に向って云う言種《いいぐさ》な。あたしが云う言葉じゃなかったのと違わんか。あんまり逆恨みのようなこと、云わんといておくれ」

「何が逆恨みじゃ。小母はんは、自分のところでこの池の門樋《もんぴ》の番を預かっとるんで、この池を我が池のように思うとるんじゃろ。それが大けな大けな大間違いじゃ。この池の水路の組内の者なら、誰が釣っても文句ないこと、小母はん知らんのか」

「それじゃによって、あんたが釣るのは、あくまでも結構なことやないか。あたしゃあ、それで結構な御身分ですなあと云うたんや」

「何をこの、後家のけつまがり……」

いきなり庄吉さんは立ちあがろうとしたが、びっこだから意のままに行かないのだ。堤の内側の斜面に両足を垂らしていたので直《す》ぐには立てなかった。堤から滑り落ちないように、池水の方にそろそろと尻《しり》を向けかえようとした。その間に、池本屋の小母はんは堤の下から坂になっている小道に降りて行った。それも後姿が洒落《しゃれ》て見えるように、空っぽの目籠の負縄を片方だけ肩に掛けていた。さっきは両方の肩にかけて背負っていたが、わざわざそうして後姿に威のある感じを出していた。

「何たることじゃ、全くほんまに」庄吉さんは小母はんの遠のいて行く方を見て、「わしゃあ、むらむらと腹が立つ」と息《いき》りたった。その挙句、釣竿で池の水を搔《か》きまわしながら云った。

「もう池本屋も、広島や長崎が原爆されたことを忘れとる。みんなが忘れとる。あのときの焦熱地獄——あれを忘れて、何がこのごろ、あの原爆記念の大会じゃ。あのお祭騒ぎが、わしゃあ情ない」

「おい庄吉さん、滅多なことを口にすな。——おい、魚が来とる、浮子を引いとるじゃないか」

妙なもので、水を搔きまわしている竿の方の浮子が、ぐぐっと水中に吸いこまれていた。

庄吉さんが竿を立てて引寄せると、咽《のど》の奥まで鉤《はり》を吞《の》みこんだ大きな鮒が釣れていた。これが時の氏神となったのは云うまでもない。庄吉さんは怒りをしずめ、その日は立てつづけに釣れて一貫目近くの漁をしたが、その後は庄吉さんも重松も大池へ釣に行くのを見合せた。

　もう一人の仲間の浅二郎さんは、庄吉さんと同じく自発的に勤労を買って出た奉仕隊員として広島に出かけていて被爆した。症状は重松と同じように重いリヤカーを曳《ひ》いたり畑仕事をしたりしていると、頭の髪の毛のなかに小さな水泡が出る。ぶつぶつと気味の悪い粒が出来てくる。しかし栄養物を食べて釣などしているとそれが涸《か》れて来る。この人の栄養の摂《と》りかたは、巡回診察医の指示には従わないで、お灸《きゆう》の先生に教わった安あがりの方法に従っている。食事は三度三度、油揚と切干大根を入れた味《み》噌汁《そしる》を二杯に生卵を一つ必ず吸って、一日に一回はニンニクを食べている。手当としては週に一回お灸をすえる。この人のうちの納屋《なや》の土間には、ねじぼし大根や切干大根がどっさり吊《つる》されている。

　浅二郎さんは子供のときから魚を捕るのが大好きで、竹筒に仕掛をした道具で鰻《うなぎ》を捕る技術にも優れている。広島に爆弾投下された日の前の晩も、自由な身の勤労奉仕隊員だから夜中に宿舎を出て、住吉橋の西詰から川に降りて鰻捕りの竹筒を川底に伏せて置いた。翌朝、指導員に引率されて現場へ出かけたが、爆音が聞えるので浅二郎さんは仲間の庄吉さんと一緒に橋の下へ逃げこんで、そこに繋《つな》いであった苫船《とまぶね》のなかに隠れた。折から満潮のため、川の水は六尺か七尺ぐらいの深さになっていた。すると間もなく警報解除のサイレンが鳴ったので、浅二郎さんは苫船から出て行って竹筒を揚げ、人目を避けて鰻を取出すため苫のなかに隠れた。庄吉さんも苫のなかに入った。

この船の苫は、つぎはぎだらけの帆布の古手だが毒々しく黄色に染めてあった。ぐるりの幅の広い垂れも同じく黄色に染めてあった。浅二郎さんの鰻捕りの竹筒は仕掛が一種独特で、長さが六尺ぐらいもあった。その筒がぬらぬらするので庄吉さんが手拭で拭《ふ》いたり擦《こす》ったりしていると、そのとき狐火《きつねび》のような青白い光が閃《ひらめ》いて、物凄《ものすご》い爆発音が轟《とどろ》いた。同時に舳《へさき》を中心にして、くるりと船がブン廻しのように回転し、隣の船の舷《げん》と舷を打ち合せた。二人は身を伏せ損ね、庄吉さんはもんどり打って足首を舷に打ちつけた。

後で見ると、竹筒が舷から食《は》みだしていた部分は、半面だけ黒く焦《こ》げていた。閃光《せんこう》かまたは爆発で起った熱気のために焦げたのだ。その反対側は青竹のままの色である。筒を逆さにすると、少量の温《ぬる》い水が船板の上に出た。船は舷も舳も艫《とも》も焦げて、纜綱《ともづな》は鎖だから無難であった。黄色いズックの苫は焦げていなかった。黄色はよく光を防ぐらしい。二人はこの苫の下にいたからこそ、後遺症は止《や》むを得ないとしても、黒焦げにも火ぶくれにもならずにすんだのだ。庄吉さんがびっこになったのは、舷に足首を打ちつけて骨折させたためである。（これは重松が小畠《こばたけ》村に帰って来て二人から聞

かされたことである）

重松たち三人は大池へ釣に行くのを暫《しばら》く諦《あきら》めていたが、庄吉さんの云い出しで三人共同で鯉の稚魚を大池に放つことにした。庄吉さんは「わしゃあ、池本屋の小母はんの鼻を明かしてやりたい一心に、喧嘩腰《けんかごし》でこの案を考えついた」と云った。しかし珍しい案でも何でもない。田植ごろになったら稚魚を常金丸《つねかねまる》村の孵化《ふか》場から取寄せて、庄吉さんのうちの池で夏じゅう育てて二百十日前に阿木山の大池に放つ。稚魚は三人の共同出資で、取敢《とりあ》えず三千尾ほど送り届けさせることにする。

「これなら資本をかけたことになるやろう。資本をかけた魚を釣るのは、遊びごととは云われんよ。だから、天下晴れて釣ることが出来る。何なら、二万尾も二万五千尾も買うて来たと、云いふらした方がよいかもしれん」

重松も浅二郎さんもこの庄吉さんの案に賛成して、浅二郎さんが役場へ行って大池に放魚の許可を貰《もら》って来た。

大池で釣る資格のある者は、大池の水路を持つ組の者に限るという条件にして置いた。これでは水利組合の今まで通りの条件だが、重松たちは誰に遠慮もなく釣ることが出来さえすれば問題でない。庄吉さんの云う通り、ほんの少しでも自分で資本を掛けた魚を自分で釣ると、これは遊びでなくて仕事または事業をしていることになる。

医者は散歩も大切な日課だと勧めるが、散歩に資本を投ずることは出来ないから散歩は浅薄な振舞だとされてしまう。往還ばたでの立ち話や辻堂《つじどう》での昼寝は資本を食わないが、これは何百年または何千年もの伝統を持つ風習だから不問に附されている。

鯉の稚魚を常金丸村の孵化場に注文すると、孵化場の若主人がオートバイに乗って庄吉さんのうちの池を調査に来た。水温、流水量、水深、面積などを計り、農薬流入の有無を調べ、池に発生する天然餌料《じりょう》なども調べてくれた。それから、稚魚三千尾に与える人工餌料の種類と分量について、カードに英語入りの表を書いてくれた。

「この池の水温は、おそらく真冬は十五度から、真夏は二十四五度というところでしょう。青子《あおこ》や種鯉の放養には申しぶんありません。適温ですね。素晴しい条件をそなえています」

若主人はそう判定して、阿木山の大池も見て帰って行った。青子というのは生後一箇月目ぐらいの稚魚で、種鯉というのは一年目の鯉を云うそうだ。

それから数日たって、孵化場の若主人は青子を入れたタンクと酸素のボンベをトラックに載せて来た。タンクのなかには、この近辺の池に放養されるという何万尾とも知れない青子が入っていた。庄吉さんは前々から云っていたように、イタチ除《よ》けの鮑《あわび》の殻をぶら下げた竹の棒を持って来て池のほとりに立てた。

「ああ、鮑の殻。懐《なつか》しいものなんでしょうね、鮑の殻。この辺のお年寄の人は、たいていこれに郷愁を持ってらっしゃいますね」

若主人は鯉の稚魚を掬《すく》いとる手を休めてそう云った。

それが数日前の、むんむんするほど苗代風の吹く日のことであった。若主人は一尾も無駄を出さないようにして三千尾の稚魚を池に入れた。

庄吉さんのうちの放養池は異常が認められなかった。斃《へいし》死している稚魚は大して目につくほどいなかった。

重松がそれを見届けて帰って来ると、姪の矢須子が風呂場《ふろば》の煙突の煤《すす》とりをして鎖をがらがら鳴らしていた。妻のシゲ子は庭の莚《むしろ》を納屋の土間に取りこんでいたが、戸口のところに来て重松に云った。

「矢須子さんのあの日記、あそこのところ、省略した方が宜《よろ》しいのじゃないでしょうか。あの頃なら、黒い雨のことを人に話しても、毒素があることは誰も知らんので、誤解されなんだでしょう。でも、今じゃ毒素があったこと、誰でも知っています。あそこのところを清書して出すと、先方で誤解するんじゃないでしょうか」

「清書は、どれほど進んだか」

「ですから、あなたに相談してと思って、そのままにして置きました。黒い雨に打たれたことが書いてあるんですもの」

「あの雨のことか。じゃあ、一字も清書せなんだのか」

シゲ子が頷《うなず》いたので、重松はあの空襲の日のことがぐっと胸に来て、ぷりぷりしながら母屋《おもや》に入った。

納戸《なんど》の机の上に矢須子の日記帳とノートブックが重ねてあった。その中身を二つ較《くら》べて見ると、自分の清書した分量は五分の一にも行っていない。

「黒い雨は黒い雨、誤解は誤解、卑屈は卑屈」

重松は、まだぷりぷりしながら矢須子の日記を読みはじめた。八月九日に避難先の古市の仮宿所で、八月六日の空襲の日のことを思い出しながら書いた記録の続きである。

——もう日が暮れかけていると思っていたが、家に帰って来てから漸《ようや》く気がついた。空に立ちこめる黒煙のためにほの暗いことが分った。おじさんとおばさんは、私を探しに出かけようとしているところであった。おじさんは横川《よこがわ》駅で被爆したとのことで左の頬に傷があった。家は傾いていたが、おばさんは怪我《けが》もしなかった。私はおじさんに云《い》われて、自分が泥の跳ねのようなものを浴びているのを知った。白い半袖《はんそで》ブラウスも同じように汚れ、その汚れているところだけ布地が傷《いた》んでいた。鏡を見ると、防空頭巾《ずきん》で隠されていたところ以外は同じような色で斑点《はんてん》になっているのが分った。私は鏡のなかの自分の顔を見ながら、能島さんの誘導で闇《やみ》船に乗りこんで、もうそのときには黒い雨の夕立が来ていたことを思い出した。午前十時ごろではなかったかと思う。雷鳴を轟かせる黒雲が市街の方から押し寄せて、降って来るのは万年筆ぐらいな太さの棒のような雨であった。真夏だというのに、ぞくぞくするほど寒かった。雨はすぐ止んだ。私は放心状態になっていたらしい。夕立が降りだしたのはトラックに乗っていたときからではなかったかと思ったりした。私の知覚はずいぶん性能が下落していたに違いない。黒い夕立は私の知覚をはぐらかすように、さっと来てさっと去った。だまされたような雨であった。

私は泉水の水で手を洗ったが、石鹸《せっけん》をつけて擦《こす》っても汚れが落ちなかった。皮膚にぴったり着いている。わけが分らない。重松おじさんに見てもらうと、「やっぱり焼夷弾《しょういだん》の油脂かもしれん。敵は油脂爆弾を落したのかな」と仰有《おっしゃ》った。それから私の顔を見て「泥のような物質で、粘着力のある毒瓦斯《どくガス》かもしれん。敵は、毒瓦斯爆弾を落したのかな」と仰有った。それからまた私の顔を見て「敵の毒瓦斯じゃなくって、日本軍の火薬庫が爆発した飛ばっちりかもしれん。スパイか何かが火薬庫に火をつけたのかもしれん。日本軍の秘密兵器庫があったのかもしれん。僕は横川駅で被爆して、それから線路を伝って歩いて帰ったが、黒い雨は降らなんだ。飛ばっちりの油だろう」と仰有った。もし毒瓦斯なら、自分はもうおしまいだと思った。ぞっとした。そして悲しかった。

私は何度も泉水のほとりに行って洗ったが黒い雨のしみは消えなかった。染色剤としてみれば大したものであると思う。

これで矢須子の一日ぶんの記録が終りになっている。

家内の云う通り、黒い雨に打たれた記述の部分は省略するに越したことはない。しかし省略して清書した日記を結婚の世話人に渡してから、もし矢須子の日記の現物を見せてくれと云いだされるとすればどんなことになるだろう。どうしたものか、これについては考えを保留して置きたいものである。

爆弾の落ちた八月六日の午前八時すぎ、矢須子は爆心地から十キロ以上も離れたところにいた筈《はず》だ。重松はあのとき爆心地から二キロぐらいの横川町で頬を火傷《やけど》したが、それでもまだこうして生きている。あのとき横川あたりで火傷を免れた人のうち、今では無事に結婚している人があるそうだ。あのときのことを書いた重松の日記を、結婚の世話人に見せてやりたいくらいなものである。今度こそ矢須子の結婚を破談にさしてはいけないのだ。このごろ矢須子は今までとは見違えるほど色っぽさを増して来た。バセドー氏病ではないかと思われるほど目に艶《つや》も出た。実に水々しい。目につかないようにお洒落に工夫しているのがよく分る。矢須子が今度の縁談にどんなに乗り気になっているか、察してやらなくてはならぬのだ。

重松のいらいらするこの気持は、いきなり大きな声となって出た。

「おいシゲ子、わしの被爆日記を出してくれ。おおい、シゲ子、お前の簞笥《たんす》にお前が蔵《しま》っておいてくれたろう。あれを結婚の世話人に見せてやるんじゃ。わしの被爆日記を出してくれ」

こんな大きな声を出すまでもなく、シゲ子は隣の部屋にいたので、すぐに「被爆日記」を持って来た。

「この日記は、どうせ近いうちに清書しなければならん。小学校の図書館の資料室へ、これを寄附することにしたからな。寄附する前に、結婚の世話人にも見せてやる」

「世話人のひとには、矢須子さんの日記を見せればいいんでしょう」

「だから、この被爆日記は、矢須子の日記の附録篇じゃよ。学校の資料室へ納めるによって、どうせ清書せんければならんのだ」
「そんなことしたら、また仕事が殖《ふ》えるでしょうが」
「殖えてもよいわい。仕事を枝葉から枝葉へ殖やすのは、わしの生れつきの性分じゃ。この被爆日記は、図書室へ納めるわしのヒストリーじゃ」
重松はシゲ子が黙ったので、それ見たことかと新規なノートブックを出して来て、「被爆日記」の清書に取りかかった。

——昭和二十年九月、避難先なる広島県安佐郡古市町の借屋の一室にて閑間重松これを記す。「被爆日記」と題すなり。

八月六日　晴

昨日までは、毎朝、「B29八機編隊、紀伊水道南方、一二〇キロの海上を北上しつつあり」——というラジオの聞きなれた声が聞えていた。今朝は「一機北上しつつあり」と放送したが、毎日、夜となく昼となく聞く同じような放送だから大して気にしていなかった。警戒警報などは慣れっこで、以前の正午のサイレンぐらいにしか思わなくなっていた。

僕は朝の出勤で、いつもの通り可部《かべ》行の電車に乗るため横川駅の構内に入った。ちょうど発車間際《まぎわ》であった。改札口のところに顔見識《し》りの駅員が一人いるだけで、プラットフォームには一人も乗客がいなかった。僕が乗降台に飛び乗ると、「閑間さん、お早うございます」と云う声がした。見ると、同じ乗降台に立っている高橋紡績刷子工場の女主人が、指に綾《あや》をつけて後れ毛を搔《か》きあげながら云った。

「閑間さん、こんなところで何ですけれど、せんだってお願いしてあった書類に、御印判を頂きに……」

そのとき、発車寸前の電車の左側三メートルぐらいのところに、目もくらむほど強烈な光の球が見えた。同時に、真暗闇になって何も見えなくなった。瞬間に黒い幕か何かに包み込まれたようであった。「出ろ出ろ」「退《ど》け退け」「降りろ」「痛い」「きゃあ」という叫び声、呶《ど》鳴《な》る声、悲鳴。それと共に、どっと車内から乗客が押し出して来た。僕は乗降台からプラットフォームと反対側の線路上に押し飛ばされ、誰か女の人らしい柔かい体の上に被《かぶ》さった。僕の上にも重い人体が被さった。右側にも左側にも人が重なり合った。「おおい、止《よ》せ止せ」と僕が叫ぶのと、僕の頭に頭を接している人が「止《や》めれ止《や》めれ、こらあ」と僕の耳もとで叫ぶのが同時であった。僕は悲鳴と喚《わめ》き声に分厚く取巻かれ、僕に被さっている人を振落して辛うじて起き上った。そこで力の限り人を押しのけ突きのけて行くと、後から押しまくられて固いものに突き当った。プラットフォームの側面だと分ったので、肘《ひじ》で人を押しのけて上に這《は》い上った。

ここではもう喚き声よりも、悲鳴の方が数に於《お》いて圧倒的になっていた。僕は目を閉じて人波の間にはさまれながら、一歩、二歩、三歩ぐらい進んで、また固いものに突き当った。柱だと分ったので夢中で抱きついた。しっかり抱きついたが、まるで揉《も》みくたにされた。左に押し廻されたかと思うと、右に押し返され、何度となく柱から捥《も》ぎとられそうになった。その度ごとに手を圧迫され、顎《あご》ごと体を柱に押しつけられ、肩が切れるほど痛かった。この痛さを逃れるためには、柱から手を放して人波に入って行けばいいのが分っていた。それでも僕は、押される度に人波に浚《さら》われまいと懸命に柱にしがみついていた。B29が落したのは人間の目をつぶす有毒爆弾であって、しかも電車は直撃されたというのが僕のその場の自家判断であった。

やがて辺りが静かになったので、怖《おそ》る怖る目をあけてみた。視界に入る何もかも薄茶色の靄《もや》に霞《かす》んでいるように見え、空から胡粉《ごふん》のようなものが降っていた。プラットフォームには人が一人もいなかった。今まで、あれほどの騒ぎでありながら、構内には駅員の影ひとつ見つからない。おそらく僕は、柱にしがみついて相当ながく目をつぶっていたらしい。

柱の周囲には、電線が何十本もぶら下っていた。危険で仕様がないと思ったので、そこらに雑然と散らばる板ぎれの一つで動かして交叉《こうさ》させてみたがショートする気配はない。それでも電線の交叉しているところは避けて、板ぎれで押しわけながら古枕木《まくらぎ》の柵《さく》を越えて構外に出た。驚いたことに、駅続きの家という家が殆《ほと》んどみんなぺたりと地に倒されて、そこらじゅう地面を瓦《かわら》の波で覆《おお》っている。駅から何軒目かの家のあたりで、瓦の波のなかから年頃の娘が上半身を現して、手当り次第に瓦を投げながら金切り声をあげていた。本人は「助けてくれ」と云っているつもりだろうが、何を云っているのか意味を持つ言葉になりかねていた。

「おうい娘さん、そこから出て来たらよろしい。そんなに瓦を投げては、近づくことも出来ん」

西洋人のような顔をした通りすがりの老人が、そう云って声をかけて近づいて行こうとした。すると娘はその老人を目がけて瓦を投げだすので、その人はすたすた逃げて行ってしまった。娘さんは腰から下を梁《はり》か何かで挟《はさ》まれていたとしても、きっちりと瓦の波のなかに嵌《は》めこまれながら、上半身を自由自在に動かしていたのは不思議である。投げる瓦も可なり遠くまで飛んでいた。瓦を打ち割って小さくしながら投げていた……。

3

午後三時のお茶のとき、重松が台所（茶の間）へ行くと、坂下の松林で春蟬《はるぜみ》が今年の第一声をあげだした。妻のシゲ子は蕎麦《そば》かきをしながら云《い》った。

「あの、あんたの被爆日記は、図書室へ寄附して、末ながく保存するのでしょうが。そうなんでしょうが」

「そうだよ、校長から頼まれたんでな。あれは、わしのヒストリーじゃ」

「それなら、大事をとらんならんでしょうが。インキでなしに墨で清書したら、どうなんですな。インキで書いた字は、年がたつとだんだん薄れてしまうでしょうが」

「ばかなこと。ちょっとは褪《あ》せるが、そんなことがあるものか」

「でも、明治の初めごろインキで書いた手紙、茶色に薄れていました。ひい爺《じい》さんが東京の人から貰《もら》いなさった手紙、文字が茶色に薄れています」

「お前、いつそれを見た」

「もう二十何年前ですが。わたしがここへお嫁に来て、二日目に、お母さんに蔵の二階で見せてもらいました。お嫁に来たのが、旧暦の七月一日で、七月二日に見せてもらいました。はっきり月日を覚えています」

「じゃ、確めに行こう、インキが茶色になるかどうか。おい、わしを蔵の二階へ連れて行け」

重松は懐中電気を持って来て、蕎麦かきも食べないでシゲ子と一緒に蔵のなかへ入った。

蔵は階下がたたきの土間と厚い板戸の米櫃倉《こめびつぐら》に分れ、農地解放以前には米俵を高々と積んでいた。年貢米《ねんぐまい》がよく入る年には土間にも積んでいた。二階は赤松の板張だが虫くいになって、偽物の書画の箱を収めた備えつけ抽斗棚の下に、長持が幾棹《さお》か並んでいる。蓋《ふた》に大きな定紋を記した長持は、ひい婆《ばあ》さんが嫁入って来たとき持って来たものであるそうだ。このなかには、ひい爺さんの書き残した備忘録や、ひい爺さんの必要としていた書類などが入っている。以前、重松は蔵のなかの品の虫干をお袋にいっさい任せたきりで、お袋が亡《な》くなってからはシゲ子に任せていた。

「この長持のなかの、手文庫のなかにあるんです。ひい爺さんは、その手紙をよほど大事にされておったんでしょう」

シゲ子は長持の蓋をあけ、懐中電気の光の下で手文庫から紙束を取出した。紐《ひも》を解くと、郡役所や県庁から貰った手紙や、赤十字会員証などの間に目的の封書が見つかった。発信人は東京駿河台《するがだい》の市来某で、宛名《あてな》は備前岡山城下の内山下、園田某転交として、重松の曾《そう》祖父の名前になっている。日附は明治六年霜月吉日である。

「お母さんの話ですと、この村には明治六年に初めて手紙が来るようになったそうです。福山か岡山かの人の気附にして、そこから誰かにことづけて送って来たそうです」

明治六年と云えば、郵便事業が国営として全国の主要都市に拡《ひろ》げられた年である。

「ひい爺さんは、この手紙をよほど大事に思っておったんだな。こんなものが入れてある」

封筒のなかには、中身の巻紙に添えて、折りたたんだ煙草《たばこ》の葉が入れてあった。無論、かちかちに枯れて褐色になっている。明治六年なら煙草はまだ専売にされてなかったので、百姓は自家栽培して除虫菊のように虫除《よ》けにも使ったものだろう。手文庫のなかにも、煙草の葉が十枚も二十枚も書類の間に入れてあった。

「惜しいなあ、この煙草の葉。戦争中の煙草不足のとき見つけりゃよかったな。お前、この煙草の葉のことを、なぜ戦争中、わしに云わなんだのか」

「だって、もうニコチンが消えて無くなっとるでしょうが。それに、これでも煙草は煙草ですから、刻んで喫《す》ったら専売法違反になりますが」

「ああ、よう云うたもんじゃ。お前は、この煙草の葉のように、身も心もかちかちじゃ。おい、そうじゃろう」

蔵の二階は埃《ほこり》くさくてほの暗く、何もかも乾ききって、じわりじわり人の体の水分を吸いとるようだ。そっと歩かなくては、板張が抜けるかもしれないほど虫くいになっている。

重松は巻紙を拡げて懐中電気の光を当てた。毛筆で書いた達者な筆蹟《ひっせき》だが、文字がみすぼらしく褪せて渋茶色になっている。

――陳者《のぶれば》、昨年御地小畠《こばたけ》村巡見に際し、当方依頼のケンポナシの実五勺《しゃく》、此度《このたび》出京の元小畠代官村田殿、拙宅迄《まで》御届け被下《くだされ》、忝《かたじけな》く頂戴仕候《ちょうだいつかまつりそうろう》。いづれ試植の上にて、東京の街頭木として適するや否《いな》や其《その》筋へ献言可仕《つかまつるべく》候。就《つい》ては此の書面、其節の約に依《よ》り西洋のInktにて認《したた》め候――

元小畠代官は、維新後も明治三年に郡役所が置かれるまで郡内の治安に当っていたが、明治六年、家をたたんで一応東京へ移住したと云い伝えられている。現在、代官所跡には、崩れかかった裏門と書院が半分と土蔵が残り、屋方の跡は一部分が小学校の敷地になっている。

東京駿河台の市来某という人は、明治新政府の巡見使またはその随員として、小畠代官所へ立寄ったものらしい。その砌《みぎり》、ケンポナシの木を見て、重松の曾祖父に文面のような約束をさせたのだろう。重松のうちには日清戦争の当時まで、庭先に大きなケンポナシの木が五株もあったと云われている。

ケンポナシは樹容が端麗である。それが五株も並んでいるのを見て、市来某はこの木を東京の街路樹にしたら悪くないと思ったろう。それで宿所へ重松の曾祖父を呼んで、ケンポナシの実を五勺、いずれ元代官が東上する際に託してよこせと云いつけたろう。お礼には何がよいか申せ。へい、お役人さま、噂《うわさ》に聞くインキと申すものでお書きになった御書状を、この私へ頂戴させて遣わされませ。――そんなようなことではなかったろうか。重松の曾祖父は「東京の街頭木」という斬新《ざんしん》な言葉も聞かされて、目を見張るような思いであったろう。手紙を大切にしまっている理由が想像できた。

重松は「被爆日記」を毛筆で清書することにした。今までペンで清書した部分は、シゲ子に毛筆で清書しなおさせることにして、その続きを半紙に毛筆で清書した。

「あのときは、とても咽《のど》が渇いておった。水が飲みたくて飲みたくて、たまらなんだ。

道ばたの水道栓をひねったら、湯気をあげる熱湯が出た。口をつけることは出来ないし、手で受けることも出来なんだ」

そんなことを思い出したりして、毛筆で清書に取りかかった。

——横川駅の東側は横川神社の境内だが、本殿は突立つ柱のほかには何もかも無くなっていた。拝殿はすっかり消えて、のっぺらぼの土壇であった。

この境内のわきの往来の人は、みんな灰か埃《ほこり》のようなものを頭から被《かぶ》っていた。血を流していなかったものは一人もいない。頭から、顔から、手から、裸体のものは胸から、背中から、腿《もも》から、どこからか血を流していた。頬が大きく脹《ふく》れすぎて巾着《きんちゃく》のようにだらんと垂らし、両手を幽霊のように前に出して歩いている女もいた。一糸まとわず、さながら銭湯の湯槽《ゆぶね》へ入るときの恰好《かっこう》で、ひょいひょいと身をかがめながら歩いている男もいた。肌シャツ一枚だけで呻《うめ》き声を出しながら、へとへとの様子で駈《か》けて行く女もいた。赤ん坊を抱いて「水をくれ、水をくれ」と叫びながら、その声の合間に、赤ん坊の目に息を吹きかけている女もいた。赤ん坊の目には、灰か何か一ぱいたまっていた。声を限りに叫んでいる男、悲鳴をあげながら走る女や子供、苦痛を訴える者、道ばたに坐《すわ》りこんで、空に向けて差出した両手を無闇《むやみ》に振っている男。崩れ落ちた瓦《かわら》の山のわきで、合掌瞑目《めいもく》して一心に祈っている初老の婦人。小走りに来てこの婦人に突き当り、「ばか野郎、気じるし」と罵倒《ばとう》して走り去る半裸体の男。ぶらりぶらりと歩いている男。四つ這《ば》いになって「おうおう……」と泣き声をあげながら、わずかずつ進んでいる白ズボンの男。

これは横川駅から三滝公園に通じる国道を、僕が一町たらず歩いて行く間に見た光景である。

往来は、朝晩の混雑時刻に於《お》ける駅前のような人混みで、僕はただ大勢の人の行く方角に向って歩いていた。すると、いろいろの叫び声のなかに、「閑間さん、閑間さん」と僕を呼んでいる金切声を聞いた。

「おうい、どこだ、どこだ」と声のする方へ近づいて行こうと、人を押し分けていると、僕の腕を捉《とら》えて抱きつくものがいた。

「まあ閑間さん、逢《あ》えてよかった」

どこをどう潜って来たのか、さっきの高橋紡績刷子の女主人が僕の腋《わき》に両手で抱きついて震えだした。僕は雑沓《ざっとう》を避けるため、国道沿いの倒れた家と家の間に夫人を引張って行った。

夫人は青ざめた顔で、まだがたがた震えていた。

「閑間さん、どうしたのでしょう、この騒ぎ」

「爆撃されたのですぞ」

「どこをでしょうか」

「どこかなあ。しかし、とにかく爆撃されたんですぞ」

「閑間さん、顔をどこかで打たれましたね。皮が剝《む》けて色が変っております。痛いでしょう、痛そうです」

両手で顔を撫《な》でると、左の手がぬらぬらする。両の掌《てのひら》を見ると、左の掌いちめんに青紫色の紙縒《こより》状のものが着いている。また撫でると、またべっとり附着する。僕は顔をぶつけた覚えはなかったので不思議でならなかった。灰か埃が、垢《あか》のように縒《よ》れるのではないかと思った。また撫でようとすると、夫人が僕の手首を抑えた。

「駄目、撫でちゃいけません。薬をつけるまで、そっとして置きなさい。撫でると、手から黴菌《ばいきん》が入ります」

べつに痛みはなかったが、薄気味わるくて首筋のところがぞくぞくした。左の頰に、何かが無数に着いているようで不快な気持である。口を大きく開閉して頰の皮膚に動きを与えると、ますます何か附着しているような反応がある。夫人が僕の左の手首を摑《つか》んで放さぬので、そっと右手で左の頰を撫でてみた。掌に、また縒れ縒れの滓《かす》が着いた。それを左手の甲にこすりつけてみると、消ゴムの消滓のようで、それよりも少しぬらぬらする感触である。五体に悪寒《おかん》が感じられた。周囲のごった返しが消え去ったような気持がした。目まいがしたのではなかったが、瞬間、僕の心に受けた衝撃は何とも表現の仕様がなかった。

ふと僕は、先月の上旬か中旬ごろ敵機の落して行った伝単の文句を思い出した。

「いずれ近いうちに、ちょっとしたお土産を、広島市民諸君にお目にかけたい」という意味のことが書いてあったそうだ。僕はその伝単を見なかったが、宇品罐詰《うじなかんづめ》工場の田代老技師がそう云っていた。矢須子も同僚から聞いたと云っていた。

「こりゃあ大ごとだぞ。高橋さん、大ごとだから落着いて。そして、よく考えて行動しよう。ようく落着いて」

「どうしたと云うのでしょう、いきなりこんなようなことになって。爆撃か何か知らんが、ほどがあるですよ。あんまりですよ」

「おい高橋さん、頭も顔も埃だらけだぞ。灰の鬘《かつら》を被っておるようだ」

夫人はやっと僕の手首を放し、両手で頭の髪をたたいた。灰か埃のようなものが、さらさらと顔から肩に散った。それで顔を左右に振って、息で吹き散らした。手でたたくよりも吹く方がよく落ちる。夫人は前こごみになって、頭を振りながら髪を手でたたき、しきりに息を吹きつけた。

僕も自分の頭をたたいてみた。灰神楽《はいかぐら》のように粉が降った。

「こりゃいかん。高橋さん、止《や》め止《や》め。どこかで水を探して、頭も顔も洗おうよ。根本的に洗った方がよいぞ」

夫人は僕の云うのに賛成したが、このあたりの家はみんな倒れていて、軒下の防火水槽は潰《つぶ》れた壁や軒瓦の下敷きになっている。さっき熱湯の出た水道栓のところへ引返してみると、もう湯も水も出ないで栓が明け放しになっている。これは店屋の出入口に備えつけたタンクの蛇口であることがわかった。ドラム罐をコンクリートの台にセメントで貼《は》りつけて水槽にしていたものらしい。その店屋それ自体はすっかり吹きとばされていた。

往来の人通りは次第に尠《すくな》くなって、負傷者の叫び声もまばらになっていた。大体においての人の歩いて行く方角は、三滝公園か三篠《みささ》鉄橋あたりの見当のようだから、僕らもその方角へ歩いて行った。鉄道線路には避難民が蜿蜒《えんえん》とつながって、話に聞く昔の熊野詣《くまのもうで》か蟻《あり》の行列である。三滝公園の三滝の山は、饅頭《まんじゆう》に蟻が群がっているような遠望である。

僕らは横川小学校のわきを通るとき、校庭の隅に防火用水のタンクがあるのを見た。

それを先に見つけた高橋夫人は駈けだして行った。僕も駈けだそうとしたが、駈けると頰の筋肉が揺れて左の頰が気になるので、「落着いて、落着いて」と思いながら歩いて行った。ところが、顔を洗うつもりで眼鏡をはずそうとすると眼鏡がない。帽子もないことに気がついた。

「眼鏡と帽子を落した」

と僕が云うと、夫人は腰や肩を撫でまわし、

「鞄《かばん》を落しました、わたくし」と、ひそひそ声で云った。「あの鞄には、三千円あまり入っております。お金と、預金通帳と、印鑑を入れてあります」

「じゃ、探しに行こう。光の玉が光った横川駅に落したんだろう。三千円とは、えらい大金だ」

とにかく顔を洗ってということにして、そこにあったバケツで二人はお互に相手の頭の髪に水をかけ合った。

「閑間さん、顔をこすっちゃいけませんよ」

夫人に注意されるまでもなく、手はいっさい使わずに、僕は顔をバケツの水に突込んで左右に振りつづける仕方で洗った。バケツの水をいっぱいにして、息を思いきり吸って顔をバケツのなかに漬け、少しずつ空気を吐きだしながら頭を振った。噴き出

る泡《あわ》が気持よく頬を撫でた。

水を飲みたくてたまらなかったので、バケツの水を新しくして、三度含嗽《うがい》してから飲んだ。僕は子供のとき誰から教わったともなく、よその土地で井戸水や清水を飲むときには、必ず三度含嗽してから飲むことにしていたからである。僕の子供のときの友達は、みんな三度含嗽してから飲むのだと云《い》っていた。それは水あたりを防ぐためばかりでなく、井戸や清水の水神様に敬意を表するすべだと云われていた。

往来の人通りはずっと尠くなっていた。僕は先に立って道を引返し、今はこうするよりほかはない気持で横川駅の構内に入って行った。高橋夫人は全財産を入れた鞄を落したので、おろおろしながら僕について来た。

「黒いエナメル塗りの手提鞄です。金具は金色です」

高橋夫人は、さっきも云ったことをまた云った。

「落した場所は、自分の一ばん力闘したところだよ」

僕も同じことを繰返して云った。

構内には人が一人もいなかった。改札口のあたりからプラットフォームにかけて、いろんなものが散らばって、靴、下駄、サンダル、ズックの靴、パラソル、防空頭巾《ずきん》、服の上着、バスケット、風呂敷《ふろしき》包み、弁当など、学芸会の楽屋のように何でもあった。

殊《こと》に弁当は一ばん数が多かった。それも不思議に中身の散乱したものがたくさん目についた。食糧不足で食うことに一心だから無理もない。握飯は半麦飯、大豆飯、菜飯、キラズ飯などで、おかずは沢庵《たくあん》である。さっきの押しあいへしあいが、どんなものであったかを思わせる。

「ありました。鞄、あそこにあります」

高橋夫人はプラットフォームから線路へ飛び降りた。そこは空に光の玉が走った瞬間、夫人や僕らが電車のデッキから崩れ落ちた場所である。

「そうか、それなら眼鏡も、僕の一ばん力闘した場所にある筈《はず》だ」

その通り、さっき僕が抱きついていた柱の根元に眼鏡が見つかった。運よく玉は毀《こわ》れていなかったが、左のふちのセルロイドがゼンマイのようにめくれ上って、金属の芯《しん》が白く光っている。セルロイドだから、瞬間の熱気にそっくり返ったのだ。そのめくれ上っているセルロイドを捻《ね》じきる。つるも玉の枠《わく》も左側だけが金属で、右側がセルロイドの片と、ちんばの眼鏡になった。

高橋夫人は鞄を拾って来て、中身を調べながら「ああ、よかった、助かった」と云った。

僕は開襟《かいきん》シャツの襟《えり》で眼鏡の玉を拭《ふ》こうとしたが、ぶるぶる手が震えるのに気がついた。がくがくするほど震えるので、高橋夫人もそれに気がついたらしい。

「閑間さん、わたしが拭いてあげましょうか」

「いや、よろしい。手が震える理由、自分でもわかっているんだ」と僕は、震える手で眼鏡の玉を拭きながら云った。「敵が、あまりにも睨《にら》みを利《き》かしすぎるからだ。正体も知れぬ光で、僕の頬も左側を焦《こ》がした。眼鏡も左側を焦がしたからな。為体《えたい》が知れぬ怖さだよ。これが即《すなわ》ち睨みだな」

「でも、今日はもう空襲はないでしょう」

「あそこに転がっている、あの弁当を敵が見てくれないかなあ。あの握飯を見たら、敵はもう空襲に来なくてもいいと思うだろう。もうこれ以上の無駄ごと、止めにしてくれんかな。僕らの気持、わかってくれんかなあ」

「閑間さん、めったなこと云っちゃいけません」

僕は眼鏡をかけた。

ちょっと離れたところに、踏みつけられた戦闘帽が目についたので、拾って見ると、僕の帽子によく似ているが僕のではない。まあ良いわいと、それを被って高橋夫人と一緒に構外に出た。

「顔に繃帯《ほうたい》しなさい。風に当てると、禿《は》げ肌になりますよ」

夫人がそう云うので、肩にかけていた救急袋から三角巾を出して頬被《ほおかぶ》りのように包んだ。帽子を載せると小さくて被れない。

「やっぱり盗品は身につかぬな」

被るより捨てて行ってやることにして、誰かが被るだろうと、押しつぶされた家の鬼瓦に被せた。

考えのつかぬままに、二人は三滝公園の方へ歩いて行った。往来の人はずっとまばらになっていたが、さっきよりもひどく怪我《けが》をした人ばかりが僕らと同じ方角へ辿《たど》っていた。右腕を握った左の手の指の間から、どす黒い血を噴き出させ、滅入《めい》るような恰好で道ばたにじっと立っている婦人がいた。僕は直視できなくて顔を反らした。そのとき僕らの後から、

「お兄ちゃん、お兄ちゃん」と叫んで駈けぬけて行く少年がいた。ズックの靴をはき、半袖《はんそで》シャツに、臑《すね》から下がちぎれたズボンをはいていた。

「お兄ちゃん、僕だよ。僕だよ、お兄ちゃん」

その子供は、前方から来る鉄兜《てつかぶと》の青年の前で立ちどまった。青年も立ちどまったが、ちょっとたじろいだ風で、

「君は誰ですか」と云った。

高橋夫人も僕も、足をとめてそれを見た。

少年の顔はフットボールの鞠《まり》のように脹《ふく》れあがって、顔の色もそれに近く、頭の毛も眉毛《まゆげ》も消えていた。誰だかわかる筈がない。

「お兄ちゃん、僕だよ。ねえ、お兄ちゃん」

少年は青年の顔を仰いだが、青年はそれを認めかねるように苦い顔をした。

「君、名前を云ってごらん。学校の名前も云ってごらん」

「広島県立広島第一中学校、一年生二組、宿弥《すくね》久三」

青年は警戒するように、ちょっと身を引いた。

「そうか、久三ならば、しかし久三ならゲートルをはいておるよ。シャツは、浴衣《ゆかた》を再生した水玉模様のシャツを着ておるよ」

「お兄ちゃん、ゲートルは吹きとんだよ。シャツは、水玉のところが抜けてしまったよ。爆弾が光ったとき、いっぺんにそうなった。お兄ちゃん、僕を認めてくれよ」

シャツに粒々の穴があいていたが、青年はまだ気を許しかねるような色を見せていた。

「しかし君。そうだ、帯革に特徴があった筈だ」

「これだろう、お兄ちゃん」

少年は焼けただれた手で、素早くバンドを抜きとって青年に見せた。それは柳行李《やなぎごうり》を締める革紐《かわひも》をバンドに再生したものらしく、茶色の金具のところに、くるくる廻る同じ色の雑な管がついていた。

「そうだ久三、お前は……」

青年は声をつまらせて、少年のそばにしゃがんでバンドをはめてやった。

高橋夫人と僕はその場を離れたが、どちらも行先を決定しかねて、もと来た方に引返して行った。僕は会社に行くか家に帰るかの二つに迷い、夫人は自分で経営する刷子工場に帰るか取引先に行くかに迷った。

「僕は一応、家に帰ってみるつもりだ。市内が火事になっても、線路づたいに行けば帰れないこともないだろう」

「わたしは取引先へ行って、お金を頂いて来ます。銀行に振込まねば、品物が来なくなりますから」

「あんたの支店の、岩下君をどうするかね。火事になっても、死守するつもりで頑張っているかもしれんよ。あの人、そういう人だろう」

「岩下さんなら、どうにかするでしょう。とにかく、お金を銀行に振込まねば、品物の動きがぱったりです」

「しかし、止めとき、止めとき。銀行に人がいるかしら。取引先に人がいるかしら」

「いてもいなくても、わたしは冒険的に貫きます。商魂に徹します」

「じゃ、ここで別れよう。あんた、うちの会社へ寄ったら、今夕か明朝、出社すると工場長に云っといて」

　高橋夫人と別れて横川駅前に引返して見ると、宇品の方角に向って左手から右手にかけ、かれこれ十箇所あまりのところから火の手があがりはじめていた。（高橋夫人の消息は知れなくなった。たぶん火に巻かれたのだろう――後日記）

　三篠橋の方でも火焔《かえん》がのぼっていた。街は通れそうにも思われない。いま通り得る道は、山陽線の線路を辿り、横川鉄橋を渡り、双葉《ふたば》の里に出る小高い線路道が残っているだけだ。そう判断して、線路づたいに東に向けて横川鉄橋の方に歩いて行った。ここでも避難して行く人は疎《まば》らになっていたが、たいていがひどい怪我をしたり大火傷《やけど》をしたりしている人たちで、ひとりぼっちとぼとぼ歩く小学一年生ぐらいの子供もいた。僕はその子に追いついて声をかけた。

「坊や、どこへ行くの」

　その子はぽかんとした顔で、何も答えなかった。

「ひとりで鉄橋が渡れるかね」

これにも答えなかった。

「じゃ、鉄橋を渡るまで、小父《おじ》さんが道づれになってあげようか」

子供はこっくりして、僕と並んで歩いて来た。鉄橋を渡れば、後はもう双葉の山がすぐだから心配ない。

僕はその子に情が移ると困ると思って、名前も何も聞かないことにした。可愛《かわい》らしい子だが、幸い向うも何ひとこと云わないから僕は気が助かると思った。

子供は放心したようにぽかんと口をあけて歩いていた。ときどき線路の枕木《まくらぎ》が燃えているところに来ると、その子は不思議そうにちょっと立ちどまり、小石を二つ三つその火に投げる真似《まね》をしてまた歩きだす。

僕も枕木が燃えるのは不思議だと思っていた。歩いて行くにつれ、ところどころの枕木がちょろちょろと燃えたり煙を出したりして、電柱《ポール》の先や中ほどからも煙を出している。敵は油脂焼夷弾《しょういだん》というのを落したに違いない。そう思って枕木が燃えているのを踏み消して、どんな臭《におい》がするか腹這《はらば》いになって嗅《か》いでみた。木の焦げる臭のほかには悪臭がない。油脂爆弾は変な臭がすると云われている。どうも不思議だと思った。

僕が腹這いになっている身を起すと、目に映ったのは大きな大きな入道雲であった。それは写真で見た関東大震災のときの積乱雲に肌が似て、しかし、この入道雲は太い脚を垂らして天空高く伸びあがっている。その頂点をてべして、傘を開きかけの茸型《きのこ》にむくむくと太って行く。

「おい坊や、あの雲」

空を仰いだ子供は口を大きくあけていた。

雲はじっとしているようで、決してじっとしていなかった。ぐらぐらと東に向けて傘を拡《ひろ》げるかと思うと、また西に向けて広がって行き、東に向けてまた広がって行く。その度に、茸型の体のどこかが、赤に、紫に、瑠璃《るり》色に、緑に色を変えながら、強烈な光を放つ。同時に、むくむくと絶えず内側から外へ剝《む》れながら太って行く。ベールを束ねたような脚も、ぐんぐん忙しそうに太って行く。それが広島市の上へ襲いかかりそうだ。僕は体じゅう萎縮《いしゅく》しているようであった。腰を抜かしたのではないかと思った。

「あれは、あの下に見えるのは、夕立らしいですのう」

ふと僕に声をかける者がいた。

見ると、気の良さそうな中年の婦人と、健康そうな顔の娘である。

「そうですかなあ、夕立ですかなあ」

僕は目を凝らして空を見たが、何か粒状のものが密集しているような感じで夕立雲とは思われなかった。竜巻かも知れないと思った。今までに見たこともない一種異様なものである。あれが襲って来て、もしあの粒で打たれたら、どうなることかと身の竦《すく》む思いがした。茸型の雲それ自体は、刻々に東南に向けてのさばって行く。僕の足は確かに竦んでいた。

中年の女は僕の連れている子供を見て、とても子供づれでは横川鉄橋を渡れまいと云った。橋の九分通りのところの向うに、貨車が横倒しになって枕木を塞《ふさ》ぎ、橋の手前に何百人も何千人もの避難民が坐《すわ》りこんでいると云う。

「その人たちは、なぜ引返して来ぬのですか」と訊くと、

「みんな休んどるんでがんす」と云った。「怪我だらけで、引返す元気がないもんで。なかには、行き倒れの人もがんした」

「あの雲のこと、みんな何雲と云うとるんですか。何雲でしょうか」

「何雲ですかなあ。鉄橋の手前の人たちのなかに、ムクリコクリの雲と云うとる人がおりました。ほんま、ムクリコクリでがんすなあ。でもなあ、子供づれじゃあ横川鉄橋は渡れんでしょう」

「坊や、聞いたか」と僕は掠《かす》れ声を出した。「子供は橋を渡れんそうだよ。だからな、この小母《おば》さんについて行って、可部行の電車道をつたって、山の方へ行ったらどう

だ」

　子供は視線を僕の顔に向けた。

「それでな、坊や。坊やと小父さんは、ここで別れような」

　子供がこっくりすると、中年の女は子供の頭に手を置いて、僕にお辞儀をした。子供は自分の行先に見当をつけた風で、中年の女の先に立って、もと来た方へ歩きだした。細い足に踵《かかと》のつぶれた黒いズックの靴をはき、パンツに半袖シャツを着て手ぶらであった。

　茸型の雲は、茸よりもクラゲに似た形であった。しかし、クラゲよりもまだ動物的な活力があるかのように脚を震わせて、赤、紫、藍《あい》、緑と、クラゲの頭の色を変えながら、東南に向けて蔓延《はびこ》って行く。ぐらぐらと煮えくり返る湯のように、中から中から湧《わ》き出しながら、猛《たけ》り狂って今にも襲いかぶさって来るようである。蒙古高句麗《ムクリコクリ》の雲とはよく云《い》い得たものだ。さながら地獄から来た使者ではないか。今までのこの宇宙のなかに、こんな怪しなものを湧き出させる権利を誰が持っているのだろうか。これでも自分は逃げのびられるのだろうか。これでも家族は助かるだろうか。今、自分は家族を助けに帰っていることになるのだろうか。一人避難していることになるのだろうか。

足がぐらぐらして歩が運べない。身震いが止まらない。

「これでは駄目だ。これではいかん――どこから吹きとんで来たのかな」

僕は枕木のわきに落ちていた米搗棒《こめつきぼう》を拾って、自分の脹脛《ふくらはぎ》や尻《しり》や太股《ふともも》など、ところかまわずその棒で叩《たた》いた。肩や二の腕も叩いた。目を瞑《つむ》って深呼吸もした。それは僕の会社で朝礼のときやらされている禊式《みそぎしき》という方式で、普通の深呼吸よりも静かに息を吐き、静かに息を吸う呪《まじない》のような深呼吸である。それでも足が云うことをきくようになって、気持にゆとりも出来たので東へ向けて線路の上を辿《たど》って行った。

僕は気が急いでいたが、ほかの避難者たちを追い越さない程度に足を運んだ。怖い夢のなかで逃げるのとは違い、駈《か》けだせば駈けだせたかもしれないが、運を天に任せる気持を徹底させるつもりから駈けださなかった。

僕を追い越して行く一組の避難者の一人が、「落下傘だ、落下傘だ」と叫んで駈けだしたが、すぐまたとぼとぼと力のない足どりになった。それは確かに落下傘に違いなかった。行手の左手に当って、一ばん遠い山の上に一抹《いちまつ》の白雲が浮かび、その雲の遥《はる》か向うに白い落下傘が一つ見えた。それが極めてゆるやかに北へ向けて流れていた。

落下傘というものは、日本軍では第一種兵器としているのではなかったか。敵軍のものか日本軍のものか知らないが、妖《あや》しの落下傘だと気にしながら歩いていると、突然、大音響が轟《とどろ》いた。地響きがして、西北七八百メートルあたりのところに黒煙の柱が立ちのぼった。線路の上を行く避難者たちは、いっせいに走りだしたが、すぐまた精も根も尽きはてたというような足どりになった。

　また一つ爆発音が轟いて、また一つ轟いた。地を震わせる大音響と共に、黒煙の柱を百メートル余も噴きあげた。そのつど避難者たちは走りだしていたが、誰かが「油のドラム罐《かん》の爆発じゃ。ドラム罐じゃ」と呼ばわると、みんな足どりを一層のろくした。その呼ばわり声に対して、誰も相槌《あいづち》の言葉を出す者はいなかった。

　横川鉄橋のたもとのところまで辿りつくと、二千人あまりの避難者が草の堤に坐りこんでいた。鉄橋を渡って行くのは殆《ほとん》ど若い者ばかりである。橋の高さは百尺あまりだろう。川をのぞくと身が竦む。だが、他に川向うへ出る道はない。坐りこんでいる人たちは殆ど怪我人ばかりだが、渡る気力がなくて捨鉢気分になっているように見えた。黙りこんで、天の一角を睨《にら》んでいる者もいた。

　たいていの人はクラゲ雲から目をそむけていた。草の堤に仰向けに伸びている怪我人も少くない。例外としては、ただ一人、両手をクラゲ雲の方に突きだして「おおい、ムクリコクリの雲、もう往《い》んでくれえ、わしらあ非戦闘員じゃあ。おおい、もう往《い》んでくれえ」と繰返して金切声を張りあげる女がいた。元気そうにしているにもかかわらず、橋を渡ろうとしないのが妙なものであった。モンペをはいて防空頭巾《ずきん》を被《かぶ》り、肩に水筒を吊《つる》し、勤労奉仕に出かけるような身支度をした若い女である。はたの者はその女を振向いても見なかった。

「わしは橋を渡る。ぐずぐずしてはおられん。よし、渡ろう」

僕はそう決心して、肩から血を流している青年のあとについて行った。川の水は、なるべく見ないようにした。九割がた渡ったところに、貨車が横に倒れて通りを塞いでいたが、身を伏せ匍匐《ほふく》前進で辛うじて渡ることが出来た。貨車の真下のあたりは川の水が浅いので、転がり落ちて重なりあっている大量の玉葱《たまねぎ》が見えた。

鉄橋を渡った避難者たちは、双葉の里から山の高みへ吸いつけられるように、蟻《あり》の行列で登っていた。山の中腹あたりに、二三箇所も山火事が起っているのが見えた。山火事の怖さはまた格別だが、山奥の人でないとそれを知らないらしい。群をつくって山火事に近づくのは、夜の蛾《が》が燈火に近づくようなものである。僕は子供のとき山火事を見て怖《おそろ》しさを知っている。たくさんの犠牲者が出たのを覚えている。それで四五人づれの避難者に、

「山火事は危険です。小さく見える火でも、ことに昼間は幅の広い大火です。火が、どろどろ下に崩れ落ちます。焼石や岩が転がり落ちます」

通りすがりに僕はそう云ったが、相手は感じない風で山の方へ行ってしまった。

やっと東練兵場の角へ出た。まるで見渡す限りの避難者の群で、広い練兵場は人波で埋め尽されていた。ここでも避難して行く人たちは山へ山へと押しよせて、話に聞いた津波はこんな風に濁流の渦巻くように高みへ這って行くのだろうと思った。

僕は予定通り広島駅へ出るために、山の方へ行く人たちと斜交《はすか》いに練兵場の端寄りに歩いて行った。無論、行きずりに見る何千人、何万人とも知れない人たちの風姿様相は種々さまざまであった。（その一部を、くどいようだが現在の僕が記憶するまま左に書きとめる）

頭から流れる血が、顔から肩へ、背中へ、胸から腹へ伝わって、どす黒い血痕《けっこん》をつけている者は数知れぬ。まだ出血している者もあるが、どうする気力もないらしい。

両手をだらりと垂らし、人波に押されるまま、よろめきながら歩いている者。

目を閉じたまま、人波に押されてふらふらしながら歩いている者。

子供の手を引いていて、他人の子供だと気がついて「あッ」と叫び、手を振りはなして駈け去る女。「小母ちゃん、小母ちゃん」と、その後を追う子供。六七歳の男の子であった。

我子の手を引いていて、人波に押されて手を放した親爺《おやじ》。これは子供の名を連呼しながら人の流れに分けこんで、突きのけた人から二つ三つ擲《なぐ》られた。

老人を背負った中年の男。病気らしい娘を背負った父親らしい男。

乳母車に荷物と子供を乗せた婦人。いきなり人波に巻きこまれ、車を押しつぶされて顚倒《てんとう》し、後に続く人たち二三十人が将棋倒しに倒れて行く。そのときの悲鳴は大したものであった。

柱時計を捧《ささ》げるように持って、ぶるんぶるんと音をさせながら歩いている男。

竿袋《さおぶくろ》に魚籃《びく》を結びつけたのを肩に担《かつ》いで歩いている男。

泣きじゃくりながら両手で眉庇《まびさし》をして行く跣《はだし》の女。

顔、胸、腕が血だらけの女の腋《わき》を抱き、引きずるようにして連れて行く中老の男。男が足を運ぶにつれ、女は頭をがくりがくり前後左右に動かして、二人とも、いつ息が絶えるとも知れぬ様子であった。これも人波で揉《も》みくたにされていた。

顔じゅう血だらけにした裸の赤児を、後向きにして負ぶい紐《ひも》で負って、殆ど裸体で歩いて行く若い女。

駈足の構えで忙しく足を動かしながら、人波に揉まれるので駈けだすわけに行かず、速歩の足踏する要領で進んでいる男……

4

ここまで清書すると、台所の方からシゲ子が「あんた、もう何時だと思うんですか。よい加減にして夕飯をすまして遣《つか》わされ」と呼んだので、「よし来た」と重松は台所へ立って行った。今まで自家製の塩豆を齧《かじ》りながら、夕飯を後まわしにして「被爆日記」を清書していたのであった。シゲ子も姪《めい》の矢須子もとっくに夕飯をすませ、矢須子は明日の一番バスで新市町《しんいちまち》の美容院へ行くのだから、納戸《なんど》でもう寝床に就いていた。シゲ子は鍋《なべ》の鰌汁《どじょうじる》を椀《わん》に装《よそ》っていた。

「おい、今日はどっさり清書したで。ムクリコクリの雲で、避難者が東練兵場でごった返すところまで清書した。しかし、自分で見たことの千分の一も、本当のことが書けとらん。文章というものは難《いた》しいもんじゃ」

「それは、あんたの書く文章が、何とかイズムとかいうのになるからでしょうが」

「イズムというのじゃないよ。わしのは描写の上から云《い》うて、悪写実という文章じゃ。しかし、事実は事実じゃ。――おい、その鰌は泥をよく吐かせたんか」

「今日で半月ほど吐かせたと云って、さいぜん好太郎さんが持って来てくれたんです。

観音堂下の溝川《どぶがわ》で捕って来て、三石入りの水甕《みずがめ》で吐かせたそうですが」

　好太郎さんのところでは戦争中に銀杏《いちょう》の大木を供出して、そのとき株根を掘っていて三石入りの備前焼の水甕を掘りあてた。それは五つにも六つにも割れていたが、今ではセメント細工でごてごてと繋《つな》いである。

　重松は箱膳《はこぜん》の前に坐《すわ》って、茶色の液体が入っているボテボテ茶碗を取りあげた。これは夕食前の重松の飲みもので、内容は、乾燥させたゲンノショウコ、ドクダミ、ハコべ、オオバコを煎《せん》じた汁である。

　膳の上のお料理は、ミツバの根を刻んで入れた舐味噌《なめみそ》と、卵焼と、沢庵《たくあん》と、それから鮒の浮いている味噌汁である。

「こりゃあ豪勢だ」と重松は、鮒汁の椀を取った。

「好太郎さんところの水甕には、絶えず何か飼っておるな。いつかも見たら、からからにした甕の底に川砂を入れ、スッポンに卵を産ませておった。しかし、とうとう卵は産まなんだそうな」

「去年の暮、わたしが見たら、鰻《うなぎ》を七本も八本も活《い》けてありました」

「何でも出し入れ出来る水甕だな。打出の小槌《こづち》のような水甕じゃ。うちでも一つ真似《まね》てみるか」

それは云ってみるだけのことである。重松のうちは、ちょっとした丘の高みにあるために、好太郎さんのところのように筧《かけひ》の水を引けないのだ。好太郎さんのところでは、裏の城山《じょうやま》から出る水で溜池《ためいけ》をして、そこから筧で水を引いて水甕に入れている。しかも水甕は割目を繋いだ細工が拙《まず》いので、脹《ふく》らんだ肩の下あたりで二三箇所の割目から、偶然にも適宜な分量で水が漏れている。鰻だろうが鯉だろうが、アメノウオだろうが活けて置いて差支《さしつか》えない。

好太郎さんは重松よりも年が一廻り上である。戦争中は隣近所の人の買出し役を引受けて、広島へも二度ばかり買出しに来て、二度とも広島の重松のうちへ桜の花の塩漬を土産に持って来てくれた。最初のときには石鹸《せっけん》代用の乳剤と食用脂肪を買出しに来た。乳剤は洗剤規格外品として業者が法規を破って製造していた闇《やみ》物資で、固形石鹸にする前のねばねばした液体のまま罐《かん》に入れたものである。脂肪は糧秣廠《りょうまつしょう》で肉の罐詰をつくるとき切って除く脂肪部分である。これには味つけしてあるが、十センチに七センチ角くらいのボール箱に一ぱいが十銭ぐらいの値で入手できていた。そういう闇物資を好太郎さんは重松のうちで大風呂敷《おおぶろしき》に包み、「わしは爺《じい》さんの代からの飛脚じゃ」と云って駅まで背負って行った。二度目に来たときには食用脂肪をカンカラ罐に一杯ぶんしか買えなかったが、それでも嬉《うれ》しがって重松への置土産として、近くの建物疎開跡の空地へ小鳥を捕る罠《わな》のコブツを仕掛けてくれた。その当座、重松は日課と云っていいほどコブツを見に出かけていたが、小鳥が捕れていたことは一度もなかった。

重松は、その空地で妻のシゲ子がよくアカザの芽を摘んで来ていたのを思い出した。アカザで、おひたしをして食べていた。

「いつか広島で、好太郎さんが仕掛けてくれたコブツ。あれはその後どうなったろうな。夏ごろは、あの空地にアカザがいっぱい茂っておったがな」

「でも、好太郎さんのコブツは、鳥を一羽も捕ってくれなんだですなあ。仕掛の仕方が悪かったのかしらん」

「標準語で、コブツは何と云うのかな」

重松は居間の机の上から辞典を持って来て調べた。「首打《こぶち》（「こうべうち」の約）野鳥の首を打ち挟んで捕える罠。こぶつ。こぼつ。こぼち。ごんぶち。くぶち。くぐし。くみじ」と云ってある。

重松は好太郎さんがコブツを仕掛けるとき、ひとりごとのようにぶつぶつ云いながら鎌で割竹を削っていたのを思い出した。

「ほんまに、どえらい食糧難じゃ。糧秣廠の炊事部ですら、味噌の配給が間に合わんちゅうて、おろおろしておった。明日は塩汁にするか味噌汁にするか、見当がつかんそうな。献立表を書こうにも書けんそうな」と云っていた。あのころはお互にひどい食生活であった。

「おいシゲ子、わしは思いついた」重松は、思いつきを云った。「お前、戦争中の我家の食生活のことを、メモ風に書いてくれないか。献立表なら尚《なお》さらよいが、いちいち思い出すことは出来んだろう。明日でもメモ風に書いといてくれ」

「献立表と云うたって、ハコベのおひたし、ノビルのぬた。そんなことしか書けんでしょうが」

「それじゃよ、その散々な食生活のことじゃ。戦時下における閑間重松一家の、貧相この上もない食生活じゃ。それを『被爆日記』のなかに附加えて書かんならん。どうしてもっと早く、それに気がつかなんだろう」

「その気持なら、うちでは今後こうしたらどうかしら。これからは毎年八月六日の原爆記念日に、あの八月六日の朝の献立通りの朝飯を食べたらどうかしら。あの日の朝の献立なら、わたしは覚えておるわ。不思議に、はっきり覚えとるんよ」

「あの朝、何を食べたかな」

「浅蜊《あさり》の塩汁と、御飯の代りに脱脂大豆。それだけですが。浅蜊は、三人で六箇しかなかったわ。あの前の日に、わたしと矢須子さんで御幸橋《みゆきばし》下で掘って来た浅蜊ですがな」

重松は思い出すことが出来た。あの浅蜊は小粒で肉が透けているように見えたので、このごろは浅蜊まで栄養失調だと、冗談でなしにシゲ子に愚痴を云ったのであった。

「あのなシゲ子、食生活の部門は一家の主婦の受持だから、お前に一役たのむんだ。メモ風でも書翰体《しょかんたい》の文章でも、何でもよい、明日でも書きとめてくれないか。とにかく、わしは今日はもう寝るよ」

そんなことで、重松はシゲ子に不馴《ふな》れな記録仕事を押しつけた。

その翌日は芒種《ぼうしゅ》の日に当るので、重松は農家の戸主のお勤めとして百姓道具を整理した。鋤鍬《すきくわ》や金梃子《かなてこ》は洗って楔《くさび》を打ちなおした。斧《おの》や鎌《かま》は研いだ。鋸《のこぎり》は目たてをした。稲刈鎌にも目たてをして種油を塗った。屋敷神のまわりも除草して、ついでに庄吉さんのうちの池へも参観《さんきん》交代に行って来た。これで結構半日が終った。

姪の矢須子は町の美容院へパーマをかけに行き、いやに別嬪《べっぴん》らしくなって五時ごろ帰って来た。そのときには、妻のシゲ子が「広島にて戦時下に於《お》ける食生活」と題した手記を書き終っていた。和紙の便箋《びんせん》に毛筆で書いていた。

広島にて戦時下に於ける食生活

広島にての被爆前の食生活を左記いたしますが、それに先だって街の様子と人の動きの概略を記します。

そのころは統制令のもとに、主食品も魚も野菜物も配給売りになっておりました。配給の知らせ、またはその他の通達は、町内の掲示板や隣組の回覧板でみんなに行き渡る組織になって、ことに回覧板は各種の指令通達の動脈であり毛細管であるような役目を果しておりました。当局者の側でもそれに重きを置いていましたのでしょう。その運営を徹底させるため、隣組の趣旨を織りこんだ歌詞の流行歌が映画やレコードで広められました。その歌詞は「とんとんとんからりと隣組、格子を明ければ顔馴染《なじみ》、廻して頂戴《ちょうだい》、回覧板、知らせられたり知らせたり」というのが第一節でした。

配給日には定刻前から配給所の前に人の行列が出来ました。本当に言語に絶すると云ったような、ひどい食糧不足ですからこの有様でした。街の一般の商店では品物不足で謂《い》わゆる開店休業していましたが、ふとしてそんな店の前にもお客の行列が出来ることがありました。しかも前に立っている人と後に立っている人が「ときに、この店では何を売っておるんでしょうか」「さあ存じません。何か売っておるんでしょう」というような会話を交すこともありました。何もかも不足しているのですから、何でもよい、何か手に入れたいのです。一枚の紙ぎれも粗末に出来ませんでした。

当時は紙幣の価値が下落しておりました。たまたま郊外の農家へ野菜を買いに出かけても、金では売り渋って衣類をよこせば売ってもいいと云うのがありました。ですから統制の目をかすめる仲買人や小売人が暗躍し、これは蔑称《べつしょう》的に闇屋と云われておりました。この闇屋という言葉は、もとは闇相場という取引用語から生れたものと云うことですが、戦時下の食糧難から一般用語として独立するようになりました。したがって、この用語は詛《のろ》われてあるべき大戦の落し子でして、耐乏生活と切っても切れない悪縁があるのでございました。

さて、主食の米麦の配給について申しますと、初めのころは一人あたり一日量三合一勺《しゃく》ぐらいだったと記憶いたします。間もなく米麦の代りに大豆が相当多く配給されるようになりまして、次いで外米や因果な大豆のしぼり滓《かす》が配給されるようになり、次第に減量されて大豆のしぼり滓が一日量二合七八勺になっておりました。最初の頃の配給米は玄米でございまして、瓶に入れて米搗棒《こめつきぼう》で搗いて白米にしないと食べにくいので、ぶつぶつ不平を云いながら夜鍋仕事で瓶搗きしておりました。

それで搗減りがして、三合一勺ぐらいの頃でも一人一日量が二合五勺強ぐらいになりました。

たぶんその頃だったと思います。隣組の宮地さんの奥さんがその筋に呼出されてお叱《しか》りを受けたことがございました。宮地さんの奥さんは農家へ食糧を買出しに行くとき、可部《かべ》行の電車のなかで隣の席の人に「このごろ配給米が三合になったので、うちの子供の教科書のなかにある言葉が改悪されました」と申されたそうでした。それは子供さんの教科書のなかにあった詩の文句が「一日ニ玄米四合ト……」となっていたのを、米の配給量と睨《にら》み合わして「一日ニ玄米三合ト……」と改訂されてあったから、そう申されたのだそうでした。後で奥さんから聞いた話ですと、その詩は宮沢賢治という詩人の代表的な作品で、農民の耐乏生活をよく理解した修道的な美しさの光っている絶唱であったということです。「一日に四合というのを、三合と書きかえるのは、曲学阿世《きよくがくあせい》の徒のすることです。子供がこの事実を知ったら、どういうことになりますか。おそらく、学校で教わる日本歴史も信じなくなるでしょう。もし宮沢賢治が生きかえって、自分で書きなおしたとすれば話はまた別ですが」と奥さんは仰有《おつしや》っていました。しかし、かりそめにも国家の大方針のもとに編《へん》纂《さん》された国定教科書に関する問題でございます。その筋の人は奥さんに向って、

「流言蜚語《ひご》は固く慎め。お前が闇の買出しに行った事実はわかっておる。そんな人間が、教科書のことに余計な容喙《ようかい》する資格はない。戦時下に於いて流言蜚語を放つ罪は、民法や刑法に牴触《ていしょく》するばかりとは云われない」と云って、暗に国家総動員法に牴触すると云わんばかりであったそうでございます。もうそのころには、誰しも人前へ出たときには言葉に気をつけるようになっておりました。

私どものところでは、主人と矢須子さんが勤務先で中食をしておりました。会社へ食事代を支払うだけで現物は持参しないので、一日二食ぶんが浮くようになっておりました。それに私は中食を馬鈴薯《じゃがいも》ですましておりました。つまり二人の中食と私の中食とで、一日に三食ぶんが延びていましたので幾らか助かりました。そして一般配給用の生うどんが、ときどき闇で流れるのを入手する道がありましたので、米麦に換算すると一人三合三四勺ぐらいになっていたと思います。

その他にも、極めて粗末な乾パンが、一戸当り三四十グラムぐらいあったこともございました。うどんは月に三回乃至《ないし》四回宛《ずつ》、一人一玉ぐらいの配給でしたが、その代り主食の配給を減らされておりました。

それからまた、米に大豆を入れたのを配給されることがありました。でも、大豆を混入して飯に炊《た》くと臭みが移って食べにくくなりますので、大豆は選り出して、一合あまり一夜水《よさ》にひたしまして、翌朝、擂鉢《すりばち》で磨《す》りつぶして木綿布で漉《こ》した汁を、味噌汁や醬油《しょうゆ》汁に入れたりいたしました。また汁だけを豆乳として、多少糖分を入れて飲むこともありました。ときたま、大豆のしぼり滓は醬油で煮て副食物にもしておりました。

代用食のパンは焼いて味噌をつけ、または味噌をつけて焼いたりして食べまして、主食を延ばす貴重な材にしておりました。パンのときには、つくづくバタやコンビーフの味覚を思い出すことでした。しかし味噌は東洋在来の調味料として、塩や醬油に較《くら》べて実に堂々たるものだと思うようになりました。戦時下になってから漸《よう》やくそれに気がついたのでございます。副食品の配給は左記の通りでございます。隣組班内十一戸、三十二人ぶんですから分配できにくいものが多く、それで順番に二戸または三戸で分けることにしておりました。

豆腐　一丁

魚、小鯵《こあじ》、鰮《いわし》　いずれかを一尾

白菜　二株

人蔘《にんじん》、大根、葱《ねぎ》、牛蒡《ごぼう》、

ほうれん草、瓜《うり》　いずれかを五本または六本

四個または五個
半分
茄子《なす》
かぼちゃ

警戒警報が出るようになってからは、ますます食糧事情が悪くなって参りました。
私は日課と云ってよいほどに、藜《あかざ》や三つ葉などを建物疎開跡へ摘みに行きました。
それから御幸橋下へ浅蜊を拾いに出かけたり、干潮時には古い筆と移植鏝《いしょくごて》を持って、しゃこ捕りに行ったりいたしました。初めのうち浅蜊は五合ぐらい捕れ、しゃこは十四から二十四匹ぐらい捕れました。けれども、どちらもだんだん捕れなくなって、戦争末期には浅蜊が十箇ぐらい、しゃこは捕れなくなって参りました。

空地には野菜を少し栽培いたしまして「何が何でも、かぼちゃを植えよう」という当局の標語に従って、かぼちゃを庭に植えました。茎が伸びますと、剪《き》って皮を剝《む》いたのを煮つけにして頂きました。かぼちゃは夏になると庭じゅうにはびこって足も踏みこめないほどでしたが、実は案外すくなくて十箇あまり採れました。それから田舎の生家にたのんで送ってもらった切干大根、乾燥させたぜんまい、わらびなどを副食物にしたこともございます。

私のうちでは昭和十六年十二月八日、宣戦布告された日に燐寸《マッチ》と塩をどっさり買いためて置きましたので、終戦になるまで塩と燐寸だけは不足いたしませんでした。

これは私が子供のとき、私のお婆《ばあ》さんから日露戦争のときの前例を聞かされていたからでございます。塩では調法いたしました。陸軍糧秣廠や罐詰工場の肉汁を精製して臭みを抜いた肉エキスに、食塩を加えまして代用醤油をつくりました。この代用醤油を匙《さじ》一杯ほど入れた煮物や汁の味のよさは、今でも忘れられないのでございます。でも、二週間ぐらい続けると、一時休みしませんと何故《なぜ》か口が受附けぬようになる欠点がございました。

飯は一日ぶんを朝炊いて、朝飯の残りと夕食にまわす一部を必ず握飯にして、布目の荒い風呂敷に包んで風通しの良いところに吊《つる》して置きました。空襲警報が出て防《ぼう》空壕《くうごう》に避難するとき持って出るためでした。この握飯の風呂敷包みのなかには、田舎の生家から送ってくれた焼米も非常食として入れまして、尚、祖先の名前を書き並べた書類も入れておりました。

魚類は配給のものだけ平気で焼いたり煮たりしていましたが、闇買いのものは焼くのを遠慮して、煮るかおすましにして近所隣に臭が行かぬようにしておりました。甘味品は矢須子さんが会社の同僚から闇買いして来るので幾分か助かりました。これは古市の奥の農家の人が、彼岸花の根を水で晒《さら》してその澱粉《でんぷん》でつくった飴《あめ》を、同僚の人がその農家の人から買って来て矢須子さんに取次いでくれるものでした。しかし調味料としては二度か三度か使ってみただけで、たいていは空腹のとき非常に惜しみながらしゃぶっておりました。酒は私どもの隣組でも戦前には飲まなかった人が、配給制度になってからはみんな飲むようになりました。妙な現象でございました。

煙草《たばこ》は配給の別に、会社の人が闇買いして裾《すそ》分《わ》けして下さる葉煙草を床下に暫《しば》く吊して湿気を与え、それを裁物庖丁《たちものぼうちょう》で細く刻んで英語辞書の薄い紙で巻いて喫《す》っておりました。辞書の紙はインディアン・ペイパーという紙質だそうでございました。私のうちでは戦時中から戦後にかけて豆辞書を一冊喫ってしまいました。

私どもの隣組では戦争が後半に入ってから後は、どこの家でも野草で食糧を補っておりました。幼い子供のいる家では、タカネイバラ、オオタカネイバラの新芽の伸びたものを採りまして、表皮を剝いておやつの代りに与えておりました。イタドリの新芽を与える家もありました。この野草は郊外の太田川畔に行くと見つかりました。会社勤めの人のうちには、郊外からの通勤者に頼んで採って来てもらう人もありました。子供のおやつは、どの家でも九割がた煎大豆《いりだいず》でしたが、同じものでは飽きて来るので、そんなとき野草にしておりました。

ギシギシ（スカンポ）も通勤者に頼めば手に入れることが出来ました。これは塩で一夜漬にして、漬物代用にしたり副食にもしておりました。ツバナの根、ハコベ、アカザ、ソデナ、タンガラセ（学名でない名前かもしれません）などは湯搔《ゆが》いて、おひたし、または煎りつけにして副食にしておりました。人蔘や牛蒡の茎はまだ上等の野菜の方でございました。

栄養失調または寝小便する子供は、イチジクの虫、クサギの虫を醬油で附焼にして食べさせられておりました。これは鉄砲虫の幼虫でございます。私が子供のころ、田舎では夏になるとクサギの虫を売りに来る木樵《きこり》がおりまして、私も虫封じのため食べさせられたことがありました。芳《こう》ばしくて美味《おい》しかった記憶がございます。

更年期障害で頭痛のする隣家の奥さんは、蟻《あり》地獄を一匹か二匹、盃《さかずき》の冷酒と共に呑《の》み下して直しておりました。奇妙によく効くとのことでございました。

これを要するに、私は戦時下の私のうちの献立表を一週間分ぐらいでも書くつもりでいましたが、毎日繰返していた台所仕事ですから、却《かえ》って雑然として正確なことが思い浮かんで参りません。もう今では当時の大東京の一流ホテルのコックでも、帝国ホテルのコックでも、終戦当日の献立を正確に思い出すことは出来ないのでないでしょうか。あのころ帝国ホテルには、大東亜共栄圏の諸国の使臣や外務省の外郭団体の人たちが宿泊していたということですが、どんな献立になっていたのでしようか。それはとにかく、広島の私のうちでは戦時中の後半、大豆飯と大豆の無糖佃煮《つくだに》が献立の六七割を占めておりました。お茶は桜の花の蕾《つぼみ》の塩漬を鳥獣などの動物蛋白《たんぱく》は殆《ほとん》ど摂取不可能でございました。お茶は桜の花の蕾の塩漬を代用としておりました。

尚《なお》、炭も炭団《たどん》も入手困難のため、私のうちでは冬期防寒のため、平たい石または瓦《かわら》を煮物などするとき竈《かまど》で焼いて古新聞紙に包みまして、それを布で巻いて背中に入れました。坐《すわ》っているときは股《また》の間に挟み、長椅子《いす》に腰をかけているときには足で踏んで暖をとっておりました。石の熱が次第に薄れて参りますと、古新聞を一枚一枚と取除いてまだ熱のあるところで暖をとり、中身まですっかり冷えてしまいますと、また焼いて使っておりました。

石鹼《せっけん》は米糠《こめぬか》、苛性曹達《かせいソーダ》などで作ったものを貰《もら》ったり、乳剤を闇《やみ》買いしたりしておりました。

竈の下の焚落《たきおと》しは消炭にして、それが幾らかの分量になると粉末にして、ほんの小量の粘土と糊《のり》を混入し、ねり団子の炭団にして乾かして使ったこともありました。

歯磨粉が無くなってからは塩を使っておりました。

尚、玉葱の配給がありますと、これは食べませんで土に植えまして、葉が伸びますと摘取って汁の身にしておりました。暫《しばら》くしてまた伸びると摘取り摘取りしており、りました。

以上、戦時下に於ける広島での食生活の概略ですが、私のうちの食生活は普通の勤人の家庭として「中の下」ぐらいであったかと思います。広島は昔から海のもの山のものが豊富であると云われておりまして、あれだけの大きな街でも戦前には貧民《ひんみん》窟《くつ》が無かったところでございました。でも長期にわたる戦時下では、大きな街ほど住民が食生活に困るものだということが、広島に住んでいてよく分りました。そして戦争というものは、老若男女を嬲殺《なぶりごろ》しにするものだということがよく分りました。

（閑間シゲ子記）

重松はこの手記を「附録篇」として「被爆日記」に綴《と》じこむと、シゲ子に云われて好太郎さんのところへ虫供養《くよう》のお萩《はぎ》を届けに行った。お萩を入れた重箱は、好太郎さんが鰤を入れて来てくれた金盥《かなだらい》に収めて風呂敷《ふろしき》で包んであった。

虫供養は芒種の次の次の日にする行事である。百姓は野良《のら》仕事をするから地の底の虫を踏殺すので、お萩をつくって今は亡《な》き虫類を供養する。この日は、近所の家から預かっているすべての品物をお返しするしきたりになっている。

5

好太郎さんのうちは城山へ登る坂道のわきにある。

重松が虫供養のお萩を届けに好太郎さんのうちへ出かけると、坂の登り口にぴかぴか光る中型の自動車がとまっていた。思いもよらないことであった。車内は空で、運転手らしい中年の男が丸帽を阿弥陀《あみだ》にして、筧《かけひ》の水が流れこむ三石入りの水甕《みずがめ》をのぞきこんでいた。誰か珍客が来ていることがわかった。

重松はもう胸騒ぎがした。

「よいお天気ですなあ」と重松は水甕のそばに行って、わざと見当違いのことを云《い》った。「あの自動車は、福山の藤田医院の専用車と違いますか。お客さんは福山からおいでになりましたか」

「いや、私はハイヤーの運転手です」と丸帽の男が云った。「山野村から婦人のお客さんを乗せて来とるんです」

「すると、婦人客というのは女医さんですか。急病なら、自動車でお医者を迎えんけりゃならんですからな。好太郎さんは、どんな病気が出たんですか」

「いや、婦人客の用件は結婚の聞きあわせです。どうもそうらしい口ぶりでした。私はもう、一時間の上も待っとるですが」

山野村から結婚の聞きあわせに来たからには、姪《めい》の矢須子のことを聞きに来た客に相違ない。狭い村のことだからすぐわかる。

重松はまた胸の動悸《どうき》を覚えたが、何くわぬ顔で水甕のなかをのぞいて見た。

「この鰌《どじょう》、どれもこれも黒いやつばっかりですな。私が子供のときには、スナハミと云うて、褐色に黒い斑点《はんてん》のあるやつがいたもんですが」

「そりゃ、谷川におるスナムグリでしょうが。しかし、スナムグリも今じゃあ農薬で全滅ですな」

「この村では、スナハミのほかにギギッチョも全滅です」

「そりゃ、ギギのことでしょうが。背鰭《せびれ》や胸鰭で人を刺す、ほんのり赤い魚でしょうが。ギギは、私の村の川でも全滅です」

茂みのかげから覗《のぞ》いて見ると、好太郎さんの家は縁側の障子も土間口の障子戸もしまっていた。好太郎さんと婦人は、どんな風に矢須子の噂《うわさ》をしていることか。客人はもう用談を終るころだろうか。もう座を立ちかけているかもわからない。重松は見つかっては拙《まず》いので、

「いや、どうもお邪魔しました。私の近所に病人がおるもんで、お医者の自動車ならと思ったんですが。じゃあ、御免なすって」

そう云って、櫟林《くぬぎばやし》のなかの細道に入って行き、そこの平たい岩に腰をかけた。

（よし、婦人客が帰るまで、辛抱してここで待っていてやろう。俺は好太郎さんにお萩《はぎ》を届けなくっちゃならん。このまま家に帰ると、かれこれ女どもに説明する必要がある。山野村の婦人が矢須子の聞きあわせに来たことは、当人に知らせたくないものだ）

腰をかけている岩は二畳敷ほどの大きさで、以前はこの岩とすれすれに大きな赤松の幹が立っていた。三十間ほどの高さであった。戦争中に供出されてしまったが、そのとき同時に供出された好太郎さんのうちの銀杏《いちょう》の木は、背丈が松の木と同じ高さだと云われていた。晩秋から冬にかけ、松の木と銀杏の木は、重松のうちの岡の麓《ふもと》まで朝日の影を伸ばしていたものであった。

重松は子供のころ、この平たい岩のところには滅多に遊びに来なかったが、好太郎さんのうちの銀杏の木の下にはよく遊びに行ったものである。霜が降りて銀杏の葉が散るころには、好太郎さんのうちの屋根は落葉でいちめんに覆《おお》われて、黄色い屋根になっていた。風が吹いて来ると、屋根の葉が軒先から黄色い滝水のように流れ落ちた。

つむじ風が吹くと、屋根の二倍三倍も舞いあがり、黄色い渦巻になって坂道や櫟林に落ちて来た。子供たちは大喜びで、男の子は風が弱って葉が舞い落ちて来ると両手を差上げた。女の子たちは拡《ひろ》げた前掛で受けとめて、数え唄《うた》のような文句を口にしながら前掛のなかの葉の数を勘定した。

「一枚、二枚、ギンナン葉」で四枚数え、一枚ずつ棄《す》てながら「オシドリ、雄鳥《おんどり》、ギンナン羽」でまた四枚数え、それを繰返して葉の数の多い方が勝ちだと云っていた。そんなとき好太郎さんのうちの類五郎爺《じい》さんは、よく箒《ほうき》を持って坂道を掃きに出て来るのであった。積みかさなる銀杏の葉で、子供たちが坂で足を踏みすべらしては拙いと思っていたらしい。

この類五郎爺さんは、そのころ小畠《こばたけ》郵便局に逓送人《ていそうにん》として勤めていた。小畠郵便局と高蓋《たかふた》郵便局の間を、二十年あまり、晴雨にかかわらず郵便物を担《かつ》いで毎日往復し、優良逓送人として逓信大臣から表彰されたことがあった。饅頭笠《まんじゆうがさ》を被《かぶ》り、襟に小畠郵便局と白抜きにした法被《はっぴ》を着て、担いだ棒の先に郵便物の入った行嚢《こうのう》を結びつけ、脚絆《きゃはん》に草鞋《わらじ》ばきで通っていた。子供たちが道いっぱいに遊んでいたり、荷車や馬車《うまぐるま》などが道を塞《ふさ》いだりしていると、

「郵便ホイ、また来たホイ、お上の御用で、また来たホイ」

と云って、道を開かせていた。子供たちは道の片端に寄って、爺さんの後ろから「郵便ホイ、また来たホイ、お上の御用で、エッサッサ」と囃《はや》したてていた……

自動車のドアのしまる音がして、発車して行くエンジンの音が聞えた。日が暮れかけていた。

重松が櫟林から出て好太郎さんのうちへ行くと、縁側の障子はしまって土間口の障子戸があいていた。土間に入って行くと、上《あが》り框《かまち》のところに好太郎さんが腕組をしてうつむいていた。お客を送り出したまま、じっとそこに坐《すわ》っていたらしい。

「今晩は、結構な芒種《ぼうしゅ》です」

この重松の挨拶《あいさつ》で、好太郎さんはびっくりしたように顔をあげた。

重松を見た好太郎さんは、「はあ、結構な芒種です」と挨拶を返したが、面目なさそうに伏目になった。ほの暗くても大体それと見当がついた。好太郎さんは矢須子のことでいろいろと問いつめられ、云いたくないことまで云わされて、くたくたになっていたところだろう。重松はそれと察したので、せんだって鮨を貰った礼を云い、お萩を丼《どんぶり》にあけてもらって、あとは余計な話をせずに帰って来た。

何とも云えない後口の悪いことであった。矢須子が晒《さら》しものにされているようで可《か》哀《わい》そうでならないのである。この上は、是が非でも「被爆日記」の清書を早く仕上げなくてはならぬ。先方へそれを見せて矢須子の日記と比較させる必要がある。意地でもそうしなくてはならないのだ。重松は自分自身その気持に追いこまれていることがわかった。

夕飯は簡単にお茶漬ですまして「被爆日記」の続きを清書した。

僕は人ごみのはずれを辿《たど》りながら、どうにか東練兵場を通りぬけることが出来た。街から練兵場に通ずる道路には、避難者が後から後から続いていた。たいていの者は着のみ着のままだが、なかには大八車に家財道具を積んで、その荷物の上に子供を乗せているのもいた。混みあう人の流れのなかを進むに進まれず、と云って荷物を捨てる決心もつかない風で家族数人ががやがや騒いでいた。大風呂敷《おおぶろしき》の包みを二三個に、トランクやボストンバッグを物干竿《ものほしざお》に通して夫婦で担いで行くのもいる。二十人ばかり長い縄へ前後につかまって、迷子にならないように一列になって歩いて行く学生もいる。

振返って見ると、街から練兵場の入口までの道を、人の行列が一本の厚いベルトのように続いている。

広島駅へ辿りつくと、東練兵場の端に引きこんだ操車線の貨車にも客車にも、避難者が乗りこんでぎっしり詰まっていた。駅の構内近くの客車には、車蓋《しゃがい》に人が鈴なりに乗っかって、「発車しろ、発車しろ」と呶鳴《どな》っている。駅員の姿は見えなくて汽車は動きそうに見えないが、駅の方に向って避難者が後から後から押しかけている。駅の建物は窓も窓枠も戸もなくなって、そこかしこ外壁が欠け落ちている。僕はその建物のわきを通ったが、二階の窓と同じ高さのところの外壁が大きく毀《こわ》れ、欠けた部分が太い鉄筋に釣られて宙に浮いているのが見えた。その下を通るときには駈《か》けだした。転轍機《てんてつき》のところまで来ると、二十歳あまりの駅員が、がたんがたんと装置を倒したり立てたりしていたが「一つもきくのはない」と独りごとを云った。その駅員は線路づたいに駅と反対側の方へ駈けだした。

駅前の街は火災で近寄れない。比治山《ひじやま》の裏手へ廻って帰ろうとすると、比治山には御便殿がない。しかし僕は道を間違ったとは思わなかった。御便殿がなくても比治山は比治山である。

荒神橋《こうじんばし》は火災で渡れない。大正橋を渡り、比治山の南側にまわって女子商業学校の横に出た。このあたりは住宅街で、しかも軒並に空家になっている様子で人通りもまばらであった。がらんとした感じで、犬の遠吠《とおぼ》えが聞えていた。二三人の奥さんが道ばたで立ち話をして、水道栓をひねっても水が出ないから手も洗えないと云っていた。

水と聞いて僕は急に乾きを覚え、咽《のど》に痛みを感じだした。空を見ると、色の褪《あ》せたクラゲ雲の頭の一部が比治山の西の端にのぞいていた。あの雲は比治山の北側まで襲って来るのではないかと思った。東の風が吹くと、クラゲは火災の煙で見えなくなるが、風向きが変るとまた見えて来た。

僕は財布に百二十円と、ばら銭を幾らか持っていた。こんなときには、水を売ってくれる人がいたら、コップ一ぱい百二十円出してもいいと思った。茶の木の生の葉でも齧りたいと思った。とにかく聞いたことがあるのを思い出した。茶の木の生の葉でも齧りたいと思った。

水が飲みたい飲みたいで歩いて行くと、共同水道のところにバケツが置いてあった。見ると、きれいな水が七分目ぐらい溜《たま》っている。僕はバケツに覆《おお》いかぶさる恰好《かっこう》で洗い場へ手をついて、犬がするように顔を突込んで甘露甘露とばかりに、気がすむまで飲んだ。飲み初めを三度に区切って飲むべきことも忘れていた。ただ飲んだ。とてもうまかった。途端に涼しくなった。ところが急に体じゅうの力が抜けて、突いている両手が崩れそうになったので、バケツのふちを抑え両足に力を入れて立ちあがった。濡《ぬ》れた布が胸に垂れさがっていた。三角巾《さんかくきん》である。いつの間に頭から抜けて首環《くびわ》のようになったのか分らなかった。

歩きだすと汗が流れはじめ、体じゅう水をかぶったようになって来た。眼鏡が曇った。立ちどまっては拭《ふ》き、歩きながらも拭いた。陸軍被服支廠《ししょう》の正門近くまで辿って行くと、気にかかるムクリコクリの雲は、横川で見たときの五倍にも六倍にも脹《ふく》れていた。その代りすっかり色褪せて、霧か何かのようにぼんやりした輪郭をとどめているにすぎなかった。今までは怖《おそろ》しい雲であったとしても、その雲の脱殻でしかないようで、もう大した力もなさそうに見えた。そこへ被服支廠のなかから「おい、まだか。防衛課長に連絡したか」「はい、もう連絡に行きました」という人声が洩《も》れ、忙しそうに行ったり来たりする二三人の人影が見えたので、僕はよほど気持が楽になった。火災のことは気になった。どこがどんな風に燃えていることか、どの方面に燃え拡がっているのか分らない。自分のうちはどうなっているか分らない。もし千田町が燃えているとしたら、妻のシゲ子は大学のグランドに避難している筈《はず》である。これは万一の場合を思って前々から打ちあわせをしていたことである。姪の矢須子は隣組の奥さんたちと古江町へ出かけているから心配ない。この辺で小休止しようかと思いながら歩いていると、ふと猫の鳴き声が聞えた。振向いて見ると、長靴をはいている男の足もとに三毛猫がいる。

「三毛、三毛」と呼んでみた。

猫は知らぬ顔で僕の先に立って行こうとしたが、長靴の男が立ちどまると、その靴のそばに寄って行った。

「閑間さんじゃないですか。やあ、閑間さん」と長靴の男が云った。

「やあ、宮地さんじゃないですか」

偶然すぎるような気がしたが、まぎれもなく隣組の宮地さんであった。

この人は、先々月あたりから軍人用の長靴をはいて出歩くようになって、暑いのにカーキ色のトックリ首のシャツを着て、会社や役所へ物資の御用聞きに廻っていた。やはり、いつもの通り軍袴《ぐんこ》をはいていたが、今日は上半身が裸体で帽子も被《かぶ》っていなかった。

「どうでした。お怪我《けが》はありませんでしたか」と聞くと、

「処置なしですわ。やられました」と云って、後向きになって見せた。

背中の皮膚が両肩から下へすっかり剝《は》げて、タブロイド判の新聞紙が濡れたようにだらりとぶらさがっている。両手の甲の皮も剝げて垂れている。顔は青ざめているが傷はない。

僕は宮地さんが火事の焰《ほのお》で背中を焼いたのだろうと思ったが、話を聞くとそうではない。宮地さんは朝早く広島城の天守閣の見えるところに住んでいる知人のうちを訪ね、玄関に入る前にトックリ首のシャツを脱ごうとした。（親しい女のところを訪ね

たのではないかと思う。女があるという噂があった）急いで歩いたので、汗びっしょりになっていたからであるそうだ。ところがシャツを頭のところまで脱いだとき、ざあッという物凄《ものすご》い音と共に閃光《せんこう》が煌《きらめ》いた。頭も顔もシャツで塞《ふさ》がれていたが、シャツや閉じた目蓋《まぶた》を透して閃光の明るさが感じられた。あとはどうなったか分らない。気がついたときには城の内濠《うちぼり》の方に向って駈けだしていた。天守閣は消えて無くなっていた。城内の第五師団司令部も消えて無くなっていた。天守閣は天守台を離れ去って、一町ばかり向うの濠の端に行って崩れていた。

「何が何やら無我夢中でした」と宮地さんは、僕と並んでよぼよぼ歩きながら云った。「とにかく、山寄りに行けばいいと思って、横川橋に出て、それから、第二総軍司令部の前に出て来ました。そうすると、猫が私について来るんです。こんなのは、縁起が悪いのか良いのでしょうか、どんなもんでしょう」

第二総軍司令部は東練兵場の北側にある。つまり宮地さんは、横川あたりからここまで僕と同じ道を逃げて来たことになる。

僕らは被服支廠前から地方専売局の方に向って歩いて行った。破壊され尽した屋敷街である。電線が切れて縄暖簾《なわのれん》のように垂れさがり、瓦《かわら》や建具などで道を埋め尽している。猫は宮地さんの後になり先になりしてついて来た。

宮地さんはひどく参っていた。倒れてしまうのではないかと思われた。ふらふらの状態である。僕は無性に心のあせりを覚えだした。杖《つえ》にする竹ぎれを宮地さんのために拾ったが、手の甲の皮が剝《む》けていては却《かえ》って悪いと思って棄《す》てた。瓦《かわら》を踏みながら建具を取りのけて、垂れさがる電線の間をくぐり、ぼつりぼつり進むよりほかはない。瓦は踏むとばりばり割れる。靴がすべって前にのめる。手をついて支えるが、身を起すのが苦労である。人通りは、僕ら二人のほかには一人もなくて、物音のしないなかに瓦を踏み割る音が異様に大きく響く。大きな箪笥《たんす》が一つ、瓦の波の上にころがっていた。その箪笥に一人の若い女が湯巻ひとつで凭《よ》りかかり足を投げだして、乳房を片方もぎとられていた。死んでいるのかもしれなかった。三毛猫は長靴の臭に執着しているかと思われた。相変らず宮地さんにつきまとい、宇品行の電車が通じている広い道路に出るまでついて来た。電車の往来はとまっていた。

ここまで来ると街の様相が一変し、負傷者を満載したトラックがひっきりなしに走っていた。陸軍将校を乗せた自動車も走っていた。負傷者が負傷者を乗せて曳《ひ》いて行くリヤカーも通りすぎた。歩いて行く沢山の負傷者たちは、僕が線路の堤や東練兵場で見た避難民の姿に似ていたが、ここでは竹や木のきれを杖にしているものが多かった。ここでは「助けてくれ」と叫ぶ声や悲鳴があまり聞えなくて、駈けだして行く怪我人は殆《ほとん》どいない。どうせ駈けだしても冥土《めいど》へ急ぐばかりである。避難民のうちには躄《いざり》の男もいたが、これは手漕《てこ》ぎで躄車のハンドルを操縦して、人を小馬鹿《こばか》にしたように、すいすいと負傷者たちを追い越して行った。

宮地さんは専売局の塀を撫《な》でるようにして、今にも倒れそうになりながら歩いていた。その塀《へい》が跡切《とぎ》れると、

「水をくれ、水をくれ」

そう云《い》ったかと思うと、よろよろと車道に入って行って、立ち往生している電車のそばに立ちどまった。僕は気が遠くなりかけていたが、その電車のところへ行って前のめりの恰好《かっこう》でデッキに這《は》いあがった。宮地さんは昇降台に腰をかけた。車内には座席の隅に、やっと歩けるぐらいな可愛《かわい》らしい男の子と、七八歳ぐらいな女の子と、ピンポンのラケットを持った小学生らしい男の子がいた。僕は救急袋の三角巾を宮地さんの赤肌に剝けた肩に掛け、布の角を咽元《のどもと》のところで結んだ。白いショールのように見えた。

「宮地さん、メンソレならここにありますが、どうしますか、塗りますか」と云うと、首を振って、「しかし、水が飲みたいですなあ——やあ、あの火事」と空を指差した。

市内の中心部あたりから、物凄い火焰《かえん》の竜巻が天を突いていた。大きな大きな火柱

である。それが市街各所から湧《わ》き出る煙と火焔を一つに吸い寄せて、火と煙を混ぜ合して渦巻にして見せながら、煙を棚引く雲に変化させている。その横雲を突きぬけている火焔の竜巻の周囲には、小さい火の塊や、火を吹いている何かが幻のように散らばって降っている。家の柱や梁《はり》や敷居など、竜巻に巻き上げられたのが燃えながら落ちて来ているのだと分った。

風向きが変ったとも見えないのに、ときどき火焔が建物の屋根の上を這うことがある。火の大きな縄を捻《ひね》るように燃え延びて行くかと思うと、炎を大波の形にうねらせて行く。その炎の尖《とが》った先で、大きな建物の窓を叩《たた》くのだ。

「火焔の先端が、蛇《へび》のようです」と宮地さんが震え声で云った。「這って行って、窓からちらちら舌を入れ、すっと這いこんで行きます。あれが、あの燃えだしたのが福屋百貨店ですね」

福屋百貨店、中国配電本社、中国新聞社、市役所など、大きなビルは火焔のうねりを受けるたびごとに、幾つもの窓から東南に向けて一斉に火を吹いた。普通の民家なら、火焔の一うねりで十軒も二十軒も焼けて行くだろう。風向きが変ったのか、一かたまりの火焔が吹きまくられて中ほどから脹れあがり、紡錘形《ぼうすいけい》から球形の火焔になって空に舞い上った。見る見るその球形の中心が割れて、口を開きながら吹きあげられて行った。妙な現象だ。僕は胸に手を当ててみたが、恐怖を通り越していたのか動悸《どうき》は平常であった。気分的に云えば、何か押し倒されでもするようでもあり、地に吸いこまれて行くようでもあり、頭がしびれているようでもあった。

「閑間さん、うちへ帰りましょう」と宮地さんは腰をあげた。

僕は電車から降りる前に見たが、車内の三人の子供は、いつの間にかいなくなっていた。

専売局の正門前まで来ると、川向うのまだ焼けていない家並の間に僕のうちの棟《むね》が見えた。煙はずっと遠くにしか出ていない。家は残ったのだ。僕は急に力が抜けて、地面に坐《すわ》りこんでしまった。宮地さんのうちは平屋だから見えなかった。

「閑間さん、私は気になりますから急ぎます。あの火事の勢いなら、いつか焼けますよ」

ふらつく足どりで宮地さんは正門前の御幸橋《みゆきばし》を渡って行った。（翌日、宮地さんは亡《な》くなったそうだ——後日記）

僕は御幸橋を中ほどまで渡って気がついた。欄干が一本もない。北側の欄干は橋の上に倒れて並んでいるが、南側の欄干は川のなかへ吹きとばされたらしい。一尺角の御影石で、高さは四尺ぐらいであったろう。それが一間あまりの間隔で建てられて、頂に倍角ほどの笠石《かさいし》が置いてあった。そんな堂々たる欄干が幾十本も立っていたが、みんな吹きとばされ、吹き倒されている。

橋の北詰に一人の男が倒れていた。宮地さんではなかった。橋の下にも人が数体にわたって流れていた。

僕は前々から家族と打ちあわせていた通り、空襲のとき避難する広島文理大学のグランドへ急いだ。グランドのプールのほとりが集合場所になっている。御幸橋から四五百メートルのところだが、そこまで行く間じゅう、檻《おり》から逃げた何か危険な猛獣にでも近よるような気持がして胸苦しくなっていた。道を急ぎすぎたためばかりとは思われない。

グランドは避難者でごった返していた。その人たちの間を通りぬけてプールのほとりに行くと、向岸に背負袋を負ぶって毛布を膝《ひざ》に乗せて地面に坐っている妻が見つかった。僕はプールの水を手で掬《すく》って飲むと向岸に廻って行った。かねがね僕は、鞄《かばん》は人混みのなかでは他人に引っかかるので、避難するときには必ず背負袋ということを云い含めて置いた。プールのほとりなら、火に襲われてもすぐ水に飛びこめる。だからプールのほとりに行けと話して置いたのを、妻は忠実に守っていた。妻の膝元には、釜《かま》と小鍋《こなべ》が置いてあった。

「怪我しなかったか」と聞くと、

「はい」と云ったが、僕の顔を見ると俯向《うつむ》いて、ただそれだけしか答えない。

「家は、どうだった」

「傾きましたが、立っています」

「火は、どうだ」

「庭の松の木の先が、燃えかけていましたが、高くて、どうすることも出来ませんでした」

「矢須子は大丈夫だろうな、古江へ行っておるからね」

「矢須子さんは大丈夫でしょう」

「餓《ひも》じくないか」

「餓じくありません」

「御近所は、どうだった」

「すぐ逃げて来ましたから、新田さんのお宅のほかはよく分りません」

可なり放心していると思われたので、僕は念のため家を見て来ることにして、「絶対に、この位置を離れてはならん。ここで待っておれ」と固く云いつけて家に帰った。

松の木の火は消えていたが、電信柱の添木の根元が燃えていた。それを竹箒《たけぼうき》で叩いて消しとめた。

家は十五度ぐらい南々東に傾いて、二階の雨戸や障子は吹きとばされて一枚もない。座敷へ上ってみると、硝子《ガラス》の破片が一面に散らばって、襖《ふすま》は菱形《ひしがた》になっている。八畳間から六畳二部屋、四畳半、二階の二部屋とも見て廻ったが、どの部屋も襖が菱形になっていて動かない。

炊事場から風呂場《ふろば》に廻ってみると、裏隣の早見さんのうちの炊事場が、壁もろともこちら側の風呂場に飛びこんでいた。茶碗《ちゃわん》、貝杓子《かいじゃくし》、箸《はし》、鉄網、丼《どんぶり》などで湯槽《ゆぶね》が埋まって、脱衣場の壁に、佃煮《つくだに》、漬物の菜葉、茶殻などが叩きつけられて貼《は》りついている。一枚の鯣烏賊《するめいか》も板張の上にころがっていた。やはり早見さんのうちから飛びこんだものだろう。僕はその鯣烏賊をしゃぶってみたい誘惑を感じたが、贅沢《ぜいたく》食品に属するので「口の栄耀《えいよう》のためでなくて、記念のために」と口実をつけて救急袋に入れた。

僕は六畳の茶の間に引返し、土瓶《どびん》の冷めた茶をラッパ飲みにした。左の頰の火傷《やけど》の手当をするつもりで薬箱のなかを捜したが、塗薬は一つも見つからなかった。姿見は倒れて毀《こわ》れていた。柱の日ぐりを見ると、当日の標語は「撃ちてし止《や》まん」という言葉であった。

6

朝早く、庄吉さんと浅二郎さんがボストンバッグをさげた旅姿で来て、三人共同で鯉《こい》の子を孵化《ふか》させる池をつくる気はないかと重松に云《い》った。常金丸《つねかねまる》村の孵化場で買った青子《あおこ》は別として、今度は我々の手で毛子《けご》からどっさり育てて阿木山《あきやま》の大池へ放魚しようと云う。

「何でも鯉は、八十八夜から卵を産むそうな」と庄吉さんが云った。「水ぬるむ頃から始まって、七月八月でも水温次第で産むそうじゃ。孵化させる仕方を、常金丸村の孵化場で教わって来ることにした」

「わしと庄吉さんが、今から常金丸村へ行って習って来る」と浅二郎さんが云った。「つまり、わしらは常金丸村へ留学するのやな。それで修行して来たら、あんたと三人して孵化池をつくるのや。わしらの腹はもう定《さだ》まっておる。あんた、賛成かどうな」

一も二もなく重松は賛成した。

留学と云っても、長くて三日か四日ぐらいですむだろう。その間に重松は自分の

「被爆日記」の浄書を進めて行くことだ。

庄吉さんと浅二郎さんは重そうなボストンバッグを持って、そのまま朝の一番バスで出発した。原爆病患者とも思われないほど行動的であった。

重松も行動的に出て「被爆日記」の浄書を急いだ。


僕は裏庭の泉水のほとりに行ってみた。水の上にパラソルや蚊帳《かや》が浮いていた。最近、僕のうちでは毎日夕食後の行事として、泉水の一角に張板を載せ、これに日常の食器、釜《かま》、その他の用具を置いて、いざ空襲というときには、片手で板の一端を持ちあげて、全部の器具を一度に水のなかへ沈ませる仕掛にしておいた。妻のシゲ子は咄嗟《とっさ》の際、それにヒントを得たらしい。僕は塀の崩れた煉瓦《れんが》を拾って、蚊帳とパラソルの上に載せて沈めておいた。蚊帳は米五升と引換に売れる貴重な品だから、どんなことがあっても浮きあがらぬように、煉瓦の重しを充分にしておいた。ふと見ると、泉水の隅でキャラの枝がのし出ている下に、一尺あまりの鯉や六寸七寸ぐらいの鮒《ふな》が腹をふくらまして死んでいる。腐ると臭《におい》が他のものや蚊帳に移るので、拾いあげて煉瓦塀の根元に棄《す》てた。どれも腹が異常に固く脹《ふく》らんでいた。

以前、僕が網本茂三さんの離れ座敷を借りていた当時、地震で崖《がけ》が崩れて池の鯉が何尾か死んだ。そのうちの一尺ぐらいの真鯉を一尾いただいたので解剖してみたが、浮袋が風船のように膨張していたので驚いたことがある。僕はそれを思い出した。魚類は急激な衝撃を受けると、浮袋の調節機能や神経機能に麻痺《まひ》が来て、浮袋に混合瓦《ガ》斯《ス》が充満するらしい。従って内臓が急激に圧迫され、全身の機能が止まるのだということを知った。

僕は子供のころ郷里の谷川で、岩を玄能で叩《たた》いて魚を捕ったものである。これは水《みず》涸《が》れした冬川の漁法だが、玄能を大きく振りあげて力かぎり岩の横腹に打ちおろすのだ。かあアんという音がして、きなくさい匂《におい》がする。同時に、岩の下から魚が出て、水のなかできょとんと静止する。捕えようとしても魚は逃げないのである。暫時《ざんじ》、神経機能を失っている。僕はそのことを思い出した。衝撃によって魚の神経を麻痺させるのだ。

それにしても、僕は横川駅の構内で電車のデッキにいたとは云え、僕の体は光の玉と爆風のほかには何も感じなかった。水のなかの魚が死んで、大きな御影石の柱が飛び、壁が突きぬけるのに、地上の人間が息災であるのは不可解でならなかった。魚は音響に対して人間よりも感度の強い皮膚を持っていることは確かだが、今度の光の玉は、どんな種類の爆弾か、どんな科学的作用があったのか、為体《えたい》が知れぬ不安があった。

僕は、きょろきょろしながら隣近所を歩きまわった。向隣の野津さん、中西さん、西隣の新田さん、東の宮地さん、大河内《おおこうち》さん、須賀井さんと見てまわったが、どの家にも誰ひとりとして居ない。裏通りの家も見てまわった。隣組のうち、能島さんや吉村さんの奥さんや宮地さんの奥さんは、姪《めい》の矢須子と一緒に古江へ出かけているので無難である筈《はず》だ。しかし、どの家もみんな十五度以上に傾いて空家になっている。さっき道づれになった宮地さんも、幾ら呼んでも返辞をしない。中村さんのお宅は押しつぶされていた。

「中村さん、中村さん」と呼んでみたが、何の返答もない。もしや呻《うめ》き声でもと耳をすましたが何も聞えない。家は（日本家屋は）割合に行儀よく倒れるもので、つぶれた家は小ぢんまりと屋根瓦《やねがわら》で覆《おお》われて、「中村さん、中村さんの坊ちゃん、中村さんの奥さん」と更に大きな声で呼んでも返辞がない。つぶれた家は空家よりもまだ以上に取りつく島もない。

隣組の人たちは避難されたらしい。戸はみんな明け放しで、さっき僕が避難して来る道すがら見て来た家と同様に、盗難予防も何もあったものではない。今までは隣組の方々と熱心に防火訓練をしたものだが、今日はそれが何の役にもたっていない。バケツのリレー操法、揚げェ担架どころか見張人もいない。今までして来たことが飯事《ままごと》であったように思われて、今までの自分の生活も玩具《おもちゃ》の生活であったような気持がした。

「どうせ何もかも飯事だ。だからこそ、却《かえ》って熱意を籠《こ》めなくちゃいかんのだ。いいか、よく心得て置くことだ。決して投げだしてはいかんぞ」

僕は心のなかで自分に云い聞かせ、自宅に引返して屋根瓦のずれ落ちた箇所を見てまわった。北側の屋根はすっかり瓦が剝《は》げ落ちて、南側は無慮二十枚ばかり残り、棟瓦はいつか僕が自分で補修するとき銅線で留めたのが一枚だけ残っていた。泉水のわきの崩れた塀に、長さ二間あまりの四寸角の木材が載っかって、九尺ほどの丸太が三本、塀の内側にころがっていた。材木屋の商品が、広島大学の農園を越えて飛んで来たものに間違いない。すくなくとも七八十間以上の距離を吹き飛んで来たことになる。魂消《たまげ》てしまった。僕は即席の知識を働かせ、その角材と丸太でもって、傾いている僕の家の突っかい棒にした。物理的に云って家の突っかい棒は、家の倒れようとする力を頑強に喰いとめるものであるそうだ。突っかい棒は健気《けなげ》なものに見えた。

もう一本どこかに丸太は無いかと、塀の崩れた箇所から外を見ると、角材に腰をかけてゲートルを巻きなおしている青年がいた。隣のうちに寄寓《きぐう》している広島高等工業の生徒である。

「橋爪《はしづめ》君、どうした」と訊《たず》ねると、ぎくりとしたように振向いて、

「はい」と云った。

「お宅、新田の小母《おば》さんはどうなすった」と訊ねると、僕を見つめたきり、

「はい」と云った。

「橋爪君、しっかりせんか」と僕は、塀の崩れた箇所を跨《また》いで外に出た。「君は学校から逃げて来たんだろう。学校はどうなった。被害はどうだ」

「校舎が倒れました」と高等工業生は、うつろのような声で云った。「友達が、おおかたみんな、つぶされました。つぶされかけて、負傷した者もおりました」

橋爪君は新田さんの親戚《しんせき》の者である。日頃は快活な、はきはきとした青年だが、まるで腑抜《ふぬけ》のようになっている。漠然としたことしか云わないのでよく分らないが、机や椅子《いす》の間を潜って屋根と天井の間を抜け、どこからか這《は》い出して来たらしい。

「帰って来たら、誰もおりません」と云った。

「じゃ、火の手が廻らないうちに、家の人を探すことだな。この辺の人は、大学のグランドへ避難しているんじゃないだろうか。うちのシゲ子もグランドにいるよ。君、どうするかね。行ってみるか」

高工生は「はい」と云って、僕の後からついて来た。

グランドは矢張り怪我人《けがにん》や避難民でごった返していた。その人混みのなかを通りぬけてプールのほとりに行くと、シゲ子のそばに隣組の大河内さんの奥さんがいた。

「あら、橋爪さん」と大河内さんの奥さんが、高工生に云った。「でもねえ、運の悪いときには悪いもので、ほんとにお気の毒な……新田さんの小母さんは、小父《おじ》さんと御一緒に共済病院へいらっしゃいました」

この奥さんは、新田の小母さんが負傷するところを眼前に見たそうだ。出征兵見送りの件で新田の小母さんと路上で立ち話をしていると、不意に閃光《せんこう》が煌《きらめ》いて爆風が起り、一枚の瓦が飛んで来て小母さんの頰の肉を削り取ったので、共済病院へ行った。その瓦は、まるで誰かが空に放りあげたボール紙のように、宙を切りながら向うの方から飛んで来て、ぐさりと新田の小母さんの頰に当ったそうだ。大河内さんの奥さんは東京生れの人で、関東大震災のときには東京で地震に遭って、そのころはまだ小学生であったが、瓦の怖さを知っているそうだ。大地震が揺れると、何かの拍子で瓦が空に投げたボール紙のように、宙を切って二十間も三十間も空中を飛んで行くことがある。まして今度のような光の玉や爆風は、どんなに強い顕在力を瓦に持たせるか分らないと奥さんは云った。

橋爪君は漸《ようや》く我れに返った証拠に、そろそろと涙を流しはじめ、

「それでは、共済病院へ行きます。どうも有難うございました。みなさん、お大事に」

と云って、大河内さんの奥さんから餞別《せんべつ》の金五円を無理やりつかまされ、プールのほとりを去って行った。

僕とシゲ子は互に想像をめぐらして、ともかく宇品《うじな》の日本通運支店へ連絡に行くことにした。僕らの予想では、たとい姪の矢須子が古江からトラックで広島へ引返そうとしても、東の方は火の手が凄《すご》く立ちのぼり、東へ進むにつれて負傷者の数が増しているので千田町《せんだ》に辿《たど》りつけると思う筈がない。もう千田町も焼けているところだと思うだろう。気転の利《き》く能島さんに引率されていることだから、陸路は避けて船で宇品に上陸するに違いない。かねがね能島さんは、広島が空襲されるときには、自分は宇品から漁船で草津に避難すると云っていた。そのため宇品の町の釣師と草津の漁師に、いつでも漁船を借りられるように契約を結んでいると云っていた。その用意のよさに僕は呆《あき》れたことであった。

「きっと能島さんは、宇品に船を着けるだろう。あの火の手を見たら、陸路を帰って来るわけがない。また帰れるものではない。しかし、宇品に上陸するとすれば、矢須

子は一と先《ま》ず宇品の日本通運の支店に寄るだろう。僕は今日《ひ》、夕方までに宇品の通運へ連絡に行く緊急用務がある。僕の任務として行くことになっている。矢須子はそれを知っている。きっと宇品の通運に顔を出すだろう」

僕のこの想定に家内は同調して、宇品の通運へ行って待ち受けることにした。しかし矢須子が宇品へ寄るときまっているのではなかったので、一六勝負をしているようなものであった。

シゲ子はプールに向って手を合せ、ほんの暫《しばら》くだが黙禱《もくとう》した。

大河内さんの奥さんは、

「ほんとに矢須子さんが、宇品へお寄りになるといいのですけれど。わたくし、はらはらさせられますわ」と云った。

この夫人は、銀行に勤めている御主人と、このプールのほとりで落合うことになっているそうだった。御主人との間に一人子の大学卒業のお子さんがあるが、兵隊になってスマトラのパレンバンというところに駐屯されている。

シゲ子は切羽つまった処置として、鍋《なべ》や釜に煉瓦塀の毀《こわ》れたのを入れてプールに沈めた。鍋は水中へ滑るように沈んで行った。

「あの鍋釜、いつか拾いに来るつもりです。そうなる時が来ればいいのですがね」と

僕が云うと、

「ほんとにねえ。では、お二人ともお大事に。矢須子さんによろしく」と奥さんが云った。

僕とシゲ子はグランドから御幸橋のところに出た。橋の北詰のところの死人は、口と鼻に黒々と蠅《はえ》をたからせていた。耳のところに血のかたまりが大きく出来て、耳か血のかたまりか見分けがつきかねた。僕が足を早めて通りすぎると、後ろからシゲ子が云った。

「ちょっと、うちへ寄って行きましょう。留守に、矢須子さんが帰って来るかもしれません。貼紙《はりがみ》をして置きましょう」

ほんとにそうだと、僕は自分の間抜けさ加減がなさけなかった。

家に引返して、貼紙にする紙を捜していると、ひょっこりそこへ矢須子が帰って来た。シゲ子は硝子《ガラス》の破片の散った畳の上にうずくまって泣きだした。矢須子は廊下の框《かまち》に腰をかけ、リュックサックも卸さないで、防空頭巾《ずきん》を被《かぶ》ったままぽろぽろと嬉《うれ》し涙をこぼした。

「おい、顔をこすっちゃいかんぞ」と僕は、矢須子に注意した。「手に、コールタールか何か、附着しているじゃないか。しかし、よく帰って来た。もうちょっとのとこで、宇品の通運へ探しに行くところだった」

僕は矢須子を娘ぶんとして預かっている以上、この子に万一のことがあっては、シゲ子の両親に対して顔向けが出来ないのだ。矢須子を広島へ出て来させたのも僕に責任がある。若い女は田舎にいても都会にいても徴用で軍需工場の女工にされ、ハンマーを振りあげたり砲弾を削ったりする労働をさせられる。それで僕が古市工場に勤めているのを幸いに、ずるく立ちまわって矢須子を工場長の伝達係にするように工作したわけだ。

矢須子は僕の顔を見て「まあ、おじさんの顔、どうしたんでしょう」と云った。

「なに、ちょっと火傷《やけど》しただけだ」と僕は云った。

矢須子の話では、能島さんは草津から漁船を雇って、みんなを京橋川右岸の御幸橋《みゆきばし》の川下のところに上陸させてくれた。能島さんは奥さんが一緒に帰るというのを古江の生家に残し、吉村さんの奥さん、宮地さんの奥さん、土居さんの奥さんを連れて帰って来たと云う。能島さんは「僕は責任をもって、みなさんを家庭まで送ります」と云って、草津の漁師に掛合って船を仕立てさしてくれたのだそうだ。さっき運動場のプールのほとりでの僕の予想は、結果から見て二分の一ぐらい当っていた。水道の水が出ないので、矢須子に泉水で火事の煙で夕暮のような空に見えていた。

手を洗わせたが汚れは落ちなかった。黒い雨が降った跡だと云うのだが、皮膚にぴったり着いている。コールタールでもなし、黒ペンキでもなし、為体《たちの》の知れないものである。さっそく能島さんのところへ様子を見がてら挨拶《あいさつ》に行くと、立退きの支度を急いでいる能島さんの手にも黒い雨の跡がついていた。

「毒瓦斯《どくガス》でしょうか」と訊ねると、

「いや、毒瓦斯じゃありません」と能島さんが、リュックサックに携帯食糧やノートブックを詰込みながら云った。「毒瓦斯じゃなくて、爆発によって発生した黒煙が、天空で雨滴に含有されて降ったんだそうです。黒い雨は主に市街の西部方面に降ったんです。たった今、そこで市役所の衛生課の人に会ったら、そう云ってました。人体に害はないそうです」

僕は衛生課の人が云《い》うのなら大丈夫だろうと思った。

能島さんの云うには、いまに火事はこの千田町にも拡《ひろ》がって来るに違いない。それで、先刻いったん家に帰ってから、草津へ船で逃げるため御幸橋の川下へ駈《か》けつけて、船頭にもう暫く待っているように云って来たそうだ。立退きの支度に忙殺されているのはそのためだが、もし僕らが宇品方面へ逃げるつもりなら、船に便乗させても差支《さしつか》えないと云った。

「渡りに船です」と僕は雀躍《こおど》りする思いで云った。「どうせ、この辺は焼けるでしょう。それに私は会社の要務で、宇品の通運へ至急連絡の必要もありますから。うちの家内と矢須子も、便乗さして頂けないでしょうか」

能島さんは簡単に引受けてくれた。

「大学のグランドなら大丈夫でしょうが、どうせこの辺は焼けるでしょうからね」

能島さんの話では、さっき土居さんの奥さんも吉村さんの奥さんも、家に帰るとすぐにグランドへ避難した。ひとり宮地さんの奥さんは、御主人の置手紙を見て吉島町の親戚へ駈けつけて行ったそうだ。いつもながら能島さんの早耳には驚いた。

僕は船に乗せてもらえるので元気が出た。家に引返すと、「船で、宇品へ一時避難だ。能島さんの雇船に便乗させてもらうんだ」と大きな声で云った。

シゲ子も矢須子も大喜びで、僕らは能島さんと一緒に千田町を後にしたが、堤防の上の道を御幸橋の川下のところまで行くと船が見えなかった。

「どうしたんだろう」と能島さんは、ちょっとまごついた風で舌打ちをした。「潮順から云って、ここから川上に行っている筈はないな。すると、もすこし川下かね。では、こうおいで下さい」

「あのチャッカー船でしょうか」と僕は、川下に見える船を指差した。

「いや、違います。あれは水船になっています。草津の船は二噸《トン》半の和船です。求心丸という船名です。しかし、いっぱい食わされたかな」と云って、能島さんはてくてく歩きだした。

僕らは能島さんのあとからついて行った。堤防下の街は、十丁目、九丁目と南に進むに従って、家の傾き具合が次第に少くなっている。屋根瓦や硝子戸の破損は、傾き具合の度に正比例していない。新しい大きな構えの家でも屋根がひどく痛んでいるのがある。屋根にぽっかり大穴があいているのもある。

能島さんは誇を傷つけられた気持であったろう。すっかり無口になっていたが、ふと思い出したように「弱ったなあ、これは」と云ったり、「どうも、お気の毒したことになりましたね」と云ったりした。「大失態です、この際」と云ったりした。

堤防の上には避難民がたくさん歩いていた。僕は能島さんが足ばやに歩くので、咽《のど》は乾くし足は痛いし、どうにもついて行けなくなった。シゲ子の背負袋も次第に重そうになって行くように見えた。僕のリュックサックも重くなって来た。矢須子のリュックサックも重そうに見えた。

「失礼ですが能島さん、落伍《らくご》さして頂きます」と僕は、思いきって立ちどまった。

能島さんも立ちどまったが、何とも云いようのない、ばつの悪い顔で、ことになって申しわけありません。しかし、こんなことになってしまいました」

「すみません、ほんとに」と云った。「この騒ぎの最中、あなたがたを担《かつ》いだような

「いえ、とんでもない」とシゲ子が云った。「では、どうか能島さん、お元気で」

「じゃ、私、体裁が悪いですから、さっさと歩いて行きます。失礼しました。みなさん、どうぞお大事に」

能島さんは防空頭巾にちょっと手を当てると、くるりと向きを変えて、すたすた歩いて行った。隣組で一ばん博識の学者として、また用意周到な人として立てられていた誇の高いこの人と、こんな間の悪い別れかたをするとは妙な成りゆきであった。

僕は咽がひりひり痛むので、リュックサックから瓶を取出して水をラッパ飲みにした。能島さんの後姿が見えなくなると、リュックサックを背負って、「しかし、能島さんのおかげで、僕らは宇品に退避する決心がついたようなものだ。思いきりがついて、何よりだ」とシゲ子の気持を占う意味で云った。いずれにしても、燃えひろがって行く広島の火事に対して、どこか少し離れたところで暫く待機するのが本当である。

宇品の日本通運支店は、社屋の窓硝子が殆《ほとん》どみんな毀《こわ》れていた。僕は杉村支店長から日本繊維会社の古市工場の現状について質問を受け、今日は出社の途中から引返して来たから何も分らないと答えた。広島市街の様子についても部分的にしか説明のし

ようがなくて、全貌《ぜんぼう》について説明することが出来なかった。宮地さんから聞いた広島城の天守閣が一町も吹き飛んだ話をすると、支店長は「うむ、天守閣が」と云って息を呑《の》んだ。古市工場から日本通運への通告書は、確かに支店長へ手渡して受領証を受取った。二三の機密事項は口頭で述べた。

支店長の厚意で、炊《た》きたての御飯でつくった握飯と沢庵漬《たくあんづけ》と佃煮《つくだに》を三人ぶん頂いた。贅沢《ぜいたく》きわまる食糧だと思った。食事が終って支店長に挨拶して外に出ると、三人で電車通りを帰って来た。負傷者の列は少しも減っていなかった。午前中よりも重傷者が幾らか増して、肩の骨が見えはしないかと思われるもの、片方の足に添木をして、竹の杖《つえ》にすがりながら片足でやっと歩くもの、戸板に血まみれの子供の死体を寝かせて運ぶ男と女、髪が血で固まって、顔も肩も手も血だらけで、目と歯だけが白い女などが目についた。そのつど矢須子が気を奪われて、「おじさん、あの人を見なさい。おばさん、あの人を見なさい」と云う。「見世物ではない。どうしようにも、どうしてあげることも出来ないんだから、黙って歩け。下を見て歩け」と何度も云い聞かせた。

御幸橋まで戻って来ると、もはや僕のうちの方角には家が一軒もない。煙が地面を撫《な》でるように東へ向けて流れていた。宇品に退避していたことは無意味でなかった。余熱を避けて、大学のグランドから名のない小橋を渡り、大学の農園に入って自宅の裏手に出た。シゲ子と矢須子は黙って後からついて来た。

僕らの家はない。にぶく流れている烟《けむり》の向うに、遠く楠《くすのき》の林が、いつものように鬱《うっ》蒼《そう》とした姿を見せていた。それに対する近景としては、川の堤に黒い針金を垂らしたような恰好《かっこう》の柳の木であった。僕は消え去った自分のうちの方を何度も振向いた。実際、七遍も八遍も振向いた。

農園の作物は焼け焦《こ》げて、だらんとした恰好に萎《な》えていた。畑の隅の電柱が半分ほど焼け残り、大きな蠟燭《ろうそく》を立てたように、一尺あまりの焔《ほのお》を出して煙を吐いている。ときどき一陣の熱風が湧《わ》き起ると、その焔が微《かす》かな「ぶうぶう」という音をたて、僕のうちの焼跡では炭化した材木が、かっと赤く熾《おこ》る。同時に烟が出て、風に散らされて行く。

「おばさん、今夜はどこへ寝るの」と矢須子が云った。

シゲ子は答えなかった。

「会社へ行くより仕方がない」と僕が云った。「会社へ行けなかったら、川岸かどこかで夜を明かすんだ。それよりほか仕方がない」

僕らは畑を横切って川岸に出た。その岸づたいに上って千田小学校の校庭に近づくと、一頭の牝馬《めうま》が四足を投げ出して川岸に倒れていた。黒く焼けただれた不自然なほど大きな腹が、時おり脹《ふく》れてまた元に返っている。わずかに生きているしるしのように、小刻みな呼吸をして見せていた。校庭に入って行くと、防火用水のタンクに水があったので、タオルを湿して煙が吹きつけて来るとき鼻や口を覆《おお》うことにした。

僕は古市の会社に行く最短距離を慎重に考えて、比治山橋《ひじやまばし》から鷹野橋《たかのばし》に抜ける大通りに出た。福屋百貨店、中国新聞社、日本銀行支店、中国配電本社、市役所などは、風で煙が散らされるたびに姿を現して窓からぽっと煙を吐き、風が変ると反対の窓から力ない煙を出していた。その他、コンクリート建築の家で窓枠が窓からぶら下り、まだ火がついていて幾らか煙を出しているのもあった。少し強い風が吹くと、煙が薄らいで電車通りが見え、まばらな人影も見えた。ずっと遠くまで見通せたかと思うと、たちまち僕らも煙に包まれて、目も口もタオルで塞《ふさ》がなくてはいけなくなる。約半キロばかり歩くうちに、タオルの湿りがすっかり無くなった。

煙に包まれると危険で進めない。もし誤って、焼け落ちた炭火に踏込んだら大火傷をする。「動くな、あぶない」と大声で制止して立ちどまり、煙が散って行くのを待って、見通しをつけると足ばやに歩いて行く。歩く時間より立ちどまっている時間が長かったかも知れなかった。

矢須子が「おじさん」と叫んで、何かにつまずいて前のめりになった。煙が散るのを待って見ると、その障害物は死んだ赤ん坊を抱きしめた死体であった。僕は先頭に立って、黒いものには細心の注意を払いながら進んだ。それでも何回か死人につまずいたり、熱いアスファルトに手をついたりした。一度、半焼死体に僕の靴が引っかかって、足の骨や腰骨などが三尺四方にも四尺四方にも散ったとき、僕は不覚にも「きゃあッ」と悲鳴をあげた。立ちすくんでしまった。

熱気で軟くなったアスファルトは靴の裏に密着し、容易に足を運べない。そんなところが何十箇所かあった。靴の紐《ひも》を締めなおしても靴が脱げ、一刻一秒も惜しい最中に靴をはくのに時間を食われて僕はいらいらした。そんなことが何回かあった。風が次第に落ちて来て、煙が動かなくなったので、だんだんに息苦しくなって来た。

この熱気のなかに妻と姪《めい》を連れこんだのは、無謀かも知れなかった。逃げだせる確信はなかったが、ときどき向うから歩いて来る人もあったので、向うへ行きつけるだろうと半ば自信が持てた。せめて矢須子だけでも逃げのびさせてやりたい気持があった。徴用を逃がれさせるため、矢須子を広島へ来させたのは僕の浅智恵《あさぢえ》からしたことだ。矢須子のことは、妻と同一視は出来ないのだ。煙に包まれて立ちどまると煙と熱気が身にこたえ、風向きが変らないと息苦しくてたまらない。矢須子が息苦しげな金切声をあげたので、

「動くな。動けば火のなかへころげるぞ。一寸さきは地獄だぞ。焼け死ぬぞ」と僕は呶鳴《どな》りつけた。

鷹野橋まで辿りつくと、そこから北東一帯は早く焼けたので煙が薄らいでいた。双葉の山が右手にぼんやり見えた。クラゲ雲はもう見えなかった。

「おい、助かったぞ。生きられるぞ、生きられるぞ」と僕は、活気づけに声をかけた。相手は弱りきっていて返辞もしない。二人とも目が血走って、血を噴いたように真赤になっている。しかし休むことは出来ないので僕は先に立って歩いて行った。

見渡す限りの木炭の原である。無数の焼けのこりの材木がくすぶって、小さい煙がゆるやかに立ちのぼっていた。北東の横川町のあたりはまだ大火災で、火焔《かえん》が空高く渦巻きながら立ちのぼっていた。

白神社《しらかみしゃ》は石垣の他には何ひとつなかった。国泰寺《こくたいじ》の楠《くすのき》は、幹の直径六尺は充分にあったろうが、三本とも根こそぎになって横に倒れ、焼きしめられて樹木の形をとどめながら炭化して、大きな根を宙に突きあげていた。その傍の赤穂《あこう》浪士の供養碑は南側へみんな俯伏《うつぶ》せに倒れ、その向側の浅野家の墓碑林は、一基ごとに逆転したり横転したり入り乱れて転がっていた。楠は樹齢一千年を越えると云われていたが、今日を限りに終止符を打たれたのだ。

ここでもアスファルトが靴の裏を吸って歩き難《にく》かった。ケーブル線の鉛が溶けて、雫《しずく》のように地上にこぼれ、行く道にずっと銀色の鉛の粒の列が続いていた。電車道には、架線の鉄柱が車道の方へ曲って架線が切れて垂れさがり、どれかに電流が来ているような気がして近寄れなかった。

道に転がる死体は、この辺では幾分か少くなっていた。死体の恰好《かっこう》は千差万別だが、共通している一点は、俯伏せの姿が多すぎることである。それが八割以上を占めていた。ただ一つの例外は、白神社前停留所の安全地帯のすぐ傍に、仰向けになって両足を引きつけ膝《ひざ》を立て、手を斜に伸ばしている男女であった。身に一糸もまとわず黒こげの死体となって、一升枡《ます》に二杯ほどもあろうと思われる脱糞《だっぷん》を二人とも尻《しり》の下に敷いていた。これは他では見られない光景であった。頭髪もその他の毛も焼け失《う》せて、乳房の形状などで男女を区別することが出来るだけだ。どうしてこんな奇形な姿勢で死んだのか腑《ふ》に落ちぬ。シゲ子と矢須子はその死骸《しがい》のそばを、脇目《わきめ》も振らず通りすぎた。

俯伏せの死人は次から次にまだ目についた。熱気に追われ煙に包まれて、苦しまぎれに俯伏せて、そのまま気力を失って窒息死に到《いた》ったことは、僕の逃避行の体験を通して考えても間違いない。僕らもその寸前のところで彷徨《ほうこう》していたのである。

7

重松は引きつづき「被爆日記」を清書した。

今月は芒種《ぼうしゅ》と虫供養《くよう》がすんで、十一日にはお田植祭、十四日には旧の菖蒲《しょうぶ》の節句、十五日には河童《かっぱ》祭、二十日には竹伐《たけきり》祭と祭が続く。この貧相な幾つものお祭は、昔の百姓たちが貧しいながらも生活を大事にしていたことの象徴のようなものである。重松は清書を続けながら、あの阿鼻叫喚《あびきようかん》の巷《ちまた》を思い出すにつけ、百姓たちのお祭が貧弱であればあるほど、我れ人ともに、いとおしむべきものだという気持になっていた。

紙屋町の停留所に辿《たど》りついた。ここは電車の交叉点《こうさてん》であるだけに、切れた架線や電線が入り乱れて垂れさがり、そのどれかに電流が通じていそうな気がして怖かった。不断よくスパークして青白い光を放っていた架線である。まばらに行き交う避難者たちも、垂れた架線の下を匍匐《ほふく》前進の要領で潜《くぐ》りぬけていた。僕は道の左の端を行って相生橋《あいおいばし》から左官町に出ようとしたが、とても余燼《よじん》の火照《ほてり》が熱くて進めそうもない。右に曲ろうとしてみたが、ぱっと熱気が五体を打つので引きさがった。人をたじたじさせるほど威力を持った熱気である。それに洋館建に近づくと、窓枠の焼けのこりの大きな炭火がばったり落ちて来る。

道のまんなかを通るよりほかはない。架線はそこかしこ断たれているから電流が来ている筈《はず》はないのだが、線が交叉接触しているので電気の怪しさを発揮しそうに思われる。ある一本の垂れた線の下に、黒焦《こ》げになっている男女の屍《しかばね》が三体あった。僕らも男女の三人連れである。

「おい、僕の潜る通りに潜って来い。絶対に線に触れるな。僕が線を取除《とりの》けるからな。もし僕が倒れたら、服以外には手をかけるな。よいか、ズボンの端を摑《つか》んで引きずるんだ」

僕は他の避難者たちの要領を真似《まね》た。棒ぎれで線を右に左に撥《は》ねのけて、四つ這《ば》いになるべきところは四つ這いになり、匍匐前進すべきところは匍匐した。

「おい、あの人たちがしているように、お前たちも左の肘《ひじ》へタオルを巻け。肘で地面を突くから、タオルを巻け」

たびたび匍匐する必要があった。

やっと無事に潜りぬけ、三人で顔を見合わせた。シゲ子はどこにも怪我《けが》をしていなかったが、矢須子はタオルの巻きかたが悪かったので、左肘のところを痛々しく擦りむいていた。

シゲ子は道ばたの石に矢須子と並んで腰をかけ、メンソレと三角巾《さんかくきん》で矢須子の肘に手当をした。僕はふと気がついたが、この場所は大牟呂《おおむろ》さんの自宅の門前だ。

「おい、その石は、大牟呂さんのうちの庭石らしいよ」

大牟呂さんの家は江戸時代からの旧家であるそうだ。当主は撚糸《ねんし》について化学的研究をしている人で、機織工場を三箇所で経営する資産家である。書画骨董《こっとう》にも明るかった。僕は繊維製品に関する件で助言を仰ぐため、ここ一年の間に何度かこの家を訪問した。見事な古めかしい庭のある立派な邸宅であった。それがすっかり焼け失せて、母屋《おもや》や土蔵のあったあたりは瓦《かわら》のかけらを散らした砂原になっている。シゲ子たちの腰をかけている石は、邸内の庭から吹きとばされて来たものに違いない。石は石だが、焼けただれて一と皮めくれている。

「その石、御影石だからな。今朝がたまで、青苔《あおごけ》で包まれておった石だろう」

「大牟呂さんのお宅、みなさん全滅なんでしょうか」

無慚骨灰《むざんこっぱい》だ。庭の泉水のあったあたりには、でこぼこに黒い泥土《でいど》が広がって、饅頭《まんじゆう》型に土の盛られた裾《すそ》に、三本の大きな松の木が黒こげの残骸《ざんがい》になって倒れている。その一ばん太い幹のわきに、これだけは不思議にしゃんとして嵯峨石《さがいし》の細長い角柱が立っている。どうしてこの石柱だけ倒れなかったのだろうか。

いつか大牟呂さんが、この石柱は何代か前の先祖が建てたものだと云《い》っていた。高さ一丈あまりで、頂上から二尺五寸ぐらい下って「夢」という一字が刻んである。偉い坊さんがその刻字下を書いたということだが、このような事態のもとでは風流にも洒落《しゃれ》にもならぬのだ。

シゲ子の顔も矢須子の顔も極度に青ざめていた。僕は引きつるほど咽《のど》が乾いていた。歩くと目がときどき微《かす》かに痙攣《けいれん》した。

西練兵場の入口へ来た。土手の西側の草が焼けて何ひとつ無く、のっぺらぼうになっている。立木も炭化しているようで、枝はあるが葉は一枚もない。師団長官舎も仮の陸軍病院も、護国神社も広島城の天守閣も無くなっている。

僕は目が痛くなったので、目蓋《まぶた》の上から指でマッサージをしながら歩いた。しくしくするような、ころころするような痛みである。シゲ子と矢須子は幾らか元気づいて、もう影をひそめたクラゲ雲について、大きさ、形、色、脚の形、その動き具合など話し合っていた。僕は頭に血が上がりすぎて目が痛むのだろうと思ったので、子供のとき鼻血が出たときにする治療を矢須子にしてもらった。後頭部の毛を三本、引抜くだけの治療法である。これで少し痛みが治まった。

雨が降ったらしい。西練兵場は一面の砂原になっていた。僕は「モロッコ」という映画で見た広大な沙漠《さばく》を思い出した。映画でも沙漠は砂の香を発散させていたようで、人間の足跡は一つも見えなかった。この練兵場の砂原は、熱気を持った風を送って烟《けむり》くさい臭気を漂わせ、山の方へ向けて歩いて行った数条の足跡を見せていた。こまかい砂だから、空豆大の穴が一面に出来ているのも見えた。散らばった新聞紙にも無数に空豆大の黒い斑点《はんてん》が出来ていた。黒い雨に打たれた跡である。クラゲ雲の脚は夕立だとわかったが、これほど大粒の雨だとは思いもよらなかった。

砂原の西の方の端に、黒い丸い玉のようなものが何箇か転がっていた。初めのうちは正体が知れなかったが、近づいて行くにつれてブリキ板の塊だとわかった。爆風に吹きまくられて空に舞いあがり、焼けて軟くなったものが風に揉《も》まれながら丸くなって落ちて来たらしい。火焔《かえん》の大竜巻に吸いあげられて、きりきり舞いしたから団子のように丸まったらしい。

僕はその砂原を振返って見た。たった一人、パンツにシャツ一枚の男の子が、風にシャツをひらひらさせながら、腹を丸出しにして山へ向って急ぎ足に歩いていた。この子は「おうい」と云って我々の方に向って手を振った。何の意味だかわからない。

僕らは北に向って歩いて行った。護国神社の堤のわきに、銃を立銃《たてつつ》にして持った歩《ほ》哨《しょう》が立っていた。近寄って見ると、堤に背を凭《もた》せて目をぱっちり開いた死人の歩哨であった。襟《えり》の階級章で見ると陸軍一等兵である。三十七八歳の年配で兵卒としては老兵だが、何となく品格のある顔だちだ。

「あら、キグチコヘイのような」

シゲ子がそう云った。実は、僕もキグチコヘイの故事を思い出していたところだが、

「こら、失言だぞ」

とシゲ子を叱《しか》った。

このあたりは爆弾の投下された地点に近かったのだ。広島城の西角にも、出前持らしい青年が岡持を提げて、自転車に乗ったまま石崖《いしがけ》に寄りかかって死んでいた。これは、きりぎりすのように痩《や》せこけた若者である。

かねがね僕は防空演習の訓練で、爆弾が落ちて来るときには息を吐き続けているようにと教えられていた。歩哨や出前持の青年は、爆弾が炸裂《さくれつ》した瞬間に息を吸いこんだのだろうか。生理的なことはわからないが、息を吸いこむ極限のとき爆風に当てられると、肺臓や心臓を圧迫されて突如死に至るのだろうか。

堤防に出る手前のところで小休止をしていると、巡査部長の佐藤進さんに声をかけられた。「やあ、御丈夫で結構です」と僕が云うと、「あれあれ、顔をやられました

ね」と先方が云った。僕は暫時《ざんじ》の間の立ち話で別れて来たが、佐藤さんの勤務している中国総監府の大塚総監は家の下敷になって焼け死んだそうだ。

僕は佐藤さんが警察署から中国総監府に転属になったことを今まで知らなかった。総監府という役所があることも知らなかった。何とも迂闊《うかつ》なことである。今日の佐藤さんの話では、最近に及んで敵の攻勢が激しくなったので、日本は本土決戦にそなえ、もし本土が敵軍のために分断されても各地方で独立して戦闘が続行できるように、地方総監府という地方政府がつくられていた。そのために備後《びんご》地方の工場や小学校には戦時資材が格納されているそうだ。

それを聞いて、「戦争はまだこれからだという標語は、それだったんですか」と僕が云うと、佐藤さんは「つまり、半世紀以上も前からの、富国強兵策の大方針を推進するというわけですな。しかし、これが富国強兵策の末路と云っちゃあ語弊があるですぞ。僕らは、こうなるように育てられて来たんです。宿命です」と云った。

中国総監府は広島文理大学のなかに置かれていて、中国五県を管轄《かんかつ》し、総監の大塚惟精《いせい》氏は古武士のような風格の人であったそうだ。この総監はピカドンが落ちたとき上流川町の総監官舎にいたが、そのまま家の下敷になってしまった。奥さんは辛うじて這って出られたが、総監は脱出することが出来なかった。奥さんは途方に暮れられていた。すると総監が「わたしはもう覚悟が出来ておるから、あんた一人で早く逃げなさい」と再三云われ、火がもう近くまで迫っていたので奥さんは止《や》むなく逃げて行かれたそうだ。

「総監はそれきり白骨になられました。無残なことでした。私は火に追われて逃げ迷っていたのです」と云って佐藤さんは涙ぐんだ。日ごろは極めて磊落《らいらく》に口をきき、眉《まゆ》毛《げ》の尻《しり》が思いきり垂れているから見るからに明るい感じを受ける。しかし今日は目が血走っていてきつい顔に見えた。

堤防に出ると、三篠橋《みささばし》は中ほどが無くなっていた。僕は計画を変更して、相生橋を渡るため堤防を川下に向って行った。右手の堤防下の草むらに無数の死体が転がっていた。川のなかにも、次から次に流れていた。岸の川端柳の根にかかったのが流れに押され、ぐるりと一廻りして、むっくり顔をあげるもの、水に揺さぶられ、あるいは上半身を、あるいは下半身を、ふんわりと水面に現すもの、川端柳の下でぐるりと廻り、枝につかまろうとするかのように両手を上げて、生きているのではないかと思われるものがあった。

堤防の上の道のまんなかに、一人の女が横に伸びて死んでいるのが遠くから見えた。先に立って歩いていた矢須子が「おじさん、おじさん」と後戻りして泣きだした。近づいて見ると、三歳くらいの女の児が、死体のワンピースの胸を開いて乳房をいじっている。僕らが近寄るので、両の乳をしっかり握り、僕らの方を見て不安そうな顔つきをした。

どうしてやるすべもないではないか。そう思うよりほかに手がなかった。とにかく女の児を驚かさないように、僕は死体の足の方をそっと越え、すたすたと十メートルほど下って行った。そこにも四五人の女の死体が草むらの一つところに転がって、その死体にはさまれた恰好《かっこう》で五六歳の男の児がうずくまっていた。

「おうい、早く来い。勇気を出して、そっと跨《また》いで来るんだ」

僕が両手をあげて呼ぶと、シゲ子も矢須子も跨いで来た。

相生橋のたもとに来ると、牛に前びきさせた荷車ひきが、牛と共に電車道にどっかり坐《すわ》ったまま死んでいた。荷車の荷縄が解けて荷物が抜きとられていた。

ここでも続々と川面を死体が流れ、橋脚に頭を打ちつけて、ぐらりと向きを変える有様は二た目と見られたものではなかった。この橋は、まんなかあたりが一メートルばかり凸起して、その波頭のように高まったところに、金髪の白人青年が俯伏《うつぶ》せて、両手で頭を抱いて死んでいた。橋の上は変形して波状になっている。

左官町、空鞘町《そらざやちょう》あたりに来ると、火焔が街を一と舐《な》めにしたことがわかる。上半身だけ白骨になったもの、片手片足のほかは、みんな白骨になったもの、俯伏せになって膝《ひざ》から下が白骨になったもの、両足だけ白骨になったものなど、千差万別の死体が散乱し、異様な臭気を発している。嘔吐《おうと》を催しそうであった。この臭気を避ける方法はない。

寺町には一箇寺も無くなっていた。崩れ落ちて、辛うじて原型をとどめる土塀、枝を引き裂かれて生肌をさらしている老樹などが残っているだけで、寺町一の大伽藍《だいがらん》と云われていた本願寺の別院も跡形がない。余燼《よじん》から立つ煙が、崩れた塀を不気味に越えて、低く川面を這って行きながら向岸で消えていた。

横川橋の向側では火の手がまだ上っていた。風に煽《あお》られて、川向う一面に灼熱色《しやくねついろ》の火焔が天に舞いあがっていた。近寄ることなど思いもよらなかった。

我々の進む道は、ここの橋の手前で完全に断たれてしまった。弓状に組立てられた鉄の橋材は、岸から四五メートルぐらいの高さまで変色し、草原に立つ橋脚台のそばに、背中から頭にかけて火傷《やけど》している馬が、今にも倒れるのではないかと思われる恰好で、がたがた震えながら立っていた。その馬のすぐそばに、上半身を半焼けにした死体が俯伏せになっていた。下半身は完全に残って、軍袴《ぐんこ》に拍車のついた長靴を履いている。その拍車が真に金色を見せていた。軍人だとすれば、金の拍車なら将官級で

て歩いて行った。せいぜい膝までの深さである。街は広瀬北町あたりであったろう。飛び飛びにあるのだから草むらばかりは歩けない。僕らは流れに入って、上流に向っ

なくては履けない長靴である。この軍人は厩《うまや》へ駈《か》けつけて、裸馬に乗って飛び出して来たのではなかろうか。その馬は不断からこの軍人に愛されていたらしい。今にも倒れそうになりながらも、僕の気のせいか拍車の長靴男を慕っているように見えた。西に傾きかけた太陽に容赦なく焼け肌を照りつけられて、どれほど痛がっていることか、どれほど長靴男を慕っていることか、計り知れないことであった。不憫《ふびん》と思う心を他所《よそ》に僕は身震いばかり感じていた。

僕らは川のなかを歩いて行くよりほかはなかった。岸寄りに草の生えた洲《す》があるが、飛び飛びにあるのだから草むらばかりは歩けない。僕らは流れに入って、上流に向って歩いて行った。せいぜい膝までの深さである。街は広瀬北町あたりであったろう。水の乾いた砂地のところでは、ごぼごぼと音をたてて靴が水を噴き出した。靴の水が少くなったので歩き易《やす》くなったと思うと、靴に砂が入ってびっこを引くほど痛くなる。

水のなかを歩く方が却《かえ》って増しなので、ざぶざぶと水のなかを歩いて行った。砂礫《されき》の洲のところに、両手を突いて水を飲んでいる人がいた。こちらも水を飲んでやろうと思って近づくと、水を飲んでいるのでなくて、伏せて水に顔を突込んだまま死んでいる。

「この川の水、飲んでは毒なんでしょうか」

と矢須子が、僕の問いたいことを云った。

「どうだか、わからん。しかし、飲まぬ方がよいかもしれん」

僕はまた水のなかを歩いて行った。

街から吹きつける煙が次第に少くなって、右手が田圃《たんぼ》になったので、崩れかかった石崖を足がかりに岸にのぼった。

稲田のほとりに出た。電車道に出ようとして畦道《あぜみち》を行くと、女学生や中学生たちが、そこかしこに倒れて死んでいた。作業場からばらばらと逃げて来たものらしい。一般人も倒れていた。初老の男が畦道に横倒れになって、服の胸をびっしょり濡《ぬ》らしていた。この稲田の水を鱈腹《たらふく》のんで、気がゆるむか目まいがするかして息が絶えたらしい。その死体を跨いで行って、畦道を右に折れ左に折れしているうちに、よく茂った孟宗《もうそう》の竹藪《たけやぶ》に行き当った。筍《たけのこ》を採取する目的で仕立てた藪だろう。下刈がよく行き届いていた。やっと涼しい葉蔭《はかげ》に辿《たど》りつけたので、僕らは口もきかないで坐りこんだ。

僕は救急袋をはずし、防空頭巾を脱ぎ、靴を脱ぎ、仰向けに寝ころんだ。体が消えて行くような気がしたと思うと、すっと眠りに入って行った。

どのくらい眠ったか知らないが、痛みをともなう咽の乾きを覚えて目がさめた。妻も矢須子も、腕を枕《まくら》に横になっていた。僕は腹這《はらば》いになったまま、妻の背負袋から水を入れた二リットル瓶を抜きだして飲んだ。実に甘露であった。水とはこんなうまいものであるか。それを惜しみながら飲む愉悦には誇がともなった。僕は二デシリットルぐらいも飲んだろう。

妻も矢須子も目をさました。太陽は西に傾いていた。妻は無言のまま僕から瓶を受取ると、両手に差上げ、目を閉じて美味《おい》しそうに飲んだ。やはり二デシぐらい飲んだろう。無言で矢須子の手に渡した。矢須子も黙って両手で瓶を差上げた。一口ずつ区切って飲むのだが、瓶を逆さにするたびに気泡が湧《わ》いて、水が目に見えて少くなって行く。少し残して置いてくれないかなあと見ていると、二デシぐらい残して瓶を置いた。

妻は背負袋から弁当代りの胡瓜《きゆうり》を出して、塩包みを開いた。胡瓜は半面が変色して黒みを帯びていた。「どこで買って来たのか」と聞くと、「今朝、翠町《みどりまち》の村上さんが持って来て下さったんよ」と云った。

村上さんの奥さんが今朝早く、胡瓜を三本と、煮干を十尾ばかり持って来て下さったそうだ。先日、妻が郷里から届いたトマトを村上さんへ届けたお返しに下さったのだと云う。今朝、妻は胡瓜をバケツの水に入れて泉水のほとりに置いていたそうだ。それが爆発時の光で変色したものだ。

「これは一考を要するよ。僕が大学のグランドから家に帰ったときには、霧島つつじの葉を蓑虫《みのむし》が食っておった。胡瓜は焼けて、蓑虫は生きておったんだからな」

僕は胡瓜に塩をつけて食べながら考えた。

この胡瓜を漬《ひた》したバケツの水面に、何か物理的作用が起ったのではないだろうか。熱と光がバケツの内側で反射してその量を増したので、胡瓜を変色させたのだろうか。泉水に蚊帳《かや》を沈めるとき、池をのぞくと水の上に突き出していた霧島の土用芽に蓑虫がいた。せっせと新芽を食っていた。その枝をゆさぶると蓑のなかへ引込んで、僕が煉瓦《れんが》のかけらを拾って引返して見ると、またせっせと食っている。新芽も変色してはいなかったし、蓑も焼けていなかったことを比較してみると、金属に突きあたった光と熱は化学的変化を起すのではないか。しかし蓑虫や霧島は爆弾が光ったとき、家か何かで遮《さえぎ》られて蔭《かげ》っていたのだろうか。広々とした田圃《たんぼ》の稲は光の作用を受けているようだ。明日あたりは黒く変色するだろうと思われた。

僕は竹藪のほとりの溝でタオルを洗って、右の頬や首筋などを拭《ふ》いてタオルを幾度も濯《すす》いだ。それを絞っては濯ぎ、絞っては濯ぎ、そんな無意味なようなことを繰返した。現在の自分の自由に出来るのは、タオルを絞ることだけではないかと思った。左の頬が、ひりひりした。溝には目高が群をつくって、その小さな淀《よど》みのほとりに石《せき》菖蒲《しょう》が茂っていた。あくまでもここは安全な日蔭だと云《い》わんばかりであった。

竹藪の奥の方から煙が流れて来た。何ごとかと出かけて行って竹の間からすかして見ると、青竹や枝で小屋がけしている避難者の一団が飯盒炊爨《はんごうすいさん》をやっていた。焼け出されて夜の塒《ねぐら》に備えていたらしい。

僕は耳をすましてその人たちの声を聞いた。それによると国道沿いの人家では、どの家でも雨戸を締めて避難者の立入りを避けている。可部線の三滝駅の手前の或《あ》る雑貨屋では、いつの間にか避難民の女が入って来て押入のなかで死んでいた。雑貨屋の主人がその死体を引きずり出すと、纏《まと》っている着物はその家の娘の夏の晴着であった。ひどいやつだとその晴着を剝《は》ぎとると、死体は腰巻もパンツもしていなかった。焼け出されて全裸でそこまで逃げて来たものの、さすがに若い女のことで水や食べものよりも裸形を隠す着物を先《ま》ず狙《ねら》ったのだ。今日のような爆弾は広島以外の市街にも落ちるのだろうか。日本の軍艦や軍隊は何をしているのだろう。内乱にならなければいいなどと話し合っていた。

僕は竹藪のなかをそっと引返し、「行こう」と声をかけて身支度した。足の指が刺すように痛い。「行こう」と、また二人を促したが、妻も矢須子も返辞をしない。疲れきっていたらしいが「さあ出発だ」と厳しく云うと、しぶしぶと立って支度をした。

歩くと足の指が痛い。とび上るほど痛い。二人も痛い痛いと云った。考えてみると、僕は十六七キロも歩いている。妻が九キロあまり、矢須子が八キロぐらい歩いている。

僕らは歩きながら焼米を食った。妻の提げている布袋に手を入れて、一と摑《つか》み出して口に入れ、歩きながら嚙《か》みつづけていると次第に糖化して甘くなって来る。それは水よりも胡瓜よりもまだ美味しい。歩きながら嚙んでいる方がいいようだ。大昔の旅人が焼米を携帯餱糧《こうりよう》にしたというのも道理である。ぐっと呑《の》みこむと、また布袋から摑みとって口に入れるのだ。甚《はなは》だ地味な外見の食品だが、僕はこの餱糧を送ってくれた妻の里の人に密《ひそ》かに感謝した。

国道には避難者が疎《まば》らに歩いていた。竹藪のなかで立ち聞きした通り、沿道の人家はみんな土間口の戸も縁側の雨戸もしめていた。門のある家は門をしめ、なかには扉をしめた門の外に半ば焼けこげになった藁束《わらたば》を置いているのもあった。通行の避難民が焼いたのかもわからない。

行っても行っても、沿道の人家は戸をしめていた。市内と違って熱風の代りに涼しい風が吹き、田圃の稲が葉波を寄せていた。山本駅の北側にあるカトリック教会の神父さんたちが、担架を提げて韋駄天《いだてん》ばしりで市内の方へ向って駈けて行った。いつも僕が会社へ通勤の途中、可部《かべ》行の電車のなかでよく見かける中年すぎの神父さんがいた。この人は担架を提げた神父さんたちの群からずっと後れ、息せき切って向うから駈けて来て、すれ違いに僕の顔をちらりと見て顎《あご》をしゃくった。僕は「御苦労さんです」と声をかけた。

やっと山本駅に辿りついた。ここから先は電車が動いている。車輛《しゃりょう》は満員になっていたが、どうにか割込んで行って我々もデッキに立つことが出来た。僕は身動きも出来なくて、すぐ鼻の先にある荷物を肩でじわりじわりと押した。その荷物は、三十前後の端麗な顔つきの婦人が担《かつ》いでいる白い布包みだが、どうも荷物らしくは思われない。そっと手で触ってみると、人間の耳を撫《な》でる手応《てごた》えを受けた。布包みのなかは子供らしいが、こんな負んぶの仕方はない。この人混みのなかでは窒息するにきまっている。言語道断である。

「失礼ですが、奥さん」と僕は婦人に、ひそひそ声で云った。「お子供さんですか」

「そうです」と婦人も、あるか無しかの声で云った。「死んでいるのです」

僕はぎくりとした。

「そうでしたか。押したりして、申訳ないことをしました」

「いいえ、混みますから、お互さまです」

婦人は布包みを肩で揺すりあげ、俯《うつむ》いたかと思うと発作を起したように泣きだした。

「爆発のときでした」と婦人は、泣きじゃくりながら云った。「ハンモックの吊手《つりて》が切れまして、壁に叩《たた》きつけられて死にました。家が焼けて来るので、蒲団《ふとん》の覆《おお》いに包んで背負って逃げました。飯森の実家に行って、墓地に埋めてやろうと思います」

泣き止むと話すのを止めた。僕はこの上もう話しかける気になれなかった。

電線の上を鳶《とび》が舞い、油蟬《あぶらぜみ》の声が聞え、国道のわきの蓮池《はすいけ》にカイツブリが忙しそうに泳いでいた。ごく普通であるこの風景が珍しいものに見えた。

発車だという声が聞えると、車に乗れない人たちが一としきりざわついた。電車は、がくんと動いて止まり、またがくんと動いて止まった。

「どうした、動くのか動かんのか」と、どこかで呶鳴《どな》る声がした。すると「諸君、今や国鉄の頽廃《たいはい》は、かくのごとくであります。彼等は闇《やみ》物資を運ぶに汲々《きゅうきゅう》として、乗客を侮り……」と車内で演説を始める声が聞えて来た。ところが、今度は電車が順調に動きだしたので、がらがらと響く音の方が大きくて演説はそれきりで終った。

8

電車線路と可部行の往還が平行に続き、往還には、とぼとぼ歩いて行く人やリヤカーに乗せられて行く避難者が見えた。みんな可部の方角に向って行く。僕らの乗っている電車はその人たちを何百人となく追い越したが、ふと機関か何かの故障でがたんと止まった。

「こら、どうした。ここは駅じゃないぞ。だから国鉄の頽廃を云々《うんぬん》されるんだ」

そう云《い》ってデッキから降りて行く人がいた。

その人は電車道から往還に出ると、網製の雑嚢《ざつのう》を背負いなおして、後をも見ずに可部の方角に向って歩いて行った。中年の健康そうな男であった。

電車はなかなか動きそうもなかった。身動き出来ないほどの鮨詰《すしづめ》だから暑くてかなわない。

「こりゃ国鉄、どうした。動くんか動かんのか。動かんなら、わしも歩いてやるぞ」

車内のどこかでそう云って、誰かしら窓から這《は》い出して行くらしかった。僕の立っているところからは見えなかったが、続いて三人四人と窓から這い出して行ったらしい。十二三人ぐらいも出て行ったようである。おかげで車内に少し余地が出来たので、順送りに僕はデッキのところから半ば車内に身を入れた。妻と姪《めい》は完全に車内に入った。死児を白い布で背負った女はデッキに立っていた。

窓の外から車掌が「みなさん、故障ですから暫《しばら》くお待ち願います」と触れ歩いた。

すると三人四人と窓からまた外に出た。一家族らしい一組も互に協力しながら窓から出て、

「ちょっと子供をお願いします」

と、車内の人に窓から出させた子供を抱きとった。

人込みのなかを分けて出る人もいた。これで可なりゆとりが出来たので、今まで黙りこんでいた乗客たちは、ぼつりぼつりお互に口をきくようになった。みんな今日の爆撃のことについて話し、誰しも互に連関なく自分の見聞したことしか云わなかった。だから、みんなの話を綜合《そうごう》しても災害の全貌《ぜんぼう》は知れないが、僕は記憶するままにその話をここに書きとめる。


僕の右隣に立って、防空頭巾《ずきん》を紐《ひも》で肩に吊《つる》していた四十男は、顔の左半分を火傷《やけど》して、皮膚がくるりと剝《は》げていた。僕のよりも遥《はる》かに重傷である。眉《まゆ》も焼けていた。目は、それでこそ助かったろうと思われるほど窪《くぼ》んだ金壺眼《かなつぼまなこ》であった。

その男は、僕の顔をちらちら見ていたが、

「あんた、どこでやられましたか」と云った。

横川駅でやられたと答えると、

「わたしゃ福島橋辺の者ですが、防空壕《ぼうくうごう》を出たところでやられました」と云った。

防空壕へ置き忘れたマッチと煙草《たばこ》を取りに行き、出た途端にぴかりと光を感じ、あたりを見ようとしたが真暗だったそうだ。手足を動かしてみると動くので、殆《ほとん》ど手さぐりで家の表口の方へ出て行った。這って行ったか歩いて行ったか覚えない。気がついてみると視力が蘇《よみがえ》り、家が叩《たた》きつぶされているのが見えた。爆弾の直撃を受けたと思った。小学生の女の子と家内は可部に疎開して、市立高等女学校に行っている長女は、市内の家屋疎開作業現場である中島本町へ朝から出かけていた。しかし娘の身が気にかかるので駈《か》け出して行くと、福島橋の手前で向うから駈けて来る与田さんという人に遭った。「やあ与田さん」「お宅、どうでした」「つぶれました。娘の安否が心配で、中島本町の作業現場へ見に行きます」「あかん、あかん。市立高等女学校の生徒は全滅ですぞ。あんた、逃げるにこと欠いて、火の海の方へ逃げるんですか」「いや、御免なすって」と与田さんに別れて行こうとした。しかし、それは無理であった。行きたい方角には一面に火の手があがっている。

「あかん、あかん、退却じゃ」と与田さんが手を引張るので、何もかもうっちゃって一緒に己斐町《こいまち》の方へ逃げて行った。

与田さんは天満町の自宅で被爆したということで、外見は負傷していなかったが口から血を流していた。口をあけさせて見ると、門歯が二本なくなっている。そして、手足が冷えるようだと云う。「どこに歯をぶつけたんです」と聞くと、「ぶつけたんじゃない、歯が吹きとんだんです。不思議に出血がとまらん」と云った。

己斐町《こいまち》には与田さんの親戚《しんせき》がある。その家に寄って頬の火傷に菜種油塗布の治療を受けていると、与田さんの従弟《いとこ》が背中に大火傷をして転げこんで来た。天満町で被爆したそうだ。背中いちめん七面鳥のとさかみたいにでこぼこに爛《ただ》れ、皮膚が油紙の一枚のようにめくれている。「痛かろうなあ」と与田さんが云うと、痛くはないが余り乾燥すると肉が引張ってぴりぴり刺戟《しげき》すると云った。やはり手当は菜種油を塗る以外に方法がなかった。

金壺眼の男はそんな話をして、

「どういうものでしょうか、わたしも痛くありませんですな」と云った。

「わたしも、ちっとも痛くないですな」と僕は云った。

もし僕らの火傷が湯とか火焔《かえん》などで受けた火傷なら、少くとも二日や三日は痛さで唸《うな》らずにはいられないほどだろう。ただ乾燥しすぎたとき刺戟を感じるだけである。この条件だけで全体を考えるのは無謀だが、僕や金壺眼の男などの例から考えると、焼けた皮膚の下の神経が強力な熱で麻痺《まひ》したために痛さを感じないのではなかろうか。

乗客たちのうち火傷で痛がっている者は、爆発熱以外の火事の火で傷ついた人ばかりのようであった。(被爆による火傷で激痛を感じた人もあったそうだ——後日記)

僕の近くに立っていた乗客が、「ちょっと失敬します」と云って窓から嘔吐《おうと》した。この男は次にまた吐くのを覚悟してかデッキに出て行った。もうそのときには、下痢を催す乗客はたいていデッキのところに集っていた。先に窓から這い出して行った人たちも、おそらく頻繁《ひんぱん》に下痢を催す症状になっていたのだろう。僕も少しばかり下痢症状を起していたが、朝のうちからの回数を勘定して三時間に一回ぐらいにすぎなかった。金壺眼の男も、三時間に約一回の割で下痢していると云っていた。妻や姪はそんな症状は覚えないと云った。

僕は赤痢の流行が一挙に勃発《ぼっぱつ》したのではないかと思ったが、金壺眼の男は流行病ではなくて被爆症というようなものだろうと云った。この男の云うには、人間や動物は、食べすぎ飲みすぎ、不良食物を摂《と》るときなど、嘔吐か下痢という生理現象で体外へそれを排出する。また、身体が疲労して消化機能が適宜に活動しない場合も体外へ排出する。この何《いず》れの条件に照しても合致する点が無いにもかかわらず、被爆者たちは多く下痢症状を起している。思うに、体への害物が皮膚から滲透《しんとう》して体内の各器官が不調となり、消化不良を誘発させている。その害物を胃腸のなかの粘液が食物と共に体外に押し出すのだろう。

「つまり機械の蝶番《ちようつがい》のように、体内の諸器官が、そういう具合にうまく組立てられておるのでしょう。ですから、下痢したくなったら下痢せんければならんのです。下痢したいのに瘠我慢《やせがまん》をしたら、体内の蝶番に狂いが出ましょうな」

金壺眼の男はそう云った。

座席に腰をかけていた少年が、金壺眼の横に立っていた婆《ばあ》さんに席を譲った。中学三年生か四年生ぐらいの少年である。

婆さんは感謝の気持か、または好奇の気持を起したのだろう。その少年が話し相手になろうとしないのに頻《しき》りに話しかけ、被爆したときの様子を云わせようとした。少し、くどすぎた。すると少年は気を悪くした風で一気に喋《しゃべ》った。大体において左の如《ごと》き話である。

この少年は火の玉が閃《ひらめ》いたときには家のなかにいた。ぱっと光を感じ、ごうッと云う音がしたので外に飛び出そうとした。同時に家が崩れて失神した。気がついたときには、梁《はり》か何か太い木材の間に挟《はさ》まって、自分の父親がその木材を取除《とりの》けようとしているところであった。父親は「しっかりせえ」と励ましながら、少年の足を挟んでいる木材を持ちあげようと丸太を梃子《てこ》に使っていた。もう火の手が迫って来て、崩れた自分の家に火が燃え移っていた。父親は「おい早く足を抜け」と云ったが、足首を木が挟んで動かせない。火事は三方から迫っている。父親は辺りを見まわして「もう駄目じゃ、勘弁してくれ。わしは逃げる。勘弁してな」と云ったかと思うと、丸太を放り投げて逃げ出した。少年は「お父さん、助けて」と叫んだが、父親は一度振向いて見るだけで消え去った。少年はがっかりして材木と材木の間に身を沈めたが、足首の束縛を不意に感じなくなったので木材と木材の間から這って出た。

魔法の環《わ》のように不思議に抜け出せた。それで火事の切れ目に通じる道を駈けぬけて、三滝町の伯母さんのうちへ駈けつけると父親がいた。幸か不幸か、父子のこんな対面には伯母さんも云う言葉が無かったようであった。父親は何とも間の悪いような顔をした。少年はその場を逃げ出して、亡《な》くなった母親の里へ行くために、現在、可部行のこの電車に乗っている。

少年は喋り終ると眉をしかめて口をつぐんでしまった。婆さんは叱《しか》られでもしたかのように、きちんと腰をかけて項垂《うなだ》れたきり何も云わなかった。手拭《てぬぐい》を姐《あね》さんかぶりにした六十前後の品のいい婆さんであった。

往還の見える方の窓際《まどぎわ》の席に、三十前後の女と五十前後の男がいた。女の方は白地に十字絣《がすり》のシャツを着て、ごわごわした黄色い布地のモンペをはいていた。ぽってりして、目もとの悪くない顔である。男の方は曾祖《そう》父か何かの着物を仕立てなおしたらしい家紋のついた麻のシャツを着て、同じ布地のモンペにゴム靴をはいていた。共に昔流行した着物を保存して来た家の者だろう。

「おや、あれは幸夫ちゃんじゃないかしら」

と紋付のシャツを着た男が女に云った。すると女の方が、往還を歩いて行く一人の子供を呼びとめた。小学校二年生か三年生ぐらいの男の子である。

「幸夫ちゃん。ちょっと、幸夫ちゃん。あんた、どこ行くの。電車に乗らないの。なぜ乗らないの」

子供は立ちどまってこちらを見たが、こっくりするでもなく首を振るでもなく、またとぼとぼと歩きだした。

僕はその子の提げている消火バケツに「中広町第三班」と書いてあるのを読みとった。たぶん爆弾が落ちたとき思わずバケツを持って、そのまま持ちつづけて来たものだろう。

「ちょっと、幸夫ちゃん。この電車、可部に行くんですよ。幸夫ちゃん、あんたどうしたの」

女は窓に乗り出して呼んだが反応がなかった。

「行ってしまった。あんなバケツなんか持って」と麻のシャツの男が云った。

車内にはそこかしこに話し声が湧《わ》いていたが、麻シャツの男の話し声は僕の耳によく聞き取れた。この男は、被爆に際して広島市役所の防衛課が怠慢であったというような口をきいていた。防衛課の役人は被爆後に罹災《りさい》状況を師団司令部に通告することも怠ったと云っていた。

（筆者注――しかし後日、昭和三十年八月六日発行の柴田重暉《しげてる》著「原爆の実相」には左の如く云ってある。すなわち「被爆当日の午後、野田防衛課長は、戦時中の諸計画に基いて、市役所を中心とする罹災状況を第五師団司令部に報告する必要を想起して伝令を派した。勿論《もちろん》、全市が罹災していることなどは夢想だにもしなかった時である。伝令はやがて帰って来た。然《しか》し、その報告は『司令部はありません』であった。『ないとは、どういうことか』『とにかく何もないのです』『どうしたのだ』『わかりません』そういう問答が交された。そうして、司令部周囲の城濠《しろぼり》は――師団司令部は旧藩時代のいわゆる内濠内、天守閣の側にあった――軍人の焼死体で埋まっているということも付け加えて報告された。そこで初めてこの戦災が、尋常一様のものでないということを防衛課長も察知したというのである」と記されている。麻の紋付シャツの人は一知半解であったと思われる。尚《なお》、柴田さんは後日になって原爆症で亡くなられた）

麻シャツの男の口ぶりでは、役人ばかりでなく軍人に対しても反感を持っていたようだ。

「つい二三日前、たまたま僕は汽車のなかで、軍人対民間人の感情の縮図を見たんですよ」と云った。

つい二三日前、この麻シャツの男が山口から広島へ帰る汽車のなかで、乗客が込みあっているのに一人の陸軍中尉《ちゅうい》が長靴を脱いで座席に寝そべっていた。横暴の観が際立っていたが、誰もそれを咎《とが》める者はいなかった。検札に来た車掌も見て見ぬふりである。やがて汽車が徳山に着くと、乗客の一人がその軍人の長靴に握飯を半分ずつ放りこんで、何くわぬ顔で下車して行った。すると他の一人の乗客が、靴のなかの握飯を爪先《つまさき》のところに押しこむため、靴を片方ずつ振ってから下車して行った。食糧不足の折からとて、貴重な犠牲を少しでも効果あらしめるように靴を振ったのだ。軍人はぐっすり眠っていた。はたで見ていた乗客たちは、にやにや笑いながら軍人の寝姿を見ていたが、掛かり合いになるのを恐れて数人のものが他の箱の方へ乗替えて行った。軍人は大竹あたりで目をさまし、間もなく広島に近づくと起きあがって長靴をはき、軍帽をかぶり胸を張った。変な顔をした。合点が行かぬと思ったらしい。忙しく長靴を脱ぎ、靴下に付いている飯粒を見たかと思うと、いきなり大きな声を張りあげた……

麻シャツの男は、女に肘《ひじ》で小衝《こづ》かれて喋るのを止《よ》した。しかし何かその場の気分に恰好《かっこう》をつけたかったのだろう。そばに腰かけているおかみさん風の女に、

「失礼ですが、どちらまで避難されますか」と声をかけた。

おかみさん風の女は仕方なしのように頷《うなず》いて、どこに避難するあてもないのだと云った。亭主は仕事師だったが戦死した。亭主の弟も戦死した。実の弟は戦争に行っているし、頼りにするものは一人もいない。たった一人の尋常二年の男の子が、今朝の爆撃で脚榻《きゃたつ》から落ちて死んでしまったと云う。

この女は元料理屋の土塀の外にある長屋に住んでいた。塀越しに柘榴《ざくろ》の木の枝がこちら側に伸びており、今年は五つも六つも柘榴の実が枝についた。たまたま疎開先から戻って来ていた男の子が、今朝がた疎開地へ帰りがけに親父《おやじ》の形見の脚榻を柘榴の枝の下に据えつけた。何をするんだろうと見ていると、男の子は脚榻に登って行き、

柘榴の実の一つ一つに口を近づけて、ひそひそ声で「今度、わしが戻って来るまで落ちるな」と云《い》い聞かせていた。そのとき、光の玉が煌《きらめ》いて大きな音が轟《とどろ》いた。同時に爆風が起った。塀が倒れ、脚榻がひっくり返り、子供は塀の瓦《かわら》か土かに打たれて即死した。

去年、柘榴は塀のこちら側にのぞいている枝に三つか四つか実をつけた。それが青いうちにみんな落ちたので、子供は今年こそ無事に育つように声援を送ったのだ。子供としては柘榴に入れ智恵《ちえ》をつけたつもりだろう。思ってさえも、なおさらそれで不《ふ》憫《びん》が増して来る。

おかみさん風の女は、そう云ってさめざめと泣きだした。

車内の人たちの意見を綜合すると、閃光《せんこう》が煌いた瞬間にドガンという音がしたという説と、ザアとかドワァッという音がしたという説に分けられる。僕としては、ドガンという音がしたとは云いかねる。ドワァッという音であった。

爆発地点は大体に於《お》いて丁字橋《ていじばし》附近だろう。それを中心に、二キロ以内、またはそれ以上に近い圏内にいた人たちは、ドガンという音を聞かなかったようだと云っている。四キロも五キロも離れたところにいた人たちも、一様にピカリの閃光を見て数秒後に、ドワァッという音を聞いたと云っている。風圧の音か爆発音ではなかったかと思う。この音と同時に、窓硝子《まどガラス》が吹きとばされ、家がぐらりと揺れ動いたそうだ。

爆発で中天に生れた入道雲を、僕はクラゲの形の大入道だと見た。近距離で見たのと遠距離で見たのでは形が違っている筈《はず》だ。乗客のうちには、松茸《まつたけ》型の雲だったと云う人もいた。

電車は二時間ちかくも停っていたような気がしたが、時計を持っている人に聞くと、三十分あまり停っていたにすぎなかった。僕がその間に下痢を催さなかったことから見ても、そんなに長く停っていたのではない。僕は工場に辿《たど》り着くまで下痢のことは気にしないですんだ。

古市の工場では、工場長や職長が、僕らの到着を祝して応接間で迎えて下さった。留めどなく涙が流れた。無闇《むやみ》に溢《あふ》れ出るのであった。女事務員が洗面器やバケツに井戸の水を汲《く》んで来てくれた。守衛が着換えの上下を持って来てくれた。僕はタオルをしぼって体を拭《ぬぐ》ったが、洗面器の水を何回取換えても黒く濁るので、いい加減に止して上から下まで着換えた。妻と矢須子は炊事場の方へ行った。

事務室に入って、広島市の被害状況を工場長に報告し、もう日が暮れていたが工場に入ってみた。窓硝子は殆《ほとん》どみんな毀《こわ》れて飛び散っているが、建物も紡織機も異状はない。綿工場も打綿工場も硝子が吹き飛んでいるが、他に異状はない。炊事室をのぞいて見ると、吹き飛んだ回転窓から湯気が外へ流れるので、いつものように蒸気がもやもや立ちこめていない。異状の有無を炊事婦に訊《たず》ねると、棚の上に重ねてあった九寸皿が崩れ落ちて何枚か割れただけだと云った。

工員の寄宿舎に行ってみると、硝子の破片が掃き寄せたままになって、廊下の隅に山盛りにして古新聞を覆《おお》ってあった。女工員たちのうちには荷物を押入から出して纏《まと》めているのがあった。

舎監に訊ねると、広島市内からの通勤者のうち、重傷の被爆者はともかくも軽傷者には休暇を与えて帰郷させるのだと云った。各課の課長や主任は、家族のことを案じてみんな広島へ出かけ、工員や守衛などのほかには工場長と職長しか残っていないのだ。これでは当分操業が出来ないだろうと云われても仕方がない。しかし実際は、みんなも僕と同じく次の空襲を怖がっていることに間違いない。

9

六月三十日は尾道《おのみち》港の住吉祭である。それに因《ちな》んで、小畠村では水害の起らぬよう祈願のため、住吉の神を勧請《かんじょう》して燈籠《とうろう》ながしの祭をする。春夏秋冬の四季になぞらえて、蠟燭《ろうそく》を点《とも》した白木細工の四台の手燭《てしょく》を谷川の淵《ふち》に流すのである。それが暗い水面でゆっくり廻っているほどいいと云《い》われている。たとえば、秋という字を書いた手燭が素早く淵から流れて行くと、秋には洪水の怖《おそ》れがあるとされている。

この日、重松が風呂《ふろ》の下を焚《た》きつけていると、姪《めい》の矢須子宛《あて》の速達手紙を郵便屋が届けて来た。折から矢須子は新市町へお使いに出かけていた。手紙の差出人は、山野村の青乃源太郎である。これは矢須子に結婚を申込んで来ていた青年だが、この当人が仲人《なこうど》を通さずして直接矢須子に働きかけて来たのは初めてだ。封筒の文字も極めて丁寧に書いている。悪くない傾向だと重松は思った。

「この手紙、矢須子の机の上に載せて置け。どんなことを云ってよこしておるか知らんが、手紙をよこすからには本人の気が動いておる証拠だな。万事、この調子でなくてはいかん」

重松は妻のシゲ子に手紙を渡し、風呂の下を焚くのはそのままにして部屋に入った。早く「被爆日記」の清書を仕上げるためである。燈籠ながしも見に行かないで清書した。

八月七日　晴

目がさめると、硝子《ガラス》のない窓から吹込む朝霧が頬を撫《な》でていた。深い霧である。右の頬にも左の頬にも同じくらい霧の濃度が感じられ、僕は火傷《やけど》している左の頬の知覚が回復したのではないかと思った。妻も矢須子も、もうとっくに起きて寝床が空になっていた。

霧を通して騒がしい人声が聞え、「こらトラック、もう一人や二人は乗れるぞ」「なにをぐずぐずするんじゃ、もう五時半じゃ」という胴間声《どうまごえ》が聞えて来た。昨晩、僕が眠った後、広島から大勢の怪我人《けがにん》がここに辿りついて来たらしい。昨日の夜の工場長の発表で、工員たちのうち軽傷のものだけ各自の故郷へ避難させるため、今朝五時前から救護事務を開始して、二台のトラックが使用されることになっていた。避難者と荷物を古市の駅まで送り届け、もし駅の構内や道ばたに我社の重傷の職員が倒れていたら乗せて帰るのだ。

僕は寝床に起きあがろうと思って身を動かしたが、肩や足腰が引きちぎられるように痛かった。疲れのためとは云え痛さが普通とは違っている。仰向けから横になるのが辛《つら》いのだ。僕は一策を案じ、右手でズボンのお尻《しり》のところを横ざまに引張って体を横にした。次に、体を縮めて尻を立て、肘《ひじ》をついて少しずつ上体を起して行った。腰骨神経痛の患者が起きるときの恰好《かっこう》である。片肘をつき、片方の手を立てて身を起すのだ。この場合、片肘ついた手は、さながら日本舞踊を踊る人が伏せって起きるときのような恰好になる。日本舞踊の創始者は、腰骨神経痛で苦しみ抜いた人ではなかったろうか。僕はそう思った。

とにかく中腰に立つことが出来たので、窓枠《まどわく》に片手をかけ、片手で腰を抑え、やっと立ちあがった。体に力を入れると、足の指がきりきり痛い。動くと針でも踏むような痛さだが、動かぬわけには行かないのだ。窓を頼りに何度も行き戻りして、筋肉を馴《な》らしてから手を放した。やっと歩けるようになった。ズボンもシャツも着たままで寝たのが幸運だ。ごろ寝の功徳《くどく》がしみじみと感じられた。しかし下腹がきりきり痛みだした。

階段は後ずさりに降りた。体重が四肢にかかるから楽である。幼児でもこの降りかたを知っている。

便所に行って来ると、下腹の痛みが直った。肩や腰の痛みも可なり薄らいだが、歩くと足の指が痛くて飛びあがるようだ。

玄関口に行ってみると、救護事務は割合うまく捗《はかど》って、あと二十人ばかりで一段落のところであった。みんな石段の上り口にリュックサックや大きな荷物を置き、トラックが引返して来るのを待っていた。そのうちの一人が、「わしが見つけた。あれは、わしが見つけた」と云ったかと思うと、いきなり広場へ駈《か》けだして行き、空からひらひら舞い落ちて来る紙ぎれのようなものを拾って来た。

「何じゃ、それ。五円札か十円札か」と云う者がいた。

矢張りそれは紙ぎれで、楽譜の焼け残りの一片にすぎなかった。小学校の職員室かどこかの家が昨日の空襲で吹きとばされて、楽譜が燃えながら空に舞いあがり、虚空《こくう》を一日一晩にわたってさ迷い歩いてから落ちて来たのだろう。譜と並べて「サクラ、サクラ、ヤヨイノソラニ……」と印刷されていた。工場長はそれを手に取って見ていたが、

「ひどいなあ、実際、何ということだ」と、その紙ぎれをズボンのポケットに入れた。

トラックが来ると、最後の組の避難者たちは工場長に向って、「お元気で」と口々に別れの挨拶《あいさつ》をした。工場長もトラックが出て行くとき、「撃ちてし止《や》まん。元気で

行こう」と手を振った。今さら空疎な言葉だと云っても始まらない。

避難者は合計二百五十人前後で、軽傷者ばかりでなく、行くあてのある者はみんな自由行動で避難して行った。これは富士田工場長の英断によるのであった。結局、あとに残ったのは、重傷で動けない者と、その看護を買って出た者と、従来から寄宿舎にいた者と、その家族たちである。これで百人あまりの人員になった。

広島市内に家族を置いて自分だけ寄宿していた者は、帰る家がなくなったばかりでなく、家族を探そうにもその方法がない。ただ、うろうろしているばかりである。僕は工務部に連絡して、板を幅三寸、長さ六尺ほどに削らせ、ここの避難場所を記入して各自の家の焼跡に立てさせることにした。一人に一枚ずつ入用であるとして十五六枚あればいいわけだが、叔父さんや叔母さんの家の焼跡にも立てたいと云って、追加のぶんを三枚も自分で削った中年の職員が一人いた。工務部の上田久作という者の話では、身上調査をするまでもなく、その職員には叔父さんも叔母さんもいないのであるそうだ。上田久作はわざわざそれを云いに事務室の僕のところにやって来て、やがて立ち去るとき、「大東亜共栄圏の理想を推進すると、戦争未亡人が殖《ふ》えるばかりで、若い男が減って、物資が偏在するという弊害を生みますなあ」と云った。僕は足の指が痛むのも承知の上で上田久作を追いかけて行き、「そんな敗戦気分を出す噂《うわさ》は、伏せて置いてくれたまえ」と注意した。とは云うものの、お互に敗戦気分を丸出しにしていたとしか思えない。

昼食後、避難者の名簿表を作成していると、重傷者の一人が死んだと云って、野々宮という五十前後の男工員が駈けつけて来た。

「狂いまわるような苦しみかたで、黄色い水をげぶげぶ吐きましてなあ。途端、がっくりとなったですけん」と云った。

死者は五十歳の外務部員で、昨日の朝、広島市内の自宅から出勤しかけたところで被爆したのだそうだ。頬が灰色に変色して腫《は》れあがり、しかし視力も聴覚も衰えていなかったとのことである。

僕は棺桶《かんおけ》を至急つくるように工務部へ連絡し、死体の処理方法について指示を受けるため、藤木という工員に届書を持たして町役場へ使いにやった。医者や坊さんも頼みに、野々宮君を古市の町へ走らせた。

やがて帰って来た二人の報告によると、町役場は閉鎖と同じ状態で、相談はおろか死亡届書も受取ってもらえない。医者のところでも、子供を探しに広島へ行って留守だと云った。

は留守だと云い、もう一人の医者のうちでは、重傷者を診察に行って留守だと云った。坊さんは檀家《だんか》に三人死人があったとかで手が放せないと云った。どこへ行っそうだ。

ても、てんで相手になってくれないと云う。

僕はどうしたらいいか処置に迷った。それで富士田工場長と相談していると、何かの用事で外出していた守衛が帰って来て、川原の至るところに火葬の煙が上っていると云った。火葬場が立てこんで、順番を待つ余地がないそうだ。

無論、非常時中の大非常時のこの際である。死亡診断書だの火葬届だの、とても間に合うものではない。この古市町と広島市では、戸籍その他について互に役所の管轄《かんかつ》が違うので、平時でも手続をすませるまでには可なりの時間を食う。そうかと云って、死体を処分するのだから慎重を期さねばならぬ。我々が勝手なことは出来ないので、充分調査して来るように、工場長は庶務課の者を町へ使いに出した。工場長は僕と似た年配だが、半官半民といった立場にあるせいか寧《むし》ろ普通の官吏よりもまだ規則に喧《やかま》しい。英語がよく出来る人で実務よりも理論に長じ、学校の卒業論文には自動精紡機の創始者リチャード・ロバーツという発明家について書いたそうだ。

庶務課の者が帰って来ての話では、死体を川原で焼くのは警察でも止むを得ないと認めている。その理由は、衛生上からそれを選ばしているという点に絞られる。即《すなわ》ち、死人があっても死亡届を書いてくれる人がない。よしんば死亡届が出来ていても、それを受取ってくれるところがない。死体はこの暑さですぐに腐爛《ふらん》する。火葬場は満員で使えない。だから善は急げで、川原だろうが山だろうが人家を離れたところで焼くべきだと云う。

工場長は暫時《ざんじ》のあいだ考えていたが、

「まさか、土葬にするわけにも行かんだろうな。土葬にするか火葬にするか、これは昔から一国の大政治家の定めるべきことだからね。我々は国の方針に従うべきだ。我社でも川の砂原で焼くことにしようか」

そして、取って附けたように厳しい語調で僕に云った。

「閑間君、しかし、ただ焼くだけではいかんよ。息が絶えた、では担《かつ》いで行って焼く。これだけでは、死者に対して気の毒だと思わんかね。僕は霊魂不滅の説を信じないが、死者は鄭重《ていちょう》に葬《ほうむ》るべきだと思っている。閑間君、坊さんの代りになって、君は死者のあるたびにお経を読みたまえ」

僕は返答に戸惑った。いくら工場長の命令でも、僕にお経が読めるわけがない。

「とても駄目です」と答えると、工場長は、今後とも死者がぞくぞく出る見込だから、どこかお寺へ行って火葬するときに、坊主の読む経文をノートして来いと云った。それればかりでなく、広島には真宗の人が多いから、真宗の流儀で読む経文を筆記して来いと注文つけた。

「しかし工場長、それはお断りします。いくらノートを取って来たって、わたしには亡者《もうじや》を導く力がありません。私は仏教については全然素人《しろうと》です」

「では、誰に亡者を導く力があると云うのかね。素人も玄人《くろうと》も区別はないよ。素人が死者に対してお経を読むことは、素人が病人に投薬するのとは訳が違う。法規的にも違反は問われない。しかし、君が真宗の流儀を好かんければ、禅宗でも日蓮宗《にちれんしゆう》でも何でもよい。御苦労だろうが、この命令は実行に移してもらわんければいかんよ」

　僕はこれ以上さからうのは諦《あきら》めて、正式の外出姿になるため防空頭巾《ずきん》を肩に吊《つる》し、足の痛みを庇《かば》うために工場長から借りて古足袋をはいた。名刺やノートブックも用意して、炊事場の草履をはいて町へ出て行った。

　僕は古市町にお寺が何箇寺あるか知っている。そのうちで宗教大学を優秀な成績で出た噂《うわさ》のある若い坊さんのいる寺を訪ねると、お婆《ばあ》さんが応対に出て、住職は召集されて暁《あかつき》部隊に入っていると云った。次に、老僧と納所坊主《なつしよぼうず》のいる真宗寺を訪ねると、老僧は老衰のため寝たきりで、納所坊主の方は葬式に出かけたという。応対に出たのは、あまり賢くないような中年の女だが、僕の用件を奥へ取次いで来て、老僧の寝ている部屋へ案内してくれた。

　そこは八畳間の二倍ぐらいの広さの部屋で、子供用の白い幌蚊帳《ほろがや》のなかに老僧が横になっていた。薄い掛蒲団《かけぶとん》は、ほんの少し盛りあがっているだけである。殆《ほとん》ど平らであったと云ってもいい。障子は明けひろげられていて、ごつごつした岩を配置した枯《かれ》山水《さんすい》の庭にカボチャがいっぱいはびこっていた。

老僧は僕が詳しく云うのを聞くと、傍に坐《すわ》っていた中年の女に蚊の泣くような声で云った。

「あのな、三帰戒《さんきかい》となそれから開経偈《かいきょうげ》と讃仏偈《さんぶつげ》と、それから、阿弥陀経《あみだきょう》と白骨の御文章を持っておいでんされ」

女が立って隣の部屋から持って来ると、

「あのな、このお人に、それをお目にかけてあげんされ」と云った。

蚊の泣くような声だが、女は云われるままにすらすらと動いて見せた。

この五部の経典は木版刷である。僕がそれの筆記に取りかかると、老僧は中年の女に身を援《たす》け起してもらって正坐《せいざ》して云った。細い膝《ひざ》である。

「げに、御苦労さんでございますな。広島が消えてしもうたと云うことで、怖《おそろ》しいことでございます。げに、何ともかとも、はや、何と申してよいことやら、嘆かわしいことでございます」

幾分かしっかりした声になっていた。僕は筆記する手を休めて庭を見たが、赤いカボチャが目に映った途端に涙が湧《わ》いて来た。

経文の意味はよく分らないが、調子をつけて読まれるような字づらになっている。「三帰戒」は「自帰依仏、当願衆生、体解大道、発無上意……」という書きだしで、「開経偈」は「無上甚深微妙法、百千万劫難遭遇……」という冒頭である。「白骨の御文章」は、筆記していて心にしみこんで来るような美しい和文である。

「お葬式のときには、安芸《あき》門徒は『三帰戒』『開経偈』『讃仏偈』という順に読んで参ります。次に流転三界《るてんさんがい》の『阿弥陀経』でございますが、このお経を読む間に、参集者がお焼香をいたします。次に、『白骨の御文章』でございますが、このときには仏の方へ向かないで、参集者の方へ向いて諷誦《ふうじゅ》いたします」

老僧は読経《どきょう》のお手本を示すため、意外にもしっかりした声で「三帰戒」や「開経偈」などを暗誦《あんしょう》してくれた。僕はその誦音にしたがって、自分の筆記した文字のところどころにルビをふった。「白骨の御文章」も老僧は暗誦してくれた。

何の物音もしない静かな部屋である。僕は亡者を導く力はないが、せめて供養《くよう》の気持で読経回向《えこう》しようと思った。誠心こめて読経しなくては駄目だと思った。静かな部屋の雰囲気《ふんいき》が僕をそのような気持にさせたのだ。

寺から帰りに、僕はノートを見ながら読経の予習をした。繰返して一夜漬の勉強をした。

会社に帰ると、もう出棺の支度が出来ていた。三十人ばかりの人が職員寮の畳敷きの控室に集まって、棺は演芸用または演説用の低いステージに安置され、間に合わせの玩具《おもちゃ》のバケツに灰を入れて線香が焚《た》かれていた。サカキの木も一升徳利に活《い》けてあった。富士田工場長が背広を着て入って来た。

いよいよ読経となる前に、僕は工員の藤木君が貸してくれた背広の上着をきた。棺の前に坐ると少しばかり筋肉の硬直を覚えたが、ノートを見ながら読経を進めるにつれ、列座の人のことが気にならなくなった。しかし無我の境地というようなものではない。半ば放心状態のようなところであったろう。二度か三度か読み間違いをして「三帰戒」と「白骨の御文章」を読み終ると、みんなに向って一礼した。「御苦労でした」と工場長が云《い》った。みんなも口々に「御苦労さまでした」「有難うございました」などと挨拶した。僕は一度に顔が火照《ほて》るのを覚え、そこに居たたまれなくなったので、みんなの間を通りぬけて事務室に帰った。

暫《しばら》くすると、また死人が出たと知らせて来た。それで棺桶の製作を工務部へ連絡していると、そこへまた死人が出たと知らせて来た。僕は納棺がすむと読経しに出向いたが、お経もちょっと上達したと思うようになった。

夕方ちかくなると、三人も四人も死亡者が出た。はじめの一人二人の知らせのときは「閑間さん、すみませんがお経を頼みます」と云って来ていたが、次第にぞんざいになって来て「閑間さん、葬式ですから来て下さい」と云うようになった。僕もいつとはなしに、自分でもそう云ってもらった方が気が楽だと思うようになっていた。

棺を作る材料がなくなってからは、死体の前で読経しなくてはならなくなった。顔に白い布を当てがってはあるが、死人特有の変色した四肢が丸出しである。さもなければ、手足に巻きつけた布に赤黒く血が滲《にじ》んでいる。もともと死体は棺に納めてから読経するものである。その観念が僕の脳裡《のうり》から消えない限り、死体に面と向っての読経には何か故障が起きがちだろう。それでもノートを見ながらの読経だから割合に助かった。

工場長はお布施《ふせ》を出すなどと云って僕をからかった。これは冗談だからいいようなものの、死人の家族や看護した者などは、実際にお布施を包んで持って来るのがある。「そんなこと、止《よ》してくれ」と云って突返すと、「受取ってもらわんと、仏さんが浮かばれません」と真顔になって云うのがある。

女事務員たちは僕の読経を代る代る聞きに来たらしい。「白骨の御文章」を筆記さしてくれと云って来るのが三人もいた。何のために筆記するのかと訊《たず》ねると、「文章が良いですから」と答えるのがいた。「暗記したいんです。——我やさき、人やさき、今日ともしらず明日ともしらず……あのつづき、暗記したいんです」と云うのもいた。読経の合間にこんな訪問客があるのはまだいいが、被爆の状況を語りあうために来る客には閉口だ。話しあっているうちにだんだんと実感に引きずり込まれ、頭の毛が硬直して毛根がじりじりして来るようで逃げだしたくなって来る。嫌な気持と云うか怖しいと云うか、適当な言葉が見つからないが、要するに逃げだしてしまいたくなって来る。一本調子にそんな気持になって行く。

夕方、薄暗くなって、広島の方が見える二階の一室に行ってみた。今までと違って燈の光が目につかない。ただ一つ東の方の民家で、おぼつかない感じの燈の光を出していた。こんな燈火は人の気持を滅入《めい》らしてしまう。真暗な方が却《かえ》って気持が落ちつくのではないだろうか。

葬式に明け暮れした一日である。

八月八日　晴　きびしい暑さ

昨晩から宿所が変った。富士田工場長の間借りしている家から、一丁ばかり離れた民家の隠居所である。

朝、縁側のところから僕を呼ぶ声で目をさました。寝床から出てみると、

「ゆんべ、二人死にました。なるべく早くお願いします」

そう云って、宇田川という工員が、さっさと工場の方へ帰って行った。僕をすっかり坊さんにして、坊さんに頼むよりもまだ粗末な口をきく。

準備らしい準備は何ひとつすることもない。顔を洗って飯を食い、工場へ行って、工員の背広の上着を借りるだけである。葬式する方でも何の準備もない。読経をすませば、すぐ焼きに川原へ持って行くのである。初め僕は誠心をもって読経すると心に誓ったが、全精神を打込んで読経しに出かけているとは云われない。

会社の寮へ行ってみると、昨日葬《ほうむ》った工員の長女が死んでいた。広島の天満町の自宅で被爆したのだという。

死人の母親は火傷《やけど》して全身が脹《ふく》れていた。もう何も分らないようになっているらしい。死人の妹が一人、これは怪我《けが》をしているとは見えないが、放心したように口をあけたまま坐っていた。この娘に「お気の毒です」と挨拶《あいさつ》すると、「はい」と云うだけで表情も変えなかった。泣いているのでもない。不貞《ふて》くされているのでもない。

死人は白いぼろぼろのシャツを着て、仰向けに臥《ね》かされていた。盛りあがった乳房と乳房の間に、畑から採って来たらしい雑草が二本三本、載せられていた。その黄色

い小さな花が萎《しお》れ、乳房にもたれかかって泣きぬれているように思われた。ひとしお哀れを感じさせる。僕は「三帰戒」を読み、つづいて「白骨の御文章」を読むときには声がつまった。

読経が終って、一人の工員が死人の妹に、「お姉さんを焼きに行きますよ」と云うと、「はい」と云って、ちょっと顔を横に振った。母親は身動きひとつしなかった。肉親の者が一人も見送らない野辺送りである。

この葬儀をしている人たちは、死人を莚《むしろ》に移しとると、リヤカーに載せて出発した。僕はその後からついて行った。

川原の砂地は両岸ともに火葬場の観がある。川上の方でも川下の方でも、至るところに煙があがっている。盛んに燃えているものもあり、燃え残ってくすぶっているのもある。

僕が後からついて行ったリヤカーは、川の堤の上で停って、どこで焼こうかと二三人の工員が見廻りに行った。

川上の方へ行った一人が、「おうい、ここの穴は火が消えとるよ。骨はもう拾って帰ったらしい」と呼ばわった。「じゃ、あそこで焼くか」と、リヤカーから死人を卸して運んで行った。

穴ぼこのまんなかに、直径一尺ぐらいの二つの石があった。死体をその石に載せ、その下側や横手に、二杯の古バケツに持って来た石炭をうつし、体に割木や木箱の古材料を立てかけて、死体の上にも積み重ねた。頭や顔は鉋屑《かんなくず》で覆《おお》い、両方から板切を立てかけた。最後に、水に浸した藁《わら》と莚で全部を包んだ。これで準備が終った。莚のめくれている隙間《すきま》から、娘さんの髪や額が見え、砥石《といし》のような色の顔も見えた。みんな砂の上にしゃがんでいたが、工員の一人が「誰か火を入れてくれ」と云って立ちあがった。僕は「三帰戒」を読むと、まだ火が入らないうちにそこを離れた。

堤の上から見ると、砂原には幾つとなく穴ぼこを掘ってある。たいていの穴に骨が見え、特に、髑髏《しやれこうべ》だけは実にはっきり見えた。焼け落ちてから骨を覆っていた灰が、川風に吹きとばされたものであるらしい。髑髏は眼窩《がんか》で空の一角を見つめているものもあり、歯を食いしばって恨みがましくしているもののもある。

「髑髏のことを、昔の人はノザラシと別称した」

僕は心のなかでそう云った。

頭と足だけが白骨になっているのもある。真赤な焰《ほのお》が、ちらちらしている穴もある。僕はもう一人の死人を思いだして、「白骨の御文章」を口のうちで唱えながら堤の上の道を帰って来た。ノートを見ないで暗誦することが出来た。

10

翌日も続いて「被爆日記」を清書した。八月八日のぶんの後半からである。

僕は工場へ帰るまで、みちみち「白骨の御文章」を暗誦《あんしょう》していたが、御文章の教えは心に染《し》みなくて、人間のむくろに焔の舌が作用するときの有様が白昼夢のように目にちらついた。事務所の玄関口まで帰って来て、自分が汗をびっしょりかいているのに気がついた。

階下の事務室に入ると誰もいなかった。工場長の部屋に行くと、炊事主任に在木カネという炊事婦が、工場長と向いあって椅子《いす》に腰をかけていた。

「やあ閑間君、御苦労であった」

工場長は野辺送りした僕の報告を聞くと、在木カネの介抱していた充田タカという被爆者が死んだので、僕に葬式のお経を読めと云《い》った。

充田タカという女は、従来この工場の炊事場へ広島市内から浅蜊《あさり》や雑魚《ざこ》を売りに来ていた闇屋である。それが一昨日の空襲で被爆して顔と両手に傷を受け、今朝がた在木カネを頼ってここの炊事場へ辿《たど》りついたものである。在木カネと充田タカは血縁関係はないが、タカはいつも普通の闇屋《やみや》よりもずいぶん安く商品を売ってくれていたと云う。僕はカネの説明するままにタカの素姓を手帳に書きとめた。外来者である死人の葬式を出すからには、その人の住所姓名、身分、遺族の名前を後日のため書きとめて置くべきだ。しかしカネは、タカの素姓をよく知らないので、次のような不完全な覚書になった。

故充田タカに関する記録

住所——広島市水主町《かこまち》、住吉神社附近の横町。年齢——四十八九歳。身長——五尺一寸位、太っていて不断は健康、前歯が上下四本または五本、クロームを貼《は》りつけた義歯。

死因——被爆による火傷《やけど》である。顔面、両手とも焼けただれ、左手の皮膚が剝《は》げ反《かえ》っていた。被爆の瞬間、防空頭巾《ずきん》を脱ぎかけていたために、頭髪は焼けるのを免れていた。

タカが当工場に辿りついた時——昭和二十年八月八日午前八時頃。ふらふらと炊事場へ入って来て「カネさん、水、水、水……」と云う。その声で、カネはタカであると知って、ニュームのコップで水をやる。顔面では誰とも判断がつかなかった。タカは水を飲むと、あとは気息奄々《えんえん》となってしまう。呼んでも更に答えがない。カネがタカの胸に手を当ててみると僅《わず》かに鼓動が聞えていた。午前十時ごろ息を引きとったと思われる。

タカの家族――従来、タカが闇売りに来て雑談で云っていたところによると、タカの亭主は満洲事変で戦病死。たった一人の倅《せがれ》は、山口県柳井町附近の軍関係の特殊学校のようなところに入っている。それが如何《いか》なる種類の機関であるか、タカは日ごろ説明を避けていたが、倅がそこにいることを母親として唯一《ゆいいつ》無二の誇にしているようであった。

死亡後、介抱人たちが調べ得たタカの所持品――大きな巾着型の革財布に十円紙幣九枚、五円紙幣十二枚、一円紙幣二十二枚、貨幣三円四十九銭。古手拭《てぬぐい》一本、及び模造革製のシース。シースのなかには、陸軍曹長の軍服を着た亭主の写真と、半袖《はんそで》シャツを着た倅の写真。（以上、炊事主任と在木カネの口述）

タカの所持していた金品、並びにシースに入った定期券と二枚の写真――これは富士田工場長、炊事主任、在木カネ、閑間重松の立会で、工場長事務室の金庫に入れ、台帳に「広島市水主町、充田タカより預金、百七十五円四十九銭也」と工場長が記

入する。（閑間重松記）

百七十何円という金は、充田タカが闇売りの浅蜊か雑魚を仕入れに行く一日ぶんの元金であったろう。それともタカの所有する全部の金であったかもわからない。これはタカの倅に送ってやるのが順当だが、水主町のタカの家は焼け失《う》せたとのことだから、山口県柳井町の近くにいる倅に連絡してみる必要がある。

「なあ、炊事の小母《おば》はん」と工場長が云った。「柳井町の近くの学校のようなところというのは、人間魚雷を養成するところじゃないのかね。軍の機密に属する機関だろう。あそこの兵舎は、何という名前かね」

「それが工場長さん、げに、わたしも名前は知らんのんです」と在木カネは、頼りなげに云った。

「浅蜊の闇売屋の小母はんは、軍の機密じゃ機密じゃ云うて、特殊学校のようなところじゃと云うだけでがんしてなあ。げに、あの辺は汽車で通っても、汽車の窓を閉じてありますけんなあ。防諜《ぼうちょう》が厳重ですけんなあ」

「そのくせ、汽車の便所の窓は、明けひろげですからね」と禿《は》げ頭の炊事主任が云った。「防諜防諜と云って、見てくれだけの防諜じゃないですか。形式だけで、本式にその気持がない証拠です」

工場長はそれをはぐらかして炊事婦に云った。

「とにかく、浅蜊の闇売屋の小母はんの倅なる人はだね、人間魚雷になる人物だから な。勇躍、義に趨《おもむ》いたことだけは事実だろう。その母親なる人が、ここで成仏《じょうぶつ》したと なれば、鄭重《ていちょう》に葬らなければならんね。葬式のお経も、閑間君に丁寧に読んでもらわ なくてはね。なあ、炊事の小母はん、そうじゃないか」

「げに、そりゃあもう工場長さん。ほんま、有難うございます。お経の方は、閑間さ んに宜《よろ》しうお願いします」

在木カネは日ごろから浅蜊の闇売屋に、好感を持っていたのだろう。僕にお経を丁 寧に読ませるようにするつもりか、浅蜊の闇売屋の倅が柳井の学校のようなところに 入ったとき、千人針も一針縫ってやったのだと云った。武運長久を祈る日の丸の旗の 寄書にも、拙《つたな》いながら「在木カネ」と書いてやったのだと云った。

僕の体は汗でべとべとしていたが、もう葬式の支度が出来ていると聞いたので、工 員の背広を借着して寮の広間へ行った。死人は板の上に仰向けに臥かされていた。顔 も手足も敷布で覆《おお》われて布包みのようになっていたが、僕は咽《のど》が引きつるようで滑ら かに発声できなかった。炎天のもとを帰って来て、水も飲んでいなかったせいだろう。

死人の閲歴の一部を聞かされた直後のせいもあったろう。この死人は生前、倅が人間魚雷の学校に志願するのを引留めなかったのだろうか。戦争は人間の判断力を麻痺《まひ》させてしまう。僕の読む「三帰戒」は初めから終りまで掠《かす》れ声で、「白骨の御文章」は蚊の泣くような声になった。それでも仮の喪主である在木カネは、僕が死人のそばを離れるとき、感極まったように「閑間さん、有難うございました」と云った。

僕は洗面所へ行って水を飲み、体じゅうを濡手拭《ぬれてぬぐい》でごしごし拭った。しかし火傷を布で覆っている左の頬は拭えない。ねっとりと布が傷に貼りついているような気持である。傷を受けて以来、ちっとも痛みを感じないので、布を当てがって置いたままにしていたが、汗拭きを兼ねて今日は手当をしようと、救急袋を取って来て洗面所の鏡に向った。

布を留めた絆創膏《ばんそうこう》を剥がし、そろそろと布を取除いた。焼けた睫《まつげ》が一とかたまりの黒い団子状になって、さながら黒い毛糸が焼けて出来たかたまりのようである。左の頬は一面に黒みを帯びた紫色になって、焼けた皮膚が撚《よ》れ縮まって附着しながら段々の層状をなしている。左の小鼻のわきが化膿《かのう》して、かちかちに固まった膿《うみ》の下から新しい膿汁が出ているようだ。これが自分の顔かと左半面だけ鏡で見ていると、胸がどきどきして来て、ますます見たことのない人相のように見えて来る。

撚れた皮膚の一端を爪先で摘まみ、そっと引張ると少し痛いので、自分の顔ではあるなと思った。そう思いながら、次から次に剝ぎとって行った。ちょうどそれは、ぐらぐらする歯を抜こうとして、痛くても痛さを楽しみながら捏《こ》ねまわしているようなものである。それに似た快感があった。あらかた僕は撚じれた皮を剝がした。最後に、小鼻のわきの固形化した膿を爪の先で摘まんで引くと、上の端から剝脱《はくだつ》して、こっぽりと剝げ、黄色い膿の汁が手首に落ちた。

化膿は進行しているのか恢復《かいふく》して行っているのか分らない。ともかく化膿部と負傷部を水で洗浄し、化膿部に自家製剤の粉薬を撒布《さんぷ》して、左の頰は全面を布で覆って絆創膏で留めた。粉薬は僕が郷里の大工から聞いて韮《にら》の葉を主薬に調剤したものだ。切傷や化膿には特効があるとその大工が云っていた。

正午に近づいていた。食事をしに借間の我家に帰ったが、坂を登るとき足の痛みがひどいので、抜足差足のような恰好《かっこう》で足を運んだ。坂の曲り角のところで立ちどまって見上げると、崖《がけ》の上から妻のシゲ子が僕を見おろしていた。

「あんた、エッチラオッチラ歩いて、つらそうですなあ。杖《つえ》か何か持って行きましょうか」

シゲ子はそう云って、接戦訓練用の竹槍《たけやり》を持って来た。さっき家主の奥さんが作ってくれた竹槍だそうだ。

僕は敗残の百姓一揆《いっき》のようだと思ったが、竹槍をつきながらシゲ子に脇《わき》を支えられて坂を登って行った。そのとき初めてシゲ子が頭の髪を焦《こ》がしていることに気がついた。

「いつ髪を焼いた」と訊《たず》ねると、六日の空襲のとき焼けたらしいと云った。

昼飯は携帯餱糧《こうりょう》の焼米で、お菜は菜種油で煠《いた》めた味噌《みそ》である。その他には桜の花茶が添えてあるだけだが、我家の料理としてはこれでも最上の部類に入るのだ。

シゲ子の話では、髪の毛が焼けていることは自分でも今朝ほど気がついたそうだ。六日の朝、警戒警報が解除になったのに爆音が聞えるので、台所の窓からのぞいて空を見た。その瞬間、ぱっと強烈な光が閃《ひらめ》いて、気がついたときには板の間に身を伏せていた。（そのときの光線で焼いたらしい）しばらくして立ちあがり、台所を見れば何もかも散乱し、裏口に出て見ると煉瓦《れんが》の塀《へい》も毀《こわ》れている。どこかで火事も起きているらしい。

これは大変だと物見のため二階に駈《か》けあがると、窓硝子《まどガラス》が吹きとんで、襖《ふすま》は捩《ね》じれ、庭木の松の梢《こずえ》とその横の電信柱のトランスが火を噴いている。市役所の方角に物凄《ものすご》い煙が立ちのぼっている。そこかしこに煙が上っている。火事は拡《ひろ》がって行く一方だと見えた。逃げなくてはならぬと思って、何よりも先に御先祖様と神札を納めた袋を祀《まつ》った柱を見たが見当らない。

仕方がないので他の始末に取りかかった。次の部屋の柱も見たが何もない。ようと庭に持ち出して、水面を見ると御先祖様や神札を納めた白い布袋が浮いている。部屋のなかから吹きとばされたに違いない。それを拾って背負袋に納め、庭に出していたものを手当り次第に泉水に投げこんで、防空壕《ぼうくうごう》にも入れて出入口へ煉瓦塀の欠片《かけら》を積み重ねた。

食器、夜具、蚊帳《かや》、靴など、泉水に沈め

新田さんのお宅へ駈けつけると、御主人は腋《わき》に、奥さんは顔面に重傷を負っていられるという惨状だ。それで千人針を引裂いて応急手当を施して、担架を取りに行って来ると、筋向うの野津さんの奥さんが、これも重傷を負って救いを求めている。そこで担架を放り出し、手拭で応急手当をしてあげた。被害の程度は只《ただ》ごとでない。中西さん、早見さん、須賀井さん、中村さんなど、隣組の家にはみんな大なり小なり負傷者があって、自分ひとり無傷で走りまわっていることが分った。担架を使うのは不可能なことであった。

すると、隣の新田さんのうちで助けを求めて叫ぶのが聞えて来た。

暫《しばら》くすると、野津さんのお宅に、通信隊から御主人の大尉《たいい》が兵を連れて帰って来られ、奥さんを連れてどこかへ立ち退《の》かれた。新田さん御夫婦は共済病院へ行くと仰有《おっしゃ》って、血まみれの痛々しい姿でお互に助けあいながら出て行かれた。シゲ子は家に引返して少しまた家財道具を防空壕に入れ、それから大学のグランドに避難したのであるそうだ。

シゲ子の話のうちに、物理学的にも常識から云っても、どう考えても理解できないことがある。僕の住んでいた家では、爆風が北から南へ通り去っていた。庭木も家も、室内の建具も、南または南西に傾いているにもかかわらず、御先祖様と神札を納めた袋だけは、南から北々西へ向け、室内を約八メートル、室外を約五メートル飛んで泉水に入って水面に浮いていた。どうも理窟《りくつ》に合わぬことである。しかし、こんな風に考えられないこともない。室内から南または南西に向って吹きとばされた布袋は、風圧の反作用によって北々西に引戻されたのではないだろうか。

八月九日

携帯餱糧が昨日の夕飯を限りに底をついた。

今日からは会社の食堂から食事を貰《もら》って来ることになった。朝飯はシゲ子が貰って来て、昼飯は矢須子が貰って来たが、昼飯を食べるときシゲ子と矢須子が不平を云った。二人で示しあわせて云い出したことだろう。野菜や米ならともかくも、他人の煮《に》炊《た》きした食事を貰いに行って、何もしないで食べているのは心苦しくて仕様がない。昨日は避難者救援の手伝仕事もあったのに、今日からは何もすることがなくなったので、みっともなくて食事を貰いに行けないと云う。今日、矢須子は工場長から、当分休養してもいいと云われたのであった。

僕はむしゃくしゃして二人に用事を云いつけた。

「明日は、二人で千田町の焼跡へ行って来い。そして、隣組の様子を詳しく聞いて、ついでに防空壕のなかから、たちまち必要な着換類と、米を詰めた瓶《びん》を持って帰るがいい。非常時用の米だから、現在のような非常時に食わんければ嘘《うそ》なんだ」

二人はこれでもう安心した風で、今晩の夕飯は二人で食堂へ貰いに行くと云った。千田町の家の防空壕には、ラジオ、毛布、食器、炊事道具、副食物など入れてある。庭の空地には、四本の一・八リットル瓶に米、十八リットル罐《かん》に大豆、もう一つの罐には肌着、湯あがりの浴衣《ゆかた》など入れて土中に埋めている。それが焼けていないことは、僕が避難の途中に寄って見届けている。

シゲ子と矢須子は、着たきり雀《すずめ》でいるのだから、シャツや下の物を洗って干すまでどうするかと、ひそひそ相談をはじめていた。

川原へ行って身ぐるみ脱いで洗い、乾くまで水泳していればいいのだと教えてやると、二人は手拭を持って出て行った。

気がゆるんだせいか暑さが強く感じられ、坐《すわ》っていると無闇《むやみ》に眠くなって気が遠くなって行くようだ。しかし寝ころんで目を閉じると、川原や山の麓《ふもと》から立ちのぼる無数の煙が思い出されて来て眠れない。

起きていても横になっていても汗がやたらに出るが、顔の汗は右半分しか拭えない。左半分は理髪屋で蒸しタオルを当てがわれているような感触を通り越し、覆った布の下に糊《のり》のように濃い汗か膿が溜《たま》っているのではないかと思われる。それを布の上から軽く抑え、布に汗か膿を吸いとらせるより他《ほか》にどうすることも出来ないのだ。何度も何度も抑えているうちに、布はじっとり湿りを持って来る。取換えるといいのだが取換える布がない。それで三角巾《さんかくきん》を顔に合せて切って熱湯をかけ、太陽光線で乾燥させることにした。

縁側の柱に凭《もた》れてうつらうつらしていると、田中という庶務課員が連絡に来て、兵隊が食糧を受取りに来たから渡したと云った。

「それは君、とんでもないことをしてくれたな。いつ渡したのか」と聞くと、「さっき、一時間ほど前に渡しました」と云う。

「どこの兵隊が来て、どこに持って行ったのか」と訊ねると、「歩兵でしたから、西部二部隊から来たと思って、渡してやりました」と返答した。

この食糧は、通信隊と西部二部隊から預かっていたものである。二週間ばかり前の深更に、千田町の僕のうちの向いにいる通信隊の野津主計大尉が、息せき込んで僕のうちに来て食糧を預かってもらいたいと云った。理由を聞くと、師団参謀から電話があって、広島がいつ空襲されるか知れない情勢になったので、保管軍用品を即時疎開させせよと命令があった。しかし召集軍人の野津大尉は、兵舎外のことは知らないから何とか協力してくれと懇請を受けた。僕は会社へ電話して富士田工場長の許可を得た上で、会社の倉庫へその夜のうちに運んでもらって預かった。

その翌朝、西部二部隊の国分中尉が僕を訪ねて来て、軍の食糧を疎開させたいから会社の倉庫へ預かってくれと云った。緊急を要することでもあるし、疎開させるところがなくて困った挙句、電話で野津大尉に通信隊の状況を聞いたので、僕を訪ねて来たと云う。僕は会社へ問いあわせてからまた引受けたが、量が多くて全部の保管は出来ないので、そのうちの一部の叺《かます》入りの米は、田内という畳屋へ僕から依頼して預かってもらった。残りは会社の倉庫へ預かったが、兵隊が受取りに来たと云うのはこの米である。

合点の行かない話であった。国分中尉は被爆負傷したということだが、西部二部隊が糧秣《りょうまつ》を引取りに来るからには、国分中尉の紹介状か書類を持って来る筈《はず》だ。どさくさに紛れて詐術《さじゅつ》を弄《ろう》する手合であったと観念しなくてはならないのだ。今さら何と云っても仕方がない。

気をつけないといけないのだ。この次からは、預かったとき云って置いた通り、第二部隊なら国分中尉、またはその代理なら、国分中尉の名刺を持ったもの以外には、絶対に渡してはならぬ。預かるときの条件だから必ず守ってもらいたい。

僕は田中君に固くそう云い置いた。

一方、通信隊の食糧保管の事務は我々の手から離れていた。すでに通信隊は我々の会社の事務所の二階六畳を経理部に当てていたからである。

僕は会社の倉庫に行って見たが、田中君の云った通りの俵数だけ無くなっていた。広島に爆弾が落ちてから、がたがたと急に世相が荒れて来たのではないだろうか。いつか人から聞いた話だが、大きな戦禍があった地域では、百年たたないと住民の悪ずれが払拭《ふっしょく》されないと昔は云われていたそうだ。それは本当のことだろうか。

11

「被爆日記」八月九日記の続き――

僕は糧秣の盗難事故報告のため、当日の責任者である田中君を連れて会社の事務所へ行った。相手が軍のことだから事態は容易ならぬのだ。たしかに田中君の手ぬかりにしても僕の責任になるわけだ。野津主計大尉《たいい》にも累《るい》が及ぶだろう。

盗難に遭ったのは、白米七俵と牛罐《ぎゆうかん》十箱と、サド屋のスペッシャルという甲州白葡《ぶ》萄酒《どうしゆ》五箱である。食糧窮乏の極にある折から、この非常時に現役兵が軍のトラックを操縦し、民間へ預けた軍の保管物資を騙《だま》し取りに来るとは無軌道にも程がある。兵隊は二名ずつ二台のトラックに分乗し、先頭を来た一台は、ボンネットの先に浅葱《あさぎ》色の小旗を立てていたと云う。牛罐をトラックに積むときには、年かさに見える上等兵が「この牛罐を食うときは、茄子《なすび》と一緒に煮んければいけん。このまま食うと、かぶれ性のものは、かぶれるんじゃ」と云ったそうだ。焦土抗戦に備えた軍の貯蔵用の牛罐だが、その兵隊はもう食った経験があるのだろう。

田中君がそれを富士田工場長に報告すると、

「では、尉官級の軍人も来たのだな。軍人たち、もうそこまで頽廃《たいはい》していたのかね」

と工場長が気色ばんで、ぴくぴく唇を震わした。

田中君は青ざめた顔をして、殆《ほとん》ど直立不動の姿勢で工場長の前に立っていた。この庶務課員は、四十八歳、可部《かべ》町の出身で会社の寮に宿泊し、女房は可部町の鋳物《いもの》工場に勤めている。倅《せがれ》は二人とも英霊になったので合葬し、名前を二つ並べて刻んだ大きな墓を立てているそうだ。

今、僕は後日のため、この場の田中君と工場長の問答を在りのままに書きとめる。田中君は気をつけの姿勢をしていたにもかかわらず、げんなりしたように無気力な声しか出さなかった。

「それがですな、げに工場長さん。年かさの上等兵が一人に、あと三人は、軍服の上着を脱いどる兵隊でがんした。みんなゲートル巻いて、ドタ靴をはいておりました」

「しかし、浅葱の旗を立てていたそうじゃないか。浅葱の旗なら、尉官の軍人が乗っている。赤い旗なら佐官級の将校だ。黄色い旗なら将官だ。君も子供を英霊にさせられているだろう。軍のそれくらいなこと、まさか君は知らんでもなかったろう」

「それがですな、年かさの上等兵が歩兵であったんで、げに、西部二部隊の兵じゃと思うたんでがんす。浅葱の旗があったんで、尉官級の軍人の命令で来たと思いました。私の、この田中の迂闊《うかつ》でありました。工場長さん、私が悪うございました」

田中君は頭を垂れたかと思うと、肩を震わしながら啜《すす》り泣きをはじめた。

「とにかく、西部二部隊へ届書を提出しなくっちゃいかん。田中君と閑間君と僕の三人、連署ということにして、大急ぎでね」

と工場長は、僕に提出書類の作成を云《い》いつけた。

「かしこまりました。始末書の形式で宜《よろ》しいんでしょうな」

しかし、西部二部隊は空襲で兵営ごと消えて無くなった。書類はどこへ持って行けばいいか。通信隊の経理部は我々の事務所の二階に移って来ているが、西部二部隊経理部宛《あて》の書類を通信隊の経理部へ提出してもいいものだろうか。軍部のなかの機構は我々には分らない。

とにかく僕は始末書の形式で書類を作成した。工場長と僕は実印を捺《お》した。田中君には拇印《ぼいん》を捺させ、この書類を二階六畳間に来ている通信隊の経理部へ持って行った。狭い和室に椅子《いす》とテーブルを置き、長靴は障子の内側の新聞紙の上に脱いである。無論、僕は靴を脱いで入った。隊長の野津大尉は公用でどこかへ出かけているということで、下士官らしい軍人が二人いた。上着を脱いでいるのだから階級は知れないが、ちょび髭《ひげ》を生やした上官らしい方が、僕の手から封筒入りの書類を受取った。

僕は野津大尉と知りあいだと云ったので、その軍人は「やあ、どうも御苦労でした」と云って封筒の中身を読みかけた。ところが、「こりゃあ困る。これはいかん」と云って僕に突き返した。

「その書類は、西部二部隊経理部の、国分中尉殿へ提出する書類じゃないですか。ここは通信隊の経理部です」

「ですから、国分中尉へ伝達して頂きたいんです。西部二部隊は、どこにあるか分りませんですからね」

僕のこの言葉は、たしかに相手の気色を悪くさせた。

「馬鹿《ばか》なこと云っちゃいかん。そんな書類を、この部隊から国分中尉殿へ取次いだら、この部隊で国分中尉殿の失態を暴露するようなもんだ。ひいては、西部二部隊経理部の、全員の功績にも影響することになるからね。いずれにしても、絶対に受取るわけにいかんです」

取りつく島もなかったので、僕は階下へ引返して工場長に報告した。田中君はもうそこにいなかった。工場長の話では、田中君は盗まれた糧秣《りょうまつ》を一生かかっても軍へ弁済すると云ったそうだ。

僕は借りている隠居所に帰って来た。ひどく疲れていた。シゲ子も矢須子もまだ川から帰って来ていなかったので、夕方まで眠ることにして、蠅《はえ》を防ぐため蚊帳《かや》を吊《つ》って寝た。

すこし眠れたが、フクロウの鳴く声が聞えたので目がさめた。西日が植込の向うの倉の壁に当って、家主の嫁さんが植込の方に歩いて行くのが見えた。フクロウが鳴くわけがない。足が冷えて目がさめたのだと分った。この真夏八月、日が暮れないうちに足が冷えるのは腑《ふ》に落ちない。足の指に触ってみると、親指に左右とも痛みがあった。これはと思って起きあがり、蚊帳の裾《すそ》をめくって縁側に出ると、左の頬に冷気に似たものが感じられた。手で触ると、左の頬の布がない。蚊帳の裾にまくれついていた。

鏡を見ると、鼻のわきの化膿部《かのうぶ》がぱくりと口をあけ、かちかちに乾燥しているのが分った。なさけないこと夥《おびただ》しい。タオルを水で浸して来て、患部をそっと拭《ふ》き、交換用の布を覆《おお》って絆創膏《ばんそうこう》で留めた。

この手当がすんで蚊帳をたたんでいると、シゲ子と矢須子が帰って来て、会社の炊事場から三人ぶんの夕飯を貰《もら》って来た。借物の食卓の上に載ったのは、芋の葉の佃煮《つくだに》と、お新香と、フスマを混ぜた麦飯である。それを食べながら、シゲ子と矢須子は川原で人から聞いて来た広島市内の様子を話した。洗濯したモンペやシャツやパンツを川原に干して、それが乾くのを待つ間じゅう、同じように川の水につかって待っている三人の女から聞いた話だそうだ。

次のような挿話《そうわ》である。

広島の県立第一中学校の校庭にプールがある。そのプールのほとりに何百人もの中学生や作業奉仕隊員が死んでいる。シャツが焼け切れているから半裸体同然で、互に重なりあって池のぐるりに並んでいる。だから遠くから見ると、池のまわりのチューリップの花壇のようである。近づいて見ると、菊の花のように折り重なっている。白《はく》神社前の電車通りには、鉄骨の残骸《ざんがい》ばかりになった電車のなかに、ハンドルを握って立った半焼けの運転手がいる。乗客も四五人、昇降台のところで半焼けになっている。

八月六日の朝、西練兵場で見習士官の一隊が指揮官の訓示を受け、終って体操するためにみんな上着を脱いでいると、強烈な光が閃《ひらめ》いた。そのとき列の最後尾にいた一人は、茂った木の幹に背中を接して立っていた。その見習士官が、広島城の吹きとぶ瞬間の有様を目にとめた。天守閣はその姿のまま、さっと東南に飛びながら空中に立っていたそうだ。

次の瞬間、その見習士官は視界が利《き》かなくなっていた。しかし五層の天守閣が、元の位置から四五十メートル東南に飛んで、空中で元の姿のままだったことは、確かにこの目で見たと云っていたという。見たのではなくて目に映ったのだろう。

後で現場を見た人の話では、天守閣は裏の川堤にぐしゃぐしゃに崩れ、土や瓦《かわら》の破片の堆積《たいせき》に変じていたそうだ。爆弾が破裂して発する風圧は、作用と反作用を持っているらしい。天守閣は何千トンの重さがあったか知れないが、地球の引力よりも強い力で動かされたので、そのままの姿で空中を飛んだのだろう。

広島市にピカドンが落ちると、郡部各町村から逸早《いちはや》く救護部隊が繰出された。双三《ふたみ》郡三次《みよし》町もそのうちの一つだが、これは徴用で広島市に来ていた三次高女の生徒や三次町方面出身の徴用者を救出するのが目的であった。三次高女の三年生以上の生徒の一部は陸軍病院の看護婦補助員として広島市に動員され、一部は飛行機製作工務員補助員として呉《くれ》市の十一空廠《くうしょう》に分配動員されていた。三次町の救護部隊は約百名、七日の朝早く広島市に入ったが、火に取囲まれて大半が焼け死んだ。救護部隊第一班の班長で三次高女専攻科の教授である田淵《たぶち》実夫という人も、市外の祇園《ぎおん》町まで逃れて卒倒した。無論、被爆した三次高女の生徒はみんな即死したそうだ。

（附記——戦後、僕はふとしたことから田淵実夫氏と知りあいになった。田淵さんの話では、昭和二十年八月六日の朝、出勤前に新聞を見ていると、空に淡いスパークが走ったような気持がした。錯覚ではないかと思ったが、正午ごろ軍の報道がラジオを通じて広島が爆撃されたと伝えた。午後三時ごろになると、広島から脱出した負傷者たちが汽車で三次町に運ばれて来た。この日、芸備線は下深川から先は不通になっていた。負傷者は下深川まで徒歩で逃れ、そこから列車に乗ったのだという。

三次駅（当時の備後《びんご》十日市駅）前には、双三郡医師会と三次町消防団の手で天幕が張られ、負傷者に応急手当が施された。

午後五時ごろ、郡医師会、三次中学、三次高女の職員、消防団員、町村有志が協議の上、救援隊を動員することになった。田淵さんは第一班の班長に選ばれて、三次高女教員、町村有志等八十名を引率し、七日の朝五時ごろ汽車に乗って下深川に到り、そこから徒歩で広島に入った。午前十時半ごろであった。広島の惨状には仰天したが、どんな爆弾が落ちたのかまだ知らなかった。あまりのことにうつけのようになって、ただ現状を現状のまま受取るよりほかはなかった。広島駅附近から、稲荷町《いなりまち》、紙屋町、大手町、千田町を歩きまわり、火災のあとの熱気と屍臭《ししゆう》、瀕死者《ひんししや》の絶叫に追いたてられ、水筒の水さえすぐになくなって、救援どころか焼跡を逃げまわっていたようなものであった。かれこれ二時間ぐらい歩きまわっているうちに、隊員にはぐれて二人の連れしかいないことに気がついた。三次高女の教え子は一人も見つけることが出来なかった。連れの一人が半ば失神して、よろめきながら歩くので、市外祇園町の知りあいのうちへ午後四時半ごろ辿《たど》りついた。ここで四時間ぐらい休息して、夜八時半にやっと腰をあげ、疲れきっていたが三人で帰途についた。今までにそんなことは覚えのないほど疲れていた。祇園町から下深川まで三時間で歩き、下深川の待合室で一泊。翌朝、六時ごろ避難者満載の汽車に乗って帰って来た。

後で判明したが、徴用で広島に行っていた三次高女の生徒は全員死亡、三次方面出身の者で被爆したものは九割が即死または年内死を遂げた。田淵さんは結局二時間あまり焼跡を迷い歩いたことになるが、現在のところ軽い原爆症に冒されているそうだ。三次町の場合は、山を隔てているので広島のクラゲ雲は見えなかったろう。三原市は広島市から三十里だが、西の山が低いので見えたそうだ——後日記)

広島市内の被爆した木造の橋は、殆どみんな完全に焼けてしまった。その焼け方が不思議である。先《ま》ず橋板がくすぶって焼けて行くと橋脚に移り、干潮になって水が引くにつれ、橋脚の水面に出て来る部分が次第にくすぶって行く。ところが、潮が満ちると火の気は消える筈なのに、翌日もまだくすぶって次第に焼けて行く。

広島市内の国泰寺の墓地には、台石と塔身の間に三寸角ぐらいな煉瓦《れんが》のかけらを噛《か》んでいる墓がある。直径三尺五寸ぐらいな筒型の塔身だが、爆風の作用で持ちあがった瞬間、煉瓦のかけらが吹きとばされて来て挟《はさ》まったのだろう。すべすべに磨きをかけてある御影石の墓は、閃光《せんこう》に当った面だけざらざらに焼け爛《ただ》れ、光の当らなかった方は元のまま滑らかになっている。御影石でもそんな具合に焼けている。閃光を浴びた屋根瓦などに至っては、小豆色《あずきいろ》に変色しているばかりではなく、泡《あわ》を吹いたように表面にぶつぶつが出来ている。古伊部《こいんべ》の茶入の灰釉《はいぐすり》のような趣になっている。

工兵隊の一等兵が戸坂《へさか》の被爆者仮収容所へ避難して行く途中、大賀村の農家へ水を貰いに来て喋《しゃべ》ったという話。工兵隊はピカドンで死人を無数に出したので、白島から流れて来る川の洲《す》に死体を井桁《いげた》型に積み重ねて火をかけている。夜になっても衛兵がそこに立って見張をしているが、この衛兵のことを「しかばね衛兵」と云い、つらい勤務である。ピカドンが落ちてから、急に軍の命令系統が乱れて軍規が廃《すた》れ、将校のうちには兵卒に対してびくびくするものがあるようになったそうだ。

以上は、主に矢須子が話したことの聞書である。

シゲ子は川の水に浸りすぎ、下腹がしくしくすると云ってあまり喋《しやべ》らなかった。川原に乾したパンツが乾くまで、二人とも手拭《てぬぐい》を腰に巻いて浅瀬にしゃがんでいたそうだ。

すっかり日が暮れてから、家主の御隠居が電燈が点《つ》くと教えてくれた。今日から送電するようになったのだ。

八月十日　快晴

矢須子とシゲ子は寮の炊事場から朝飯を貰って来て、フスマ入りの麦飯をお握りの弁当にして広島市内へ出かけて行った。僕はそれを駅まで見送った。見受けるところ、人を待つでもなく、切符を買うでもなく、ただ待合室にまぎれ込んで来ているらしい人がたくさんいた。電車が来ても突ったったきりで、電車が出て行くと待合室のベンチに寝ころぶ人が何人かいた。駅員に迷子を探す方法をたずねている人もいた。駅から引返して会社へ行くと、石炭の手配をしなくてはならない緊急を要する用務が僕を待っていた。広島市内または宇品へ行かなくてはならないのだ。

富士田工場長は大きな包みを別室から持って来た。

「御苦労だけれども、なるべく早く首尾をつけるようにしてくれないか。焼跡で必要なものは、この包みのなかに入れてあるからね。空襲があるかもしれないし、十分に気をつけて」

僕はシゲ子への伝言を工場長に頼み、防空頭巾《ずきん》に救急袋、地下足袋ばきで包みを背負って出発した。

電車は山本駅まで僕を運んでくれた。ここから先は運転がまだ回復していない。乗客は五六十人ばかりいたが、山本駅で駅から外へ出る者は一人もなくて、みんな線路づたいに広島の方へ一列になって歩いて行った。「旅は道づれ、広島の連れ小便」と云うが、言葉を交すものは一人もなくて枕木《まくらぎ》を一つ一つ踏んで行く。荷物を背負っているものは、僕のほかにはすぐ前を歩いて行くモンペ姿の女が二人だけである。弁当らしいものを持って行くものは、全体の四分の一の数にも足りなかった。近郷の農村も物資が欠乏したことを明けすけに語っているようなものである。電車は一日に何回こんな無口の人たちを広島の焼跡へ送りこむことか。

やがて焼跡区域に入って行くにつれ、臭気と湿度の高い風が渡って来た。一列になって歩いていた人たちは、一人減り二人減りして僕と同じ方角へ行くものは数人きりになった。もうこのあたりからは、毀《こわ》れた瓦が一面にごろごろして、でこぼこの激しい荒廃した道である。

「そうだ、さっき渡って来た橋は、何橋だったかしら」

振向いて見ると、アーチ型の鉄骨が焼け残っている横川橋である。

僕が六日の日に避難するときには、このあたりの道ばたの大きな防火用水タンクに、三人の女が裸体に近い恰好《かっこう》で入って死んでいた。水はタンクの八分目ぐらいまで溜《たま》っていたようだ。今度はそのタンクに決して目を向けないで通って行こうと思ったが、見まいとしながら、ちらりと見てしまったことは是非もない。逆さになった女の尻《しり》から大腸が長さにして三尺あまりも噴きだして、径三寸あまりの太さに脹《ふく》らんでいた。それが少し縺《もつ》れを持った輪型になって水に浮かび、風船のように風に吹かれながら右に左に揺れていた。

寺町のお寺の焼跡に「猫屋町死体収容所」と木炭で書いた挽割板《ひきわりいた》が立ててあった。そこの土塀の内側を見ると、圧死体と思われるもの、半焼けのもの、白骨などが、土塀の隅に六尺あまりの高さにして積みあげてある。土塀が崩れ落ちているのだから、見まいとしても目をあけている限り視界に入って来る。その死体の山を真黒に見せるほど蠅が群がって、風のせいか何か知らないが「わあん」という声を立てて飛びたって、すぐまた死体へ群がって行った。同時に、息づまるような、嚏《くさめ》を催させるような臭気が襲って来た。僕は息をひそめて小走りに逃げた。次に、並足になって手拭で鼻を覆って歩いたが、臭気がまだ追いかけて来て頭がぐらつくようであった。

　寺町の焼跡を通り抜けて行くと、臭気がちょっと薄らいだ。それも束《つか》の間《ま》のことで、道ばたの死体や白骨が次第に殖《ふ》えて来るにつれ、またもや強烈な悪臭のなかへ入って行った。悪臭の無間《むげん》地獄であった。その間、たまたま臭気が薄らいで来たと思ったのは、川風が吹いて来る相生橋《あいおいばし》の上に出たときである。やれやれと思って、僕は背中の荷物を石の欄干に凭《もた》せかけて一と休みした。

　市街は一網打尽に焼かれたのだから遠景が見えた。南東の方角に大河町の青黒い山が見え、南には向宇品《むこううじな》の楠《くすのき》の処女林、その真向うに似島《にのしま》の須弥山《しゆみせん》、西に江波《えば》の小高い山、東に東照宮のお山が見える。市内の焼野原は僅《わず》か数箇所にビルの残骸を見せているだけで、炭化した木材や瓦のかけらなど、見渡すかぎり散乱させている。ところどころに点々と白いのや黒いのが動くのは、たいてい骨さがしをして歩いている人間だ。

何もかも情ない。

橋のたもとのところに、人が仰向けに倒れて大手をひろげていた。顔が黒く変色しているにもかかわらず、時おり頰を脹らませて大きく息をしているように見える。目《ま》蓋《ぶた》も動かしているようだ。僕は自分の目を疑った。荷物を欄干に載せかけて、怖《おそ》る怖るその屍《むくろ》に近づいて見ると、口や鼻から蛆虫《うじむし》がぽろぽろ転がり落ちている。眼球にもどっさりたかっている。蛆が動きまわるので、目蓋が動いているように見えるのだ。

僕は或《あ》る詩人の詩の句を思い出した。少年のころ雑誌か何かで見た詩ではないかと思う。

――おお蛆虫よ、我が友よ……

もう一つ、こんなのを思い出した。

――天よ、裂けよ。地は燃えよ。人は、死ね死ね。何という感激だ、何という壮観だ……

いまいましい言葉である。蛆虫が我が友だなんて、まるで人蠅が云《い》うようなことを云っている。馬鹿《ばか》を云うにも程がある。八月六日の午前八時十五分、事実において、天は裂け、地は燃え、人は死んだ。

「許せないぞ。何が壮観だ、何が我が友だ」

僕は、はっきり口に出して云った。

荷物を川のなかへ放りこんでやろうかと思った。戦争はいやだ。勝敗はどちらでもいい。早く済みさえすればいい。いわゆる正義の戦争よりも不正義の平和の方がいい。

僕は欄干のところに引返し、荷物を川へ放りこまないでしっかり背負った。この荷包みの中身は、征露丸《せいろがん》を入れた瓶、移植鏝《いしょくごて》、古雑誌、ユーカリの葉、乾パン、渋団扇《しぶうちわ》など、焼跡に住む人にとって入用なものばかりである。

紙屋町の近くまで行くと、マスクをした兵隊らしい男たちが三四箇所に別れて火を焚《た》いていた。近づいて見ると、六尺四方ぐらいな穴ぼこに、鉄道の古枕木を入れて燃しながら、運んで来た死体を投げこんで焼いている。枕木の燃えるぱちぱちという音は、炎天のもと焚火に一層の凄《すご》みを出している。死体の胴から出る焔《ほのお》は藍白色《らんはくしょく》で細めだが、周囲の赤い強力な焔に巻きこまれて高く立ちのぼっていた。

兵隊たちは次から次へと戸板やトタン板で死体を運んで来て、顔を背けてぽんと穴のなかに放りこむ。それからまた黙々としてどこかへ去って行く。兵隊はトタン板の四つの角をぐるぐるに折り曲げて持っている。上官からの命令で動いているのだろうが、どんな感慨を催しているものか、その表情では分らない。重圧感のある兵隊靴だけが感情を表に出しているようだ。穴ぼこに死体が多すぎて焔が下火になると、穴のほとりへどしりと死人を転がして行く。その弾みに、死体の口から蛆のかたまりが腐《ふ》爛《らん》汁と共に、どろりと流れ出るものがある。穴のそばに近づけすぎた死体からは、焚火の熱気に堪《こら》えきれぬ蛆が全身からうようよ這《は》い出して来る。なかには転がした弾みに、関節部に異変の起きたものがある。たとえば童話のピノキオが、関節部の留釘《とめくぎ》を抜きとられたことのような始末になってしまう。ピノキオは板と留釘とで組立てられた玩具《がんぐ》だが、それでもなお臑《すね》を何かに打ちつけると、自分が木であるからして痛さを感ずるそうだ。況《いわ》んや死体は生前には人間である。

「この屍、どうにも手に負えなんだのう」

トタン板を舁《か》いて来た先棒の兵がそう云うと、

「わしらは、国家のない国に生まれたかったのう」

と相棒が云った。

僕がこの場で聞いた人間の声は、トタン舁きの二人の兵が交したこの言葉だけである。そのトタンの上の死体は、ピノキオの留釘をすっかり抜きとったようにして纏《まと》められていた。

僕は思わず知らず「白骨の御文章」を口のうちで誦《とな》えていた。

広島はもう無くなったのだ。それにしても広島という町が、こんな惨状で末路をつげるだろうとは思いもよらなかった。

12

しくしく胃のあたりが差込んで、だから僕は灰土が厚く溜《たま》っているのもかまわず石段に腰を卸した。蕎麦粉《そばこ》のようにさらさらしている土なので、指先で触っているうちに渦や文字が書けた。いろんなものが書けた。僕は学校の黒板を思い出し、幾何学のピタゴラスの定理の図を書きかけたが書けなかった。

暫《しばら》くすると差込みが治まった。それにしても、ここはどこだろうと振向くと、焼けぼっくいの散乱している市役所の表玄関であった。つい先日まで瀟洒《しょうしゃ》なクリーム色であった外壁が灰褐色に焼けただれ、硝子《ガラス》はおろか窓枠《まどわく》もなくて荒涼たるものである。玄関から奥に通じる廊下には、割れたヘルメットか鉄片かのようなものが、ごろごろと散らばっている。文字通りここも無慚骨灰《むざんこっぱい》の廃墟《はいきょ》だが、物を引きずっているような音が奥から聞えて来る。空箱か何かを引きずっているらしい音である。耳をすましていると、地の底から湧《わ》いて来るような音に変って来た。

僕は不気味な思いでリュックサックを肩にした。すると、「閑間さん、どちらへ」

と不意に声をかけられた。

宇品《うじな》罐詰《かんづめ》工場の田代老技師である。

「ああ田代さん、御丈夫で。あの物音、何でしょう」

「あれは市の職員が、焼けぼっくいを片づけている音ですよ。貴方《あなた》、顔を焼きましたね。お宅の皆さん、いかがでした」

「おかげさまで丈夫です。貴方の会社、石炭はどうされました。私は石炭統制会社を捜しているんですが、どの辺だったか、さっぱり見当がつきません」

「あの会社も散々です。社員の避難先も分りません。ですから私、市役所へ石炭の交渉に来てみました」

やはり宇品罐詰は糧秣廠《りょうまつしょう》の管轄《かんかつ》工場で、製品を被服支廠《ししょう》の食堂へ一部納入しているが、それでいて石炭のことでは頭を悩ましている。

田代さんの話だと、市役所ではもう柴田助役の総指揮で二十人あまりの職員が事務を執っている。しかし石炭配給の陳情は断られたそうだ。石炭のことは統制会社の管轄に属するので、市役所で容喙《ようかい》すると、やがてその結果は軍からお叱《しか》りを受けるだけである。話がもつれて却《かえ》って拙《まず》い結果を招くのだ。

「結局、私は市役所へ愚痴をこぼしに来たことになりました」

田代さんは、ひんやりした口吻《くちぶり》で云《い》った。

僕はともかく工場長に報告する必要から、田代さんの案内で石炭統制会社の焼跡を見に行った。この老人は宇品罐詰工場の技師長で、石炭のことにも明るく石炭統制会社の社長とも入魂《じっこん》だ。

「それにしても、統制会社ともあろうものが」と田代さんは云った。「未《いま》だに避難先を掲示しないのは合点が行きません。これには何か事情がありますな」

石炭統制会社の焼跡には、田代さんの云う通り、崩れ残ったコンクリート壁にいろいろと文字が書きつけてあった。「藤野様、御住所の御通知を乞《こ》う、三日市鋳《ちゅう》鉄《てつ》工場」「御社の仮事務所を此所《ここ》へ記して下さい。三協中林」「本田様、御安否いかがですか、御避難先を掲示して下さい、海田《かいた》市《いち》津々木工場」「村野様、御住所をここへお書き下さい、己斐《こい》内山」というように、なぐり書きの拙い字や上手な字でいろいろ書いている。みんな焼けぼっくいの消炭で書き、みんな日附を書きつけている。

「田代さん、書置に何ひとつ会社の人の返事がありませんですね。日附を見ると、三日もたっているのがありますな」

「ですから、最悪の状態も考えられますね」

「最悪と云っても」

「会社の人たちの、全滅ですよ」

田代さんの自宅でも、田代さん一人だけ生き残ったそうである。後入りの若い奥さんと幼いお嬢さんが、倒れた家の下敷になったので、火をかぶって死んだことは確実だが、この歳《とし》だから焼跡を掘る元気もないそうだ。

「仕方のないことです。放って置きます。骨はどこにあっても、結局は地中の有機物になるんですからね」

「お墓をお建てになるとき、どうなさいます」

「家内の田舎の生家に、家内と娘の写真が残っております。それを埋めてやろうかと思います。しかし家内の生家のものが、骨を拾いに来ると云い出すと、有機物だからうっちゃっとけとも云えませんでしょうな」

僕は老科学者が科学的に割切りすぎているのではないかと思った。これにはちょっと異議を感じたが、一方、こんな風にも想像できた。田代さんは老人だが、奥さんはまだ若くて美しかった。お嬢さんも学齢前で可愛《かわい》らしかった。もしその骨を探していて死体が見つかったら、田代さんの脳裡《のうり》に刻まれている二人の面影が、一瞬にして毀《こわ》れるのを怖《おそ》れているのではないだろうか。なぜかと云うに、ここ数日間にわたって、田代さんも僕と同じく、圧死者や半焼けの腐爛《ふらん》死体を見すぎるほど見ている筈《はず》だ。

「では田代さん、誰か第三者にお骨を拾わすようにされたらどうでしょう」

田代さんはそれには答えないで、

「ともかく石炭のことは、それでは被服支廠へ交渉に行こうじゃありませんか。それ以外に打つ手はありませんな。あの方角、鷹野橋《たかのばし》のあたりは死骸《しがい》も少いでしょうから、臭気も幾分か下火でしょうよ」

そう云って、案外しっかりした足どりで歩きだした。

鷹野橋のあたりまで行く道すがら、僕は四日前と殆《ほとん》ど同じような焼跡の状景を繰返して見なければならなかった。田代さんは周囲のことには言葉を触れないで、さっき市役所で聞いて来た情報を僕に話してくれた。空襲前の市役所の職員は本庁に約九百人いたが、現在、市庁舎に出ているものは二十人あまりである。それも無事故のものは一人もない。

六日の日と今日と焼跡で見て違うのは、兵隊のほかに殆ど半裸体の人夫のような二人の男がトタン板を舁《か》いて、死体処理に当っていることであった。この二人の男は、崩れた土塀のわきにある防火水槽《すいそう》を見つめて棒立ちになっていた。水槽には頭だけ白骨になっている人間がつかって胸元から下を水に沈め、その水面には、べとつく油のような茶色の泡が溜っていた。人夫が思いきり悪そうにその水槽のそばにトタン板を近づけて行くと、白骨の頭が前向きにがくりと泡の中へ落ちた。さすがの田代さんも「ひどい、ひどい」と云った。

田代さんの話では、市長の粟屋《あわや》さんも空襲のとき自宅で亡《な》くなられた。助役の柴田さんは右の足裏に踏抜きの怪我《けが》をして、左足には脹脛《ふくらはぎ》に硝子の破片が深く突き刺さり、松葉杖《づえ》をついて登庁されている。粟屋市長のお宅は水主町《かこまち》にあったので無論全焼した。空襲のあった翌日の朝、柴田助役が登庁して黒瀬収入役を粟屋市長の自宅へ様子見舞に行かせると、粟屋さんの居間であったと思われる焼跡に、大人の半焼死体と幼児の半焼死体が互に寄添うようにして倒れていた。粟屋さんは日ごろお孫さんを溺愛《できあい》されていた。たぶん登庁される直前、お孫さんを抱きあげようとされていたときに被爆されたものらしい。

粟屋市長は内務官僚の出身だが、庶民的で部下の者には優しく、しかし気骨があった。以前、大阪府の警察部長時代に軍人の横暴な振舞に楯《たて》ついて、交通整理のことで大問題を起し、「ゴーストップ事件」として新聞に書きたてられた。僕はその事件の真相をよく知らないが、あれは軍部が警察の権限をもぎとってしまったことを、確実に表示した初期のころの典型的な出来事ではなかったかと思う。

田代さんの話だと、粟屋市長の亡きあとは、柴田助役が市政の統括に当っている。

職員たちは二十人ばかり市庁舎のなかで職場を守り、奇蹟《きせき》的に焼け残った十脚あまりの椅子《いす》と、一台の謄写版《とうしゃばん》と、書類用紙として間に合わしている裏側の白い書類の綴《つづ》りを頼りに、諸般にわたる事務を執っている。みんな自宅を焼かれているから着のみ着のままで、数十人の負傷者と雑居しながら職場と住居を兼ねての共同自炊生活をやっている。硝子の破片や炭化物や鉄屑《てつくず》などを部屋の隅に片寄せて、硝子窓の代りに兵営から借りて来た天幕を垂らす仕掛をつくっている。事務室は一階の東南側の防衛課、保健課、援護課の三課だけが焼け残っている。（後日、当時の助役柴田重暉氏の記録を見ると、八月七日の午後三時、宇品の暁《あかつき》部隊船舶司令部の長官佐伯《さえき》中将が市役所を訪れて、本官が広島地区防衛司令官に任命されたと挨拶《あいさつ》し、今晩から明朝にかけて島根県の部隊と暁部隊の一部が広島に到着すると通告した。これをきっかけに柴田助役や市の幹部たちは、初めて応急対策の端緒を見つけることが出来た。八日には西部軍司令部〈司令官畑俊六大将〉から、関係職員に市の防衛関係書類を持って出頭せよとの伝令があった。そこで中原考査役、浜井配給課長、伊藤勇清掃課長などが、郊外の双葉山中腹にあった横穴壕《ごう》内の司令部に赴いた――後日記）

被服支廠《ししょう》に行くと、門のところで守衛が二三の人と立ち話をしているだけで、いつもと違って出入りする人を見かけなかった。僕は田代さんと一緒に管理部の笹竹中尉《ちゅうい》に面会して石炭の配給について交渉したが、宇品の貯炭に手を触れることは絶対に許されないと云い渡された。その他のことでは、ぬらりくらりとした返答を聞かされるだけで、何ひとつとして得るところがなかった。

「石炭については、重ねて云う通り、只今《ただいま》から会議を開いた上で、結論を出さんければならん。ともかく、上司に伺ってみる。輸送の点も技術的に検討せんければならん。他の会社の要求とも照会せんければならん。会議を開いて結論を出すまでは、待機していてもらいたい」

そういったような回答で、昂奮《こうふん》していた笹竹中尉は我々の陳情には本気で耳を傾けようとしなかった。

どうにも仕方がないので、我々は管理部長に面会を求めて話したが、やはりぬらりくらりで結論は出なかった。冷静な田代さんも、痺《しび》れをきらしたのではなかったかと思う。

「部長さん、失礼かもしれませんが」と田代さんは云った。「私の会社の希望する点を、率直に申上げます。会議は会議として進行して頂いて、臨機の手段をとって頂くようにお願いします。宇品の貯炭に手をつけることが厳禁でしたら、非常時中の超非常時ですから、取敢《とりあえ》ず宇部炭鉱へ誰か派遣されたらいかがです。今、すぐに派遣されたら、夕方までには炭鉱へ着かれるでしょう。広島市内の統制会社の復旧は、当分のうち見込がないんじゃないでしょうか」

「それらの点は、我々も考えつつあるが」と部長さんは云った。「上司の御意見を伺って、命令を受けなくてはならん。これらについては、今から会議を開くのだ」

「部長さん、失礼でございますが」と僕は云った。「これから会議をお開きになって、結論が出てから宇部炭鉱へ誰かを派遣されるといたしますね。そうすると、いつごろこの焼野原へ石炭が搬入されるのでございましょうか。石炭統制会社は避難先も仮事務所も分らないし、私どもでは実に頼りない気がします」

「諸君のところには、何日ぶんぐらい貯炭があるのかね」

「私のところでは、四五日ぶんでございます」と僕が答えると、田代さんも「今まで通り操業すれば、私のところは二日ぶんです」と云った。

「そうだ、ではこうしたらどうだ」と部長は、思いつきを得たかのように云った。「諸君のところの会社は軍需会社であるによって、敢て軍に頼らなくとも、諸君の考え通り何でも自由に出来る。だから一つ考慮して、我々に協力してくれないかね」

「それは考慮も協力もいたしたいと考えます」と僕は云った。「しかし、それには条件がございます。お役所からの委任状を出して頂けませんでしょうか。そう致しますと、今すぐにも宇部へ行って交渉して参ります」

「それは、軍としては難しいことだ。しかし君の会社は、軍服の布地を製造しているのだからね。君は、君の着眼するままに、何でも出来る立場にあるだろう。何とか考慮の上で協力してくれないか」

今、宇部の炭鉱には大勢の勤労者が入って、採炭の能率を上げているのを僕は知っている。美禰《みね》炭鉱でも増産に拍車をかけて輸送の方が間に合わないほどで、掘出した無煙炭が山と積まれている。会議を開くなら開くとして、なぜ石炭の搬入を急いでくれないのか訳が分らない。しかし部長は不意に思案黙考に移って行き、石炭統制会社もすぐに復興するわけだ。しかし部長は不意に思案黙考に移って行き、こちらが何と云っても糠《ぬか》に釘《くぎ》である。もはや被服の布地も罐詰も、製造を見合わせて置けと云わんばかりのようであった。阿呆《あほ》らしくなったので、僕は田代さんをそこへ残して帰って来た。罐詰を製造する田代さんの会社では、生の肉類や野菜などを製品材料にしている関係で、場合によっては一日でも操業を跡切《とぎ》らせては拙いのだ。

考えてみると、被服支廠から仕事を仰《おお》せつかっている僕の会社では、仕事をくれる相手方に対して変則的な奉仕をする社風を持っている。原因は物資不足のためも大いにある。とても正規な配給では食糧も日用品も足りないので、こちらは足を擂粉木《すりこぎ》にして諸所方々を探しまわり、被服支廠の威光を笠《かさ》にきて仕入れて来る。次に、会社の運営を円滑にするために、被服支廠に対して人聞きの悪い奉仕をする。こちらとしては出血作戦をしているようなもので、先方としては濡手《ぬれて》に粟《あわ》である。

僕はそんなことで厭《いや》な思いを何度も経験した。最初は入社して間もなく味噌《みそ》を仕入れたときである。備後府中町の松岡という味噌製造所から、四斗樽《だる》入りの味噌五十樽を買ったとき、その半分の二十五樽は被服支廠へ譲った。次に、炭鉱へ贈るため擂鉢一貨車を買ったときも被服支廠へ半分譲り、水甕《みずがめ》二貨車を買ったときも、一貨車ぶんを譲った。焜炉《こんろ》を一船ぶん買ったときも、蜜柑酒《みかんしゅ》三十樽を買ったときも半分を譲った。そのつど被服支廠にせびられた。

軍に頼って軍に叩《たた》かれ、むさぼられるよりも、こうなっては独自の方法を考えなくてはならぬ。僕は工場長にその通り進言する腹をきめた。石炭の欠乏を目睫《もくしょう》に控え、六キロの道をてくてく歩いて何をしに来たのかと阿呆らしい。

被服支廠の正門を出ると、僕に馴染《なじみ》の深い蓮田《はすだ》が荒れ果てているのが印象的であった。葉がみんな南に向って倒れ、ひどいのは破れ傘のようになっている。満足なのは一つもない。

僕は今の会社に勤める前、旭町《あさひまち》の網本茂三という巡査の家の離座敷に仮寓《かぐう》して、七年間ほど陸軍糧秣廠に勤めていた。弁当を持って徒歩で通ったので、旭町と翠町《みどりまち》の境の稲田や蓮田には馴染がある。毎日、通勤する途中に得た景品は、朝露に濡れた稲田の畦《あぜ》に舞い降りている烏《からす》を見ることであった。朝の烏の濡羽色は稲の緑とよく調和する。黄色くなりかけた稲田ともよく調和する。見た目に何とも云えず気持がいい。よく晴れた朝ぼらけなら胸のときめくことがある。僕の郷里では「朝烏はまんがよい」と云っている。朝烏を見たものは、その日は運が悪くないという意味だ。動植物の色彩の調和美を謳歌《おうか》しているのではなかったか。僕は勤めはじめのころ、糧秣廠《りようまつしよう》の図書室で「まんがよい」の「まん」というのを調べてみた。「まん」は「間《ま》」の転訛《てんか》で、「運」「めぐりあわせ」「しあわせ」である。

それにつけても広島の町は極めて「まん」が悪く、蓮田のなかにまで死骸《しがい》がころがっていた。その蓮田の岸の草むらに、一羽の白い鳩《はと》がうずくまっていた。そっと近づいて両手で摑《つか》まえたが、鳩の右の目はつぶれ、右側の肩のところの羽がちょっと焦《こ》げていた。僕はこいつを醬油《しようゆ》の附焼にして食ってやろうと食指を動かしたが、空に向け放り出す仕方で逃がしてやった。鳩は可なりうまく羽ばたきして蓮の葉とすれすれに、左へ左へと水平に抛物線《ほうぶつせん》を描きながら飛んで行った。ところが、見る見る蓮田のなかに突込んだ。

僕はまっすぐに御幸《みゆき》町へ行くことにして、六日の日に通ったのと同じ道を歩いて行った。桜土手の向うに見える共済病院は窓硝子が無くなっていたが、廊下を慌《あわただ》しげに行ったり来たりしている人たちの姿が見えた。被爆者を探す人や看護に来た人でごった返していたらしい。道ばたの家は傾いたり崩れたりして、傾いたままに家のまわりを片づけて、障子紙のない歪《いびつ》な障子を立てかけている家があった。その家のなかで人声が聞えていた。黒く焼け焦げた木材で突っかい棒をしている家もあった。毀れないままに黒く焦げた椅子を土間のなかに持ちこんで、その炭化している表面を茶碗《ちゃわん》のかけらでもって削り落している人がいた。僕は雑誌の写真版で見たゴッホ描くところの不細工な椅子を思い出した。なぜだか急に咽《のど》の乾きを覚えた。

比治山《ひじやま》下の大通りには、六日に見た避難民と同じような恰好《かっこう》で歩いている二三人の負傷者がいた。つまり広島地方専売局の塀に右手をついて体を支えながら、宇品の方へ向けてよろよろと足を運んでいるのである。いずれも半裸体で、幽霊のように青い顔をして痩《や》せ細っていた。六日の日に宮地さんのあとをつけて来た三毛猫はいなかった。御幸橋の北角にいた死人は取片づけられていたが、その跡に黒く油じんだ人型が残っていた。

御幸橋のあたりは一面の焼野原に続く焼跡になって、僕のところの宅地は小さな泉水を残した平凡な焼跡になっていた。思っていたよりもずっと狭く見える。シゲ子と矢須子は、もう防空壕のなかや泉水のなかを始末して引揚げて、人夫が車に荷物を積み終って出発間際《まぎわ》の一と休みをしているところであった。

隣組の焼跡には、中尾さんの屋敷跡にだけ掛小屋が一つ出来ていた。他のうちの人たちは、親戚《しんせき》や知人を頼って他所《よそ》へ移って行かれたらしい。人夫の話では、さっきあの掛小屋の人がシゲ子と矢須子に挨拶に来て、坊ちゃんの行方がさっぱり分らないと云《い》っていたと云う。だから中尾さんはお嬢さんと二人暮しである。

中尾さんのところの掛小屋は、屋根も外回りも焼けトタンで、坪数は一坪または一坪半ほどの見当である。元の中尾さんのうちは母屋《おもや》が四十何坪ぐらいもあって、常滑《とこなめ》瓦《がわら》に総檜《そうひのき》づくりという豪勢なものであった。中尾さんは株券や債券をたくさん持って商社へ勤め、道楽として堆朱堆黒《ついしゆついこく》を蒐集《しゆうしゆう》されていた。客間に飾ってあった机は室町時代の作とかいう漆塗りのもので猫脚になっており、清少納言《せいしようなごん》や紫式部が凭《もた》れてもいいようなものであった。

僕は中尾さんへお見舞を述べに行くついでに、リュックサックのなかのユーカリの葉と移植鏝《いしよくごて》と、渋団扇《しぶうちわ》とクレオソート丸を慰問品として持って行った。（罐詰《かんづめ》だけはリュックサックのなかに残して置いた）これらは僕の会社の工場長から石炭統制会社の人たちへ慰問品として託されて来たもので、その人たちの行方が知れないので持って行き場のなくなった品物である。だから持ち帰るべきかもしれないが、僕は子供でないから臨機応変に処分したわけだ。

中尾さんは僕の説明を聞くまでもなく、この粗末な慰問品の用途を心得ておいでになった。ことにユーカリの葉と移植鏝は大変に重宝するだろうと仰有《おつしや》った。「ほんとに、何から何まで有難うございます」と感謝された。

ユーカリの葉は蚊取線香の代用品である。これを掩蓋《えんがい》式の防空壕のなかで燻《くす》べると、昼間でも猖獗《しようけつ》を極めている藪蚊《やぶか》を追いちらすのに役に立つ。焼跡の掛小屋に住んでいる人たちは、昼間は防空壕の奥まったところで手洗の用をたしている。蚊の襲来がひどいので、日が暮れるのを待ちかねることがあるそうだ。中尾さんのところでは、お嬢さんが花恥ずかしい年頃だから何かとお困りのことであったろう。

渋団扇はユーカリの葉を燻べる際にも重宝だ。

移植鏝は防空壕内でも露天でも、小細工の土掘りをするときや穴を埋めるとき、必要欠くべからざる道具である。

「ほんとに有難うございます」と中尾さんは、重ねて僕に感謝された。「私のうちの防空壕には、空襲前まで蟋蟀《こおろぎ》が無数に発生しておりましてね。小さな茶色の蟋蟀ですが、うさぎ蟋蟀という種類だと、いつか芸備銀行の行員が云っておりました。ところが空襲後は、藪蚊が急に殖《ふ》えましてね。ひどい蚊ですわ。ほんとにこれは、何よりの慰問品として頂戴《ちょうだい》いたします」

「その慰問品を選んだのは、私の発案じゃありません」と僕は、よそへの贈物を流用したことはぼかして置いた。「うちの会社の工場長が、焼跡の藪蚊の事を人から聞いたんで、とにかく、この慰問品を持って行けと私に持たせました。ユーカリの葉は、もし宜《よろ》しかったら今度またお持ちします」

中尾さんはユーカリの葉を頻《しき》りに嗅《か》いでいた。工場長はこの常緑植物の葉を草取籠《かご》にぎっしり詰込んで僕に持たせたので、白っぽい粉の吹いている楕円形《だえんけい》の若葉は、くたくたに萎《しお》れていた。半月形の古葉は固苦しく折れまがっていた。

中尾さんは坊ちゃんが見つかるまで当分ここにいるつもりだと仰有った。糧食は市役所が心配してくれて、大きな握飯を一日に一つと、副食物は梅干か沢庵《たくあん》の接待を受けていられるそうだ。

僕は中尾さんに暫《しば》し別れの挨拶《あいさつ》をして引返して来ると、荷車に結びつけた長い細引の端を肩にかけ、前曳《まえびき》して出発した。同時に、前曳する辛《つら》さはなかなかのものだと分った。車の輪が瓦のかけらに乗りあげるたびに、細引が僕の肩をぐっと後へ引き起す。

体を細引の牽引力《けんいんりょく》に依託して、半ば前のめりにしているために引き止められる。引き起されるのでなくて引き戻されるようだ。

僕は人夫に云った。

「六郎さん、こんなのは大変だ。このロープに伸縮性がないけんな。物理的に云っても大変な問題だ。これで七キロも八キロも歩いたら、肩の肉が擦りきれてしまうが」

「肩で引張らんで、体の重みで引張りんさい。こうして引張りゃ、ようがんすが」

人夫は細引の先を輪型に結んでくれた。

僕は人夫の云うのに従って、その輪を右肩から左の腋下《わき》にまわして掛け、細引の結び目が背中のまんなかに行くようにした。これで広い範囲でもって、がくんがくんを受けとめるので少し具合がよくなった。

荷車がこの道を通るのは、六日このかた僕らの車が最初のものであったらしい。通りすぎた後を振向いて見ると、いっぱい散らばっている硝子《ガラス》のかけらが車の輪で微塵《みじん》に砕け、白く煌《きらめ》く二条の線が描けていた。

人夫は一升瓶二本に水を詰めて車に積んでいた。僕らは少し進んでは汗を拭《ふ》き、少し進んでは汗を拭き、そのつど水を飲んだので、街から出て行く前に二瓶の水が無くなった。がくんがくんと来るのと街の臭気とが、照りつける太陽の熱さを倍以上にしているように思われた。僕は一度、「おい六郎さん、ここらで大休止と行くか」と声をかけた。「いいや、街を出てから」と人夫は云った。

僕は歩いて来た道程ばかり意識に入れながら前曳して行った。これで約三キロ来た、これで約三キロ半か四キロたらず来た、四キロぐらい来たろうか。そう云ったように胸算用した。約四キロ半ぐらい来たところで、道ばたの家に寄って井戸水の接待にあずかった。瓶にも詰め、ゆっくりと大休止をした。人夫は工場の炊事婦の紹介で雇った五十歳あまりの痩せた男だが、益田六郎さんと云って気のよさそうな忍耐づよい男である。

出発。そして、約五キロというあたりに来ると、市内と違って路面に瓦のかけらが無くなったので、がくんがくんが来なくなって助かった。やっと仮寓に辿《たど》りついたときには電気がついていた。やれ一と休みと、縁側に腰を卸そうとして驚いた。電燈の明りの下に、思いもよらぬ義兄が二人、大の字に寝て鼾《いびき》をかいていた。

僕は六郎さんに賃銀を払って、裏の井戸端の方に行ってシゲ子を呼んだ。

「おい戻ったぞ。強行軍で戻って来た。おい、遠来の客人は、いつごろ見えたんか」

矢須子は隣の家主のうちの風呂《ふろ》の下を焚《た》きつけていた。シゲ子は裏手を流れる溝川《みぞがわ》の洗い場に出て、暗くなったのに洗濯物を漱《すす》いでいた。

聞けば、シゲ子たちが広島から帰って来ると、二人の客が縁側にしょんぼり腰をかけていたと云う。

僕らの安否を気づかって、山奥の村からわざわざやって来たものである。千田町が焼野原になっているのを見て、僕の勤務先を訪ね当て、やっとここまで来たのだそうだ。

「わたしゃ嬉《うれ》しゅうて嬉しゅうて、さんざ泣いたんよ。みんな心配して来てくれたんよ。艱難《かんなん》辛苦で、蘆田川《あしだがわ》の鉄橋は歩いて渡って来たそうよ」

シゲ子は子供のように手放しで泣きだした。

13

八月十一日

昨夜、遠来の客への応対は後まわしにして、僕は会社の食堂で工場長と一緒に夕飯を食べながら、焼跡の石炭事情について報告した。石炭は我社で単独入手に踏切るべきだということも進言した。移植鏝《いしょくごて》やユーカリの葉の始末についても報告した。

「そう云《い》っちゃ何だが、まるで君は愚弄《ぐろう》されて来たようなものじゃないか。被服支廠《ししょう》の軍人さんがたは、なぜ宇品《うじな》の貯炭を放出してくれないか。これが問題だ。それについて君は、説明を求めるべきじゃなかったかね。君も子供の使いじゃないだろう。放出は駄目だ、はいそうですかなんて、そんなのないね。この超非常時の真最中というときに、いったい軍人さんは何と考えてるんだろう。実に心外だ」

工場長は興奮して、牛罐《ぎゅうかん》を罐切であけるのに手を震わせながらそう云った。

夕飯は美味《おい》しかった。主食は麦飯七割にフスマ三割の混合だが、副食は石炭統制会社へ土産にしそこねた罐詰の牛肉である。こんな甘美な味のものを僕は絶えて久しく食べたことがない。重厚な感じの鼈甲色《べっこういろ》の肉、とろりとした琥珀色《こはくいろ》の汁、唾液《だえき》を誘出させるその匂《におい》がたまらない。手拭《てぬぐい》で頰被《ほおかぶ》りをしなければ頰が飛んで逃げそうだ。

こんな美味しいものは焼跡の街で食べるのは勿体《もったい》ない。罐をあけるや否《いな》や蠅《はえ》がどっと群がって来るのにきまっている。昨日、宇品罐詰工場の田代さんが云っていたが、焼跡で弁当を食べるとき牛罐をあけたところ、どっと蠅がたかって来て忽《たちま》ちその肉を黄色くしたそうだ。黄色い卵を一面に産みつけるのだ。焼跡の臭気のひどさも然《さ》りながら、おびただしい人蠅にはとても辟易《へきえき》させられる。田代さんの背負っていた洗いざらしのリュックサックは、背後から見るとびっしり群がる蠅のため黒い毛糸で刺繡《ししゅう》してあるように見えていた。僕の背負袋もそうであったろう。

工場長と僕は牛肉を均等に分けて食べた。二人とも丼《どんぶり》入りの御飯のお代りをした。この食事中、作業部の仁科《にしな》五郎という工員が僕に葬式の読経《どきよう》を頼みに来て、「今さっき死にました」と云った。

「では、食事がすんだら行くよ。あと三十分か一時間かしたら行くからね」

僕がそう云うと、仁科工員は食卓の上の牛肉の空罐を見て咎《とが》めるような目つきをした。これは工場長が取引先への貢物用に保存していた牛罐の一つだが、工場長は仁科工員にそんな事情を説明する代りにこう云った。

「閑間君はね、食事がすんだら、含嗽《うがい》で潔斎してお経を読みに行くよ。今日は、『白骨の御文章』を読んでくれるだろうよ」

仁科工員は生唾《なまつば》を呑《の》みこんだ。

死人は、仁科工員の義理の妹で三十六歳、蜜田《みつだ》サキという後家である。サキが仁科工員に語った話では、当人は六日の朝早く広島市内の長寿園という農園で畑仕事をしていて被爆した。そのときサキは蓮芋《はすいも》畑のなかの草むしりをしていたが、手拭を姐《あね》さん被りにしてしゃがんでいたので芋の広葉が閃光《せんこう》を遮《さえぎ》ってくれた。即死は免れたが、腰が抜けたのかもしれなかった。暫《しばら》く芋畑のなかに伏せっていた。空を見ると真黒に見え、白島中町や西中町が火の海になっていた。ここにこうしていては駄目だと思った。這って川端の方へ行った。川の水が黒ずんだ紫色に見え、この世の終末のような気がして怖かった。火の手はますます拡《ひろ》がって来た。それでサキは、後家の気丈さを出すのはこのときだとばかり、思いきって川に飛びこむと竹筏《たけいかだ》につかまって水のなかに身を潜めた。（これは市役所が市民に呼びかけて、空襲のときの避難用に設備させていた竹筏の一つである）川の水は満潮時のため四尺あまりの深さであった。間もなく夕立が来て寒くて叶《かな》わなくなった。それで竹筏に這いあがり、川上から流れて来た蒲団《ふとん》を被って流木の板ぎれを櫂《かい》にして川下へ避難した。左の耳朶《みみたぶ》や領頸《えりくび》や肩に火傷《やけど》を受けていた。仁科工員を頼って来たのは一昨日の夜であった。そのときにはまだ平気で歩けるほどの体力を見せていたが、昨日から急に弱って来て、さっきまで呻《うな》りつづけながら生きていたという。

僕は外来者の葬式を仕切る立場のものとして、それを備忘録に書きとめた。

広島市内の長寿園は以前の川岸公園である。去年の春ごろから空地利用の国策にしたがって、殆《ほとん》ど全面的に畑に仕立てられ、茄子《なす》や胡瓜《きゅうり》やトマトやズイキ芋など植えてあった。空襲の際、このあたりにいた人たちは、勤労作業していた第一高女、市立高女の生徒などを含めて全滅したと云われている。蜜田サキのように今日まで生きていたのは、命ながらえて来た部類に入るのだ。

工場長は一方的な考えかたに執着して僕に云った。

「閑間君、お経がすんだら、今晩のところは早く寝てくれよな。明日、被服支廠へ、もう一度嘆願に行ってもらわんければならんからな。単独入手に切替えるという君の説は、裏を返せば諦観《ていかん》的にすぎると僕は思うな。御苦労だが、勇気を出してもらわなくては困るんだ。お百度を踏む気持になってくれよな」

「それは無駄ごとです」と僕は気分を損ねて云った。「こうなったらもう、通信隊の野津大尉《たいい》に紹介状を書いてもらって、宇部炭鉱へ直接交渉に行くべきです。石炭統制会社が無くなった以上、統制令にしたがっているわけには行かんでしょう」

「君はそう云うが、その野津大尉が出張中なんだ。僕は今日、五度も六度も二階の通信隊の仮事務所をのぞいて見たが、下士官が一人いるきりだ。大尉はどこへ出張したのかと訊《たず》ねても、軍の機密だと云う。いつ帰るのかと訊ねても同じ返答だ。さっきも倉庫に行ってみると、石炭は二日ぶんしか残っていない。どうしたらいいか」

工場長は文字通り頭を抱えてしまった。

「では、無駄かも知れませんが、明日の朝早く出かけます」

僕は全く無駄だと知りながら、もう一度被服支廠へ行くことにした。またしても焼跡を歩きまわることになった。

僕が葬式の読経《どきよう》をすませて寓居《ぐうきよ》に引返して来ると、燈火管制で締めきった雨戸の外まで餅《もち》を焼く匂がにおっていた。醤油《しようゆ》の附焼にしているのだと分った。

僕は裏手の土間口から入った。客人はもう二人とも目をさまし、矢須子やシゲ子と共に食卓を囲んでいた。（大家さんが貸してくれた黒檀《こくたん》の堂々たる食卓である）食卓の上には附焼の餅を入れた茶碗《ちやわん》や小皿などが並べてある。客人が土産に持って来た餅だろう。矢須子とシゲ子は、がつがつ餅を食べていた。

「あら、お帰んなさい」シゲ子は僕に気がついて、晴れ晴れした声で云った。「お先に御馳走《ごちそう》を頂いています」

「おじさん、お帰りなさい」と矢須子は云った。「お先にすみません。餅を焼いたら、我慢できなくなったものですから。餅のほかに焼米も頂いたんよ。握飯も残っているのがあるわ」

僕は先《ま》ず「御心配かけてすみません」と客人に挨拶《あいさつ》して、左の頬の火傷をかくすため土間の上《あが》り框《かまち》に腰をかけた。客人は二人とも兎《うさぎ》のような赤い目で僕をじっと見て、二人とも涙をぽろぽろ流しだした。（一人はシゲ子の実兄で渡辺正男と云い、一人は矢須子の実父で高丸好男と云う）高丸は坐《すわ》りなおした膝《ひざ》に両手を固く衝《つ》き、口髭《くちひげ》を食い反らしながら啜《すす》りあげた。それに釣られて矢須子もシゲ子も、きな臭いような顔をして餅を食うのを止《よ》した。渡辺は涙をぬぐって僕の顔を見つめ、また涙をぬぐって僕を見つめ、ひとことも云わなかった。

僕は泣かぬぞと気張ったが、胸にぐっと来るものがあって鼻汁が上唇に垂れて来た。それで二人に背中を向けて框に腰をかけなおした。

「みんな無事でよかった。ほんとうによかった」と渡辺が云った。「生きていてくれてよかった。こちらは二度と会えまいと思っての、せめて死場所でも確めようと出て来たんじゃがの」

「ほんまによかった」と高丸も涙声で云った。「矢須子は不断から、二人に可愛《かわい》がってもらっておったんでの、あの世へも一緒について行ったものとばかり諦《あきら》めて来たんじゃや。小畠《こばたけ》村でも広瀬村でも、親類みんなが思い諦めておったんじゃ」

僕は矢須子の注いで来たお茶を飲み、腰をかけたまま「いろいろ御心配かけました」と云った。渡辺は郷里の人たちの驚きようを、ぽつりぽつりと話しだした。高丸がその話の合間ごとに言葉を補った。

二人の話では、広島に高性能特殊爆弾という非常に強力な爆弾が落ち、兵隊や勤労奉仕隊のものも含めて全市民の三分の一が一瞬の間に死んでしまった。残りの三分の一は重傷で、あとの三分の一も傷を負わないものは一人もない。家は一軒残らず焼けてしまった。これは決して流言蜚語《ひご》でなくて真相である。そういう情報が人の口づてに六日の夕方ごろ小畠村へ入り、七日八日と次々に伝わって来る。その噂《うわさ》は、最初の情報よりもずっと深刻である。広島での負傷者は次から次へと近隣の村々へ帰って来る。家に辿りつくとすぐ死ぬものもある。七転八倒《しつてんばつとう》の苦しみをするものもある。広瀬村には神戸から疎開して来た小児科専門の医学博士がいるが、診察に来ても「病名不明の病気、或《ある》いは治療法のない病気としか診断できない」と云った。火傷の手当には塗薬を与え、猛烈な苦痛を訴える患者にはパントポンの注射をしていたが、博士はパントポンのアンプルを一ダースしか確保していなかったので、何人もの患者だから一日で薬品不足になってしまった。

小畠村へ帰って来た負傷者は二名いるが、二人とも火傷や骨折を受けている。それを訪ねて広島市内の千田町あたりの被害状況を聞くと、家が焼けて生き残ったものも負傷者ばかりだと云うだけで、僕らの安否は端緒すらつかめない。負傷していても生きていれば帰って来る筈《はず》だろうが、まだ帰らないところを見ると死んだかも分らない。いずれにしても、家が一軒もない焼野原に住んでいるわけがない。死んでしまったに違いないということになった。

だが、死んでいるにしても、うっちゃって置くわけには行かないのだ。骨くらいは探さなくてはならないだろう。渡辺がそう思いめぐらしていたところ、十日の朝、親《しん》戚《せき》の者が申しあわせたように五人前後して集ったので、みんなで相談して取敢《とりあえ》ず渡辺と高丸が総代で広島へ来ることになったと云う。きっと死んでいるという仮想のもとに、その場に有りあわせの餅と焼米を持参のお供えものとして出発した。

村を出がけに、僕のお袋のところへ挨拶に寄ると、僕の妹が福山市から二人の子供を連れて帰っていた。お袋は僕たち三人が吹きとばされるか家の下敷になるかして死んだに違いないと思い、仏壇に三人の写真を飾って、三つの湯呑《ゆのみ》に水を入れて供え、ダリヤの花を立てていた。

「渡辺さんと高丸さんが広島へ行って下されば、せめて線香なりとも持って行って下されや。それから、小畠村の水か青葉なりとも持って行って下されや。線香は屋敷跡に立てて下されや。水と青葉は、屋敷跡に撒《ま》いて下されや。重松はケンポナシが好きであったけに、ついでにケンポナシの実も持って行って下されや」

お袋はそう云って「酢の素《もと》」の空瓶に井戸水を入れ、線香やフクラシの木の青葉も紙に包んで正男に託した。ケンポナシの実は青いまま地面に落ちているのを二つ三つ拾って、正男のリュックサックの小袋に入れたそうだ。

小畠村の平均海抜は五五〇メートルである。三方を山で囲まれた高原の村で、広島県の東部を南流する蘆田川《あしだがわ》と岡山県にそそぐ小田川との分水嶺《ぶんすいれい》になっている。昔は九州中津藩の飛領地で代官所があったので武家屋敷も残っているが、現在では衰微の一途を辿るだけで交通の便にも欠けている。渡辺と高丸は蘆田川の渓流に沿う坂道を二時間あまり歩いて下り、魚断淵《うおきりのふち》というところまで行くと木炭動力の空きトラックが来たので、頼んで便乗させてもらった。福山市の焼跡へ着いたのは夜の十時すぎであった。

福山市はこの八日に爆撃され、町の北部の一端を残して全焼し、燈火は一点もなかった。二人は闇《やみ》をすかして道をさぐり、山陽線の線路を探り当てて線路づたいに西へ行くと駅らしいところに着いた。切符を売ってもらおうとしたが、なかなか駅員に会えないので、暗がりのなかで知らない男と暫く立ちばなしをした。声から察すると五十前後の年らしい。言葉づかいが東京弁のようであった。この男は一箇月前に福山市へ疎開して来たが、焼け出されたと云って空襲のときの様子を話してくれた。真夜中ごろ六十機のB29がやって来て、福山市街の周辺の岡に無数の照明弾を落し、次に本格的な波状攻撃という爆撃に移った。

「焼夷弾《しょういだん》が落ちて来るときには、ざあざあという音がしますね。地面に落ちたとき、どがんという音はしないで、どたどたといったような音を出して、強烈な光を発しますね。一度、窓硝子《まどガラス》の破れるような、ぴんという音がしたのは印象的でした」と、その男は云った。

焼夷弾は何箇かまとめてトタンのようなもので包み、真鍮《しんちゅう》の針金で結えてあるらしい。それが空から落ちるとき針金が解けて、トタンのようなものが開くと焼夷弾が何発も空中で散らばって、ざあざあという音を出すのだろう。ぴんという音は、針金が庭石の上に落ちたときの音だろうということであった。

福山城も空襲されたそうだ。五層の天守閣は、三層目の窓から焼夷弾が入って燃えあがり、大きな火柱をあげて崩れ落ちた。京都の伏見城から移して来た淀君《よどぎみ》の湯殿《ゆどの》櫓《やぐら》も焼け、それに続く涼櫓《すずみやぐら》も月見櫓も焼け、石垣も白っぽく焼けただれている。残ったのは伏見櫓という三層の櫓と、くろがね御門という城門だけである。

「味方の高射砲陣地は、お城にもあるし、蘆田川の鉄橋のわきにもあるんですがね。それでいて、敵機が上空を乱舞しても、こちらは一発も弾丸を撃たないんです。実際、B29がどんなに低く飛んで来ても、一発も撃たなかったな。静かなること林のごとくでした。動かざること山のごとくでした。とにかく、能ある鷹《たか》は爪《つめ》をかくすと云《い》いますからね」

皮肉か軍人贔屓《びいき》か知らないが、その立ちん坊のような男はそう云った。

この福山駅の構内にも、焼け出された人が可なり集っていたようだが、真暗がりだからよく分らなかった。線路へ出てみると、西の方の郷分《ごうぶん》という部落や備後《びんご》赤坂駅の方に燈が見えた。燈火管制などする気力もなくなって、もはや精根が尽きはてた民草の里といった趣である。とにかく二人は、赤坂駅で切符を売ってもらうことにして、爪先《つまさき》さぐりで線路づたいに歩いて行った。

蘆田川の鉄橋を渡るときは、真の闇だから猿の四つ這いになって、枕木《まくらぎ》を一つ一つ手で抑えて行きながら身を運んだ。もし上り列車が来れば下り線に渡り、下り列車が来れば上り線に移る計画で、上り線と下り線に分れ、いざ汽車が来たという際は、一方が手を引張って避難させることにした。「おい、おい」「ここじゃ、ここじゃ」と声をかけながら渡ったが、背負っているリュックサックの始末には二人とも手を焼いた。頭を下げると、ずしりとリュックサックが首や頭を圧し、背中を水平にして這って行くと脇腹《わきばら》か腋《わき》の下へ廻る。そのつど平衡を失って体が揺れるので、はっとばかりにレールをしっかり握る。何度冷汗をかいたか知れないが、事故なく赤坂駅に着くことが出来た。

この駅の中年の駅員は、こちらが事情を話すと広島行の切符を売ってくれた。しかし、汽車が何時に来るのか分らないと云った。二人は気ながに待つよりほかはなかったので、ゆっくり弁当を食べていると上り列車が入って来て、三十人ばかりの下車客がプラットフォームに降りて来た。そのなかの半数は負傷者で、残りの半数は広島へ縁者を探しに行って来た人たちだと分った。汽車が着く前から待ちかまえていた二十人ばかりの人が、下車して来た人たちと口々に「見つからなんだ」「見つかったか」「家跡はどうなっとる」「知った人に遭わなんだか」「橋の欄干に貼紙《はりがみ》して来た」などと大声で話し合っていた。負傷者を探し当てたものは一人もいなかったようだ。この人たちに混って、子連れの男、子供を抱いた女、兄妹づれと思われるもの、負傷者など、黙々として改札口を出て闇のなかへ消えて行った。

「このぶんでは、我々も駄目かな」「しかし、焼跡に骨が見つかるかも知れん」「今さら引返すわけには行かん」と二人は話し合った。

午前一時すぎに乗車して五時すぎに広島に着き、千田町の僕のうちの焼跡を探し当てたときには七時をちょっと廻っていた。僕は立退先について貼紙を出していなかったが、渡辺は二度か三度か訪ねて来たこともあり、松の木と泉水を見て僕の家の焼跡だと気がついたそうだ。しかし焼跡だから声をかけることも出来ないし、灰を掘るには道具もなし、とにかくどこかで死んでいるものときめた。それで、どこで死んだにしても、ここで死んだものとして線香に火をつけ、泉水のほとりに立てて酢瓶の水を供え、フクラシの木の青葉は半焼けの松の木のところに撒いた。ケンポナシの実は線香の前に供えた。そこへ見知らぬ人がやって来て「閑間さんを探しておいでですか」と声をかけてくれた。この人は、近くの掛小屋にいる中尾というものだと自己紹介して、閑間さん御夫婦と御養女の矢須子さんの三人は、古市の会社へお移りになっていると教えてくれた。「三人とも怪我《けが》はしませんでしたか」と聞くと「閑間さんが、ちょっと頬に火傷《やけど》をされました。ほんの軽い火傷です」と云った。

二人は古市へ行く大体の道順を中尾さんに教わった。渡辺は、中尾さんが炭化した木片で灰土の上に描く図面をノートに写し取った。その図面を頼りにして、途中、何度も人に教わりながら山本駅まで歩き、そこから電車で古市に来て、会社でこの家を教わった。それが十二時半ちょっと過ぎであったと云う。それにしても、昨日、僕が千田町の焼跡で中尾さんを訪ねたとき、なぜ中尾さんは尋ね人が来たことを僕に云ってくれなかったろう。焼跡ぼけのせいに違いない。

昨日、シゲ子と矢須子は千田町の焼跡へ行ったとき、青い木の葉が松の木の根元に散っているのを見たそうだ。泉水のほとりに酢瓶が立っているのも見たそうだ。「酢の素」の瓶のレッテルは、赤襷《あかだすき》をかけた田舎娘の絵姿だから可なり派手に出来ている。

その瓶が無疵《むきず》のままで焼土の上に立って、青いケンポナシの実があったので、シゲ子は不思議に思って見たという。僕は全然そんなものには気がつかなかったが、お袋がケンポナシの実を供物《くもつ》としてことづけてよこしたのは回向《えこう》のつもりであったのだ。その心づくしには驚いた。僕は子供のときケンポナシの実が落ちるのを待ちかねて、よく小石を梢《こずえ》に向けて抛《ほう》り投げたりして親父《おやじ》に叱られていた。小石は飛んで行って風呂《ふろ》場《ば》の屋根に落ちることがあった。お袋はそれをまだ覚えているらしい。

客人たちの話では、僕の生家には近所の人や懇意先の人たちが、僕らのことで見舞に来てくれているそうだ。表向きは見舞だが、かれこれ話して行く内容には、ありありと弔問に来たことが現れていた。たった一人、近所の観音堂という雑貨屋の主人だけは別で、「写真を仏壇へ祀《まつ》るなど、縁起が悪いから止めなさい。もう少し待っていでたら、きっと丈夫で戻って来なさるが」とお袋に云って、見舞らしいことも云わないで帰ったそうだ。

僕は明日の朝が早いので、客人に失礼して隣の三畳間で寝床についた。客人の話し声によると、小畠村でも松根《しようこん》掘りをやっている。お袋も松の木の根を掘りに山へ出かけるので、よぼよぼの身で手に豆をこしらえているなどと話していた。松の根から油を蒸しとって、Ｂ29を撃ち落す飛行機か何かのエンジンの油に使うのだ。海軍士官が村へやって来て、みんなの前でそう云ったという。そのために勤労奉仕でする松根掘りの作業が始まって、松根を蒸す小屋が谷川のほとりに建てられているそうだ。

以上は昨晩の記録である。

今日は朝早く起き、お袋にことづける手紙を書きかけたが、万感こもごも来てどうにも書けなかった。まだ寝ていた客人には失礼して一番電車に乗った。やはり山本駅から先は徒歩で横川橋に向った。この間、約三キロである。

焼跡の様子は昨日とあまり変らない。そこかしこにいる骨探しの人たちが、お尻《しり》を立てて前かがみになっているかと思うと不意に腰をのばし、また前かがみになったりして潮干狩《しおひがり》の光景を思わせた。横川橋を渡りながら見ると、六日の日に橋の下で焼けただれて身震いしていた馬は殆《ほとん》ど骨ばかりになっていた。その下手には、父と子らしい二人がブリキを漏斗《じょうご》形にして水を汲《く》んでいた。橋の上手にも中年の女が二人、ブリキを曲げて造った同じようなもので水を汲んでいたが、ひとしきり汲むと疲れた風で二人とも石垣にもたれた。この人たちは石垣の穴に竹ぎれや棒を差しこんで、板や莚《むしろ》やトタンなどをそれに載せて雨露をしのぐ屋根をつくっている。ずっと川上の方にも幾つかそんな仮小屋が見えた。

相生橋《あいおいばし》北岸の空鞘町《そらざやちょう》まで行くと、瓦《かわら》の破片の積み重なっているなかで、二人の女が尻餅《しりもち》をついてしくしく泣いていた。どちらも二十歳前で姉妹のように見えた。

物産陳列館や産業奨励館は、上層がへし折れて垂れさがっていた。鉄筋の相生橋は、まんなかごろが一メートル近くも隆起して、橋面のコンクリートは亀《かめ》の甲のような亀《き》裂《れつ》を見せ、二三センチ幅の割目が全面的に出来ていた。橋に沿うて川を渡した直径五十センチの水道管もへし折れて、あんぐり口をあけて管のなかが奥まで見えていた。

僕は本川橋の南岸に出た。引潮で川底が見え、窪地《くぼち》の水たまりのなかに、鯔《ぼら》のような魚が三四尾、腐乱した背骨をさらして沈んでいた。そこかしこに蟹《かに》が石崖《いしがけ》から這《は》い出したまま死んでいた。川岸の雑草はひどく徒長しているが、雀《すずめ》の稗草《ひえくさ》などのような禾《か》本《ほん》科の植物だけは大して目立たない。しかし音や光で植物が徒長するとは、どう考えても理解できないことである。

どの橋にも欄干には、連絡告知の貼紙や、いきなり欄干に木炭で書きつけた告知がたくさんあった。実に夥《おびただ》しい数である。風に吹かれて、ひらひらしている貼紙もある。それを大勢の人が新聞社の速報板でも見るように見入っており、筆記すると慌《あわただ》しく立ち去って行く人が稀《まれ》にいた。みんな極めて簡単な文言だが、一つずつ見て行くと、その筆者の気持や立場がいろいろと想像されて来る。

僕は本川橋の欄干にある貼紙の文句を幾つかノートに書きとめた。

○新宅弥一様方。

○八本松、蓮枝。

○廿日市《はつかいち》桜尾、阿部様方、真弓。

○幸之助、祇園《ぎおん》の叔母の内へ来い、父。

○お父さん、お母さん、居所を知らせて下さい、蓮枝。八本松、新宅弥一様方。

○子供がお父さんを案じています、蓮枝。八本松、新宅弥一様方。

○渡辺新蔵無事、行先、緑井、瀬原繁記方。

○級友諸君の安否をきづかう、毎日十時頃ここへ出て来る、高工二A組、小川泰造。

○祖父母、恵美子、行衛不明。正司、夏代、大河町の伊田徳郎様方へ来い、保岡。

○紙屋町の西口幾夫様、借金を返済しますから現在の御住所をここへお書き下さい、すみません。中広町の御存じより。

○八重子、府中へ帰るとき三原へ寄れ、父。

僕は尾行する人蠅を逸《そ》らすため、手拭《てぬぐい》を振りまわしながら駈《か》けだした。すぐ息切れがして普通の歩きかたにした。ここの通りでも石垣や置石の間を見ると、カタバミや烏《からす》の豌豆《えんどう》などの新芽が無闇《むやみ》に伸びて、自分を支えきれなくなってだらりと垂れていた。植物も空襲の衝撃で細胞組織が変化するのだろうか。

僕は農事指導の巡回講師の云っていたことを思い出した。水稲栽培で深水にして育てると、水面に接するところの茎の細胞が徒長的に肥大して、茎の構成に弱体化を招いて倒伏の原因をつくる。これは学説でも認められていると云うが、光線とか音響とか熱の衝撃などで植物が徒長することは知らなかった。今度の爆弾は植物や蝿などの成育を助長させ、人間の生命力には抑止の力を加えている。蝿や植物は猖獗《しょうけつ》を極めている。昨日、ここの通りにある饂飩屋《うどんや》の焼跡では、裏庭の芭蕉《ばしょう》が新芽を一尺五寸ぐらいも伸ばしていた。もとの茎は爆風で根元からぽっきり折れ、あとかたも無くなって、新芽と云ってよいか筍《たけのこ》と云ってよいか巻込んだ茎が伸びかけていた。ところが、今日は二尺の上も伸びている。一日に五寸以上も伸びているその実状には、農家に生れて樹木を見なれて来た僕も驚いた。

この饂飩屋は僕には馴染《なじみ》の深い店である。陸軍糧秣廠《りょうまつしょう》に勤めていた頃は、日曜日ごとにここへ夕飯を食べに通っていた。親爺《おやじ》も僕のことを「親方」と呼んでいた。それを良いことにして、食糧不足になってからは、ときどき配給用の饂飩をこっそりせびりに来たものだ。

親爺はカレー南蛮を美味《おい》しく食べさせてくれていた。僕がそんなことなど思い出しながら芭蕉の新芽の寸法を指で計っていると、石のかげから饂飩屋のテリヤが顔をのぞかせた。いつもと違って、今日は呼んでも口笛を吹いても近寄らず、尾も振らないし、じっと僕の顔を見つめるだけだ。火事のときどこかへ逃げのびて、火が鎮《しず》まってから主人をたずねて戻って来たらしい。食物の一つもないこの焼野の沙漠《さばく》のまんなかで、どうして生きていられるのか不思議である。瘠《や》せ細って毛が全面的に黒灰色になっていた。僕は握飯を少しくれてやろうかと思ったが、後を慕って来られては困るという名目のもとに、見すてて置くことにした。

饂飩屋から四軒目か五軒目の家の焼跡で、かちんかちんと金槌《かなづち》の音を響かせて、茶色に焼け錆《さ》びした大きな金庫を鑿《のみ》で鏨《き》っている人がいた。カーキ色の半ズボンに同じ色の半袖《はんそで》シャツを着て、ヘルメット帽を被《かぶ》った中年の男である。僕は物好きにその男のそばに行って声をかけた。

「お暑いのに御精が出ますね。その金庫は、表の扉は開きませんか」

ヘルメット帽の男は僕をちらりと見たが、金槌で叩《たた》く手を止めないで答えた。

「てんで鍵《かぎ》が、廻らんです。廻らんので、裏から鏨っとるんですわ」

「扉の鍵のところを、玄能《げんのう》か何かで打砕いたらどうでしょう」

「どうですかなあ、玄能で、砕けますかな。早く中のものを、出して置かんと、金庫破りに持って行かれてしまいます」

ヘルメット帽にたかろうとする夥しい人蠅は、たかり損ねて乱舞の踊をつづけていた。この男は泥棒ではなさそうに見えたので、僕は「お邪魔しました」と云ってその場を去った。

商店街の焼跡には、どちらを向いても錆びた金庫が数限りなく見えた。千田町の僕のうちには金庫が無かったが、僕の隣組で金庫があったのは中尾さんのところと宮地さんのところだけだったようだ。焼跡を見て初めてそれが分った。尤《もっと》も宮地さんのうちでは、今年の七月半ばすぎ、敵機が広島上空を通って中国山脈を横断し、日本海へ盛んに機雷を落しだしてから金庫を買ったらしい。田舎へ疎開して行く人が急に殖《ふ》えだして、出物のピアノやオルガンや金庫などが、嘘《うそ》みたいに安く買えるようになってからのことだろう。敵機の来襲が七月半ばすぎると無闇に頻繁《ひんぱん》になって、徳山、岩国、呉《くれ》に空襲警報が発令され、日本海に機雷が落されるようになって来ると、金庫やピアノなどのほか、箪笥《たんす》、棕梠《しゅろ》竹《ちく》の鉢、竹竿《たけざお》、盆栽、碁盤《きばん》、扁額《へんがく》、洗濯板、盥《たらい》、ラケット、骨董《こっとう》の壺《つぼ》、掛軸など、二束三文で売りに出されるようになっていた。

広島市は陸軍の町、呉市は海軍の町と云われるが、呉は六月二十二日に空襲を受けて、七月一日には焼夷弾《しょういだん》の大空襲を受け、平坦部《へいたんぶ》の街があらかた焼けてしまった。七月二十四日にも空襲された。このときには、島かげかどこかに隠れていた日本の戦艦が、重油不足のため艦を定着させたまま高射砲で応戦した。重油代りにするらしい松根油の製産が間に合わなくて、せっかく戦闘力を持ちながら碇泊《ていはく》したきりになっていたそうだ。七月二十四日には、敵機は宇品の上空にも来て爆弾を落した。その次が、為体《えたい》の知れぬ爆弾を落した八月六日の広島の空襲である。全市街を焦土にした。

こんな怖《おそ》るべき爆弾がこの世にあろうとは、我々は話に聞いたこともなく、思ってもみたことがない。たいていの人がそうであったろう。子供は正直だからその素振を見ればいい。被爆で殆ど全滅した勤労奉仕の中学生たちは、八月五日の日まで毎日のように家屋疎開の作業を手伝っていた。どの顔を見ても、ずらかったり逃げ隠れしたりするような色は見せていなかった。勤労奉仕の女学生たちは白鉢巻をして「学徒挺《てい》身隊《しんたい》」の腕章を巻き、往《い》きも帰りも「動員学徒の歌」を合唱しながら団体行進で製鋼所へ通っていた。

君ハ銃トレ我ハ槌
戦ウ道ニ二ツナシ
国ノ大義ニ殉ズルハ
我等学徒ノ面目ゾ

製鋼所でこの女学生たちは、旋盤工として高射砲の玉を削っていた。二交替制で、遅い組は夜の十時まで削っていたそうだ。みんな今度のような爆弾が落ちて来るとは夢にも知らなかったろう。

14

焼跡で骨や死体を探す人たちは、昨日よりも今日の方が何割がたか多かった。ぼろぼろの身なりや半裸体になったりして歩いている人たちのほかに、消防団員のような服装で「特設救護班」と書いた腕章をつけた人たちが可なり目についた。メガホンや竹製の担架を持っている人たちもいた。郡部から罹災者《りさいしゃ》の救護に来た人たちである。被服支廠《ししょう》に行くと、思った通りの取扱いを受けた。笹竹中尉《ちゅうい》は僕の陳情を聞き終ると徐《おもむ》ろに云《い》った。

「それはですね、閑間さん。しかし、ここのところは何とかして、この現状を切抜けてもらわねばならんですな。軍民一体となって、いわゆる創意工夫をもって苦境を打開して頂きたいですな。こういった超非常時のことですから、国民総決起の精神で行きたいものだと思いますね」

こんな抽象的な文句は、石炭を配給してもらいたい一心の僕にとっては、何の慰めにもならないのだ。

「それで中尉殿、宇部炭鉱へ紹介状を書いて頂けますか」

「それは上司に願って、会議を開いてからでなくては、何とも返答できません。しかし、何とかしてここを切抜けるべきです」

「宇品の貯炭を放出して頂けませんでしょうか」

「それは昨日お答えしたように、絶対に駄目です。我々の管轄外《かんかつがい》に属するのですからね」

昨日と同じく取りつく島もない。ただ昨日と違うのは、言葉づかいが柔軟で、威張った態度が少くなっているように見えることであった。僕はもうそれ以上ねばるのは諦《あきら》めた。

被服支廠を出ると、袋町の焼跡を通りぬけ、電車道を逓信局《ていしんきょく》の方へ歩いて行った。すると「救護班」という腕章をつけた軍人が、「おおい、甲神部隊のものはおらんか……」と呼びながら僕を追い越して行った。その軍人の横顔を僕は見た。相手も僕の方を振返った。

「おや、保さん」

「やあ、重松さん」

全く奇遇の奇遇である。保さんは僕と同じ小畠《こばたけ》村の人だが何年か前に姫路の連隊に入営し、一昨年あたりは衛生兵の伍長《ごちょう》になっているという噂《うわさ》であった。その人が新しい防暑帽を被《かぶ》って軍刀を吊《つる》し、シャツの襟《えり》に曹長の階級章をつけている。

「保さん、えらい出世されましたなあ。長いサーベル刀ぶらさげて」と僕が驚くと、

「自分は、せんだって福山連隊に転属を命じられまして、八月七日に、ここへまた転属を命じられました。自分は、焼跡を片づける特設救護班所属の衛生下士官です」と割が悪そうな顔をした。

僕は保さんの連れている二人の男にも見覚えがあった。一人は小畠村字阿下《あざあげ》の消防団員で陸男さんと云い、極めて無口だが消防技術が上手だと噂されている。もう一人は、これも小畠村字時安《ときやす》の勝さんという消防団員で、消防技術が陸男さんに勝るとも劣らないと云われている。二人とも広島市に爆弾が落ちた翌日、警察命令で呼出され、甲神部隊の隊員救出のため特設救護班員として焼跡へ来ているそうだ。

(甲神部隊というのは広島県の甲奴《こうぬ》郡と神石《じんせき》郡から徴用された青壮年の一隊で、広島市の家屋疎開作業に従事していたものである。これは八月六日の朝、仮宿舎の第二部隊兵舎を出かけるとき被爆して、小畠村出身の隊員合計二十一名のうち即死と火傷死が十八名で、生きて帰村したのは三人だが、そのうちの一人は原爆病で亡《な》くなった。

小畠村には、その他に「庄吉さん」や「浅二郎さん」など、家屋疎開作業を手伝いに広島へ行って被爆したものがある。しかし庄吉さんと浅二郎さんは徴用でなくて、自分から奉仕的に広島へ出かけていた――後日記)

陸男さんはメガホンを紐《ひも》で首に吊し、勝さんと共同で青竹の把手《とつて》をつけた担架を持っていた。

「その竹の柄、小畠の観音寺藪《やぶ》の竹じゃろう。なつかしいなあ」と僕が云うと、

「埒《らち》もない。三次《みよし》町の警察がくれた担架ですが」と勝さんが云った。

陸男さんや勝さんたちの救護班員は、小畠村からまっすぐにこの焼跡へ来たのではないそうだ。初め小畠村長の呼出しで役場に集合し、油木《ゆき》町に行って役場へ出頭しない(命令書には、ただ消防団員の服装をつけて出頭すべし、とだけ書いてあった)近隣の村から出頭して来た人たちと合流させられて、町長から「銃後の民の士気昂揚《こうよう》について」という演題の訓辞を受けた。一同そこから上下《じようげ》町へ送られて、そこでまた近村から出頭して来た人たちと合流し、町長の訓辞を受けて三次町へ送られた。ここでまた近村から来た人たちと合流して町長の訓辞を受け、諸君は広島市の焼跡へ出張する特設救護班員であり、国難に際して義に赴く勇士であると云い渡された。小畠村から油木町、上下町までは汽車がないので木炭トラックで行き、上下町からこちらは矢賀《やが》

町《まち》まで汽車に乗せられて来た。途中、不平を云ったり脱走したりする班員は一人もなかった。班員たちの任務は一般の被爆者を救助するのでなくて、各自の村または隣村から来て被爆している甲神部隊員の救出作業に当ることである。

僕は二人に「御苦労さんです」と改めてお辞儀をした。曹長の保さんにも「御苦労さんです」とお辞儀をした。

「考えてみると、何もかも不思議なような偶然です」と保さんが云った。「全く偶然でした。自分は、小畠村と高蓋《たかふた》村の救護班に所属することになったです。自分たちは、今から逓信病院へ被爆者を探しに行くところであります」

「小畠村の被爆者は、まだ五人しか見つからん」と勝さんが云った。「わしらはメガホンで喚《おら》びつづけたんで、陸男さんは声を嗄《か》らしてしもうた。今度は、わしが専門に喚ぶ」

僕はこの人たちと並んで逓信病院の方に向って歩いていた。つい自然そういうことになった。僕には工場の門限が適用しないので、今日はこの人たちと行動を共にするのが当然だという気持になっていた。

陸男さんはメガホンを口に当て「おおい、神石郡小畠村の甲神部隊のものはおらんか。高蓋村の甲神部隊。おおい、甲神部隊のもの……」と呼びながら歩いた。僕はその反応を見るため、きょろきょろしながら歩いたが、目につくものは瓦《かわら》のかけら、崩れた煉瓦《れんが》の壁、自動車の残骸《ざんがい》、投網《とあみ》を干したようにびっしり垂れさがる電線、電車の軌道、焼けぼっ杭《くい》、焼けただれた金庫、黒こげの窓枠《まどわく》などである。

ふと曹長が立ちどまって、

「あれは、布告かもしれん」と防暑帽を被りなおした。

見ると、焼けて鉄骨ばかりになっている電車に、何枚かの貼紙《はりがみ》がされていた。曹長がその電車の残骸の方へ歩いて行ったので、僕も恐る恐る近づいて行った。ロール紙を長方形に切って貼りつけた壁新聞である。こんな紙を使うのは、この広島市では新聞社以外にはない筈《はず》だ。

僕はその布告の一つを手帳に筆記した。

「西部軍管区司令部発表。八月九日午前十一時ごろ、敵大型二機、長崎市に侵入し、新型爆弾らしきものを投下せり。被害は詳細目下調査中なるも、比較的軽少なる見込み」

もう一枚は、このような布告である。

「八月十日、広島警備担任司令官、市民ニ布告。万一、火傷シタ場合ハ、取敢《とりあえ》ズ海水ヲ二分ノ一ニ薄メテ浴ビルコト。斯《カ》クスレバ、此《コ》ノ種攻撃モ十分ニ防護スルコトガ出来マス。電車線路、及ビ大キナ道路ハ、目下通行出来マス」

その隣の貼紙は次の通り。

「大本営発表。㈠昨八月六日、広島市は敵B29少数機の攻撃により、相当の被害を生じたり。㈡敵は、右攻撃に新型爆弾を使用せるものの如《ごと》きも、詳細目下調査中なり」

その余白に、誰かの落書だろうが「八月十日、ソ連参戦」と木炭で書いてあった。鉄骨を下敷代りにして書いたものらしい。その粗雑な筆蹟《ひっせき》と云い、有りあわせの木炭で書いたところと云い、どう見ても落書のような気がするが、根拠のない流言だと思うことが出来なかった。とうとう来るところへ来たと云うよりも、来すぎてしまったのではなかろうか。僕は自分がその場に坐《すわ》りこんでしまうのではないかと思った。火傷をしている左の頰がぴくぴく痙攣《けいれん》した。自分でそれがよく分った。それにしても壁新聞は、二日も三日も前に焼跡の各所に貼られていた筈である。なぜ僕は今までそれに気がつかなかったのだろうか。

曹長や陸男さんたちは、むっつりして歩きだしていた。僕らは四人ともずっと黙りこんで歩いた。逓信病院の入口まで行くと、

「海水を、二分の一に薄めて行水するんかなあ」

と陸男さんが独りごとを云った。

この病院も西洋建築家屋の残骸のようになっているが、玄関先から見ても被爆者がいっぱい収容されていることがわかった。手術服を着た人が忙しそうに通路を歩き、怪我人《けがにん》がとぼとぼ歩いているのが見えた。石段のところに立って、何やらわけのわからないことを叫んでいる女がいた。気が狂っているらしい。田舎から人探しに来たと云って、数人の組をつくって来ているものもいた。曹長の保さんは僕に、玄関の入口のところで待っていてくれと云い残し、陸男さんたちを連れて受付らしい部屋に入って行った。しばらくすると出て来て、

「自分らは病室を探します。貴方《あなた》は救護班員でないですから、ここで待っておって下さい。この病院には、小畠村出身の被爆者が収容されておる筈であります」

そう云って、陸男さんたちと一緒に通路の奥に入って行った。すると気の狂っているらしい女が、陸男さんたちに向って呪《のろい》をかけるような奇声を浴びせかけた。

玄関の石段のところには、端の方に小さく二人の女が腰をかけて頻《しき》りに話しこんでいた。どちらも被爆患者とは思われない。四十前後の年ごろで、二人とも煮しめたようなシャツを着て、モンペに深ゴム靴をはいていた。話の具合では、一人はこの病院に収容されている被爆患者の女房で、一人はその患者の妹であるらしい。どちらも弾

みをつけたように喋《しゃべ》りあっていた。

それによると、ソ連軍の大部隊がソ満国境を突破して怒濤《どとう》のように満洲国になだれこんでいる。これに対して満洲駐屯の日本軍は、B29が広島に落したのと同じようなピカドンを、ソ連軍に落すことに意を決した。米軍の占領している南方諸島にも、その爆弾を落すことにしたらしい。報復攻撃というのをするわけだ。現在、竹原市の沖にある島で、密《ひそ》かにピカドンを製造しているということだ。日本には陸軍のほかに、無敵海軍があることを敵に思い知らせなくてはいけないのだ。

僕はこの二人の女の談話から、ソ連参戦のニュースとは別に、ここの病院の内情の一部を知ることが出来た。院長先生の蜂谷《はちや》道彦博士はピカドンのとき、飛び散る硝子《ガラス》の破片や木のきれで全身に三十何箇所もの疵《きず》を受けた。重態なときの切られ与三郎のようなものである。それきり足腰たたなくなったので、病室のベッドに臥《ね》たきりでこの病院の緊急運営に当っている。被爆者たちの症状は院長の症状と同じように、食慾《しょくよく》がなくて、嘔吐《おうと》、下痢、血便の出るものが多いので、今度の新型爆弾には毒瓦斯《どくガス》または赤痢菌が入っていたものと院長は判断した。それで取敢ず内科の先生に伝染病予防の処置をとらせ、院長代理の小山先生に大急ぎで隔離病棟を建てるように云いつけた。

小山先生は気転がきいて実践的な人である。この焼野原で建築に手を出す実力があるものは、軍隊を措《お》いて他にないというところに目をつけた。そこで隣の逓信局を接収している軍隊の長官に交渉し、兵隊を動員して病院の南側へバラックの仮病棟を建ててもらうことにした。工事は着々と進んでいるが、この病院の周囲には、西部総軍、西部二部隊、幼年学校、師団司令部、工兵隊など、軍関係の枢要《すうよう》な建物がある。これはピカドンでみんな潰滅《かいめつ》したが、もし敵が上陸作戦に出て来たら、このあたりが攻防戦の拠点になるにきまっている。警戒警報が出るたびに、患者たちが怯《おび》えて「飛行機、飛行機」「退避、退避」などと口走るのはそのためだ……。

僕は石段に腰をかけて一時間ちかく待っていた。待たされすぎるような気がしたので、まだかと思って玄関に入って行くと、小窓のなかの台に載せてある燈火用の皿が目についた。種油が入っていて芯《しん》は繃帯《ほうたい》だが、皿は金庫にでも蔵《しま》ってあったと思われる見事な三彩である。

「重松さん、お待たせしました」と云う声で僕は振向いた。

陸男さんと勝さんの舁《か》いている担架に、呻《うめ》く力も無くなって殆《ほとん》ど死んでいるような人が乗せられていた。両手に巻いた繃帯にどす黒い斑点《はんてん》が見え、頬が紫色に脹《ふく》れあがっていて誰だか分らない。ぼろぼろに破れたシャツの胸に、「広島県神石郡小畠村、甲神部隊員、半田仲三」と手書した本人の名刺が安全ピンでぶら下げてある。

この仲三さんは小畠村の谷口屋という屋号のうちのもので、僕は子供のころ、この人の父親から鰻《うなぎ》の穴釣の仕方を教わった。そのとき釣の余興として、竹藪から取って来た筍《たけのこ》を河原の焚火《たきび》で焙《あぶ》って食べることを教わった。筍を皮のついたまま焚火で焙って皮を剥《む》き、最寄《もより》の家で貰《もら》って来た味噌《みそ》を湯気の立つ筍に塗って食べるのだ。

担架の上に臥ている仲三さんは、むんむんする生ぐさいような臭気を発散させていた。膿《うみ》の臭《におい》か体熱の臭か、何とも云えない異様な臭である。僕は陸男さんに云って、代りに担架を舁こうとしたが、「埒もない。舁く役目は、救護班員に任せんさい」と陸男さんが云った。

曹長の保さんは担架の先に立って歩きながら、ときどきメガホンで「おおい、甲神部隊はおらんか。おおい、高蓋村のものはおらんか」と大きな声を出した。僕は担架の風上を歩くため保さんと並んで歩いて行った。空が恐しいほど青かった。

保さんの話では、さっき逓信病院の病棟で、たくさんの患者のなかから仲三さんを探してくれたのは、乗岡円了という医者である。大勢の患者は病室に入りきれなくて廊下に溢《あふ》れ、看護に来たものや人探しに来たものは足の踏場もない有様だ。しかもピカドン患者の熱は急速な伝染力を持っており、体質によっては無病であった看護人の方が、看護されている患者よりも先に死ぬことがある。そこにもここにも、同時にそんな事態が起っている。その混雑のなかで、乗岡先生が仲三さんを見つけてくれた。
「あの乗岡円了という先生は、仁術を施す先生でありました」と保さんが云った。
乗岡先生は大阪逓信局から派遣された救護班の班長で、救護資材をリュックサック
いっぱい詰めた班員一同を連れて逓信病院に到着した。昨日のことである。その前々
日、八日に、どこかの兵隊が来て病院の薬品や繃帯をごっそり持って行ったので、大
阪から来た救護班は地獄に仏だと一人の看護婦が云ったそうだ。
担架に乗せられていた仲三さんは、救護班の仮本部へ着いたときには死んでいた。
「完全に息が絶えとります」
担架が縁側に降されたとき、衛生曹長の保さんがそう云って挙手の礼をした。
勝さんは手洗鉢《ちょうずばち》のわきから万両の葉をとって来て死人の枕元《まくらもと》に置き、陸男さんと並
んで合掌礼拝した。
僕は「白骨の御文章」を誦《よ》んだ。それが終ると陸男さんが、
「じゃ、お骨にするか。どうも仲三さんに相すまんような気がするなあ。しかし、止《や》
むを得ん」
と勝さんを相棒に、また担架を舁きとった。ここの人たちは、死人を鉄道線路の近
くのところへ持って行って荼毘《だび》に附している。

この救護班の収容所仮本部は、東練兵場を前方に見る双葉山の麓《ふもと》寄りの民家である。尾長町《おながまち》山根、桑原方と云う。当主は学校の先生か何かで朝早くから家を出て、日曜日にはどこかへ勤労奉仕に行っている。昼間は家にいないので、救護班のものはその顔を滅多に見ることがない。息子さんは稔《みのる》という名前だそうだ。海軍士官だから軍艦に乗って海にいるらしい。奥さんは知性型の上品な人で、あとは年ごろの綺麗《きれい》な娘さんが二人いる。一家じゅう実によく出来た人たちで、救護班員に対しても怪我をしている甲神部隊のものに対しても、嫌な顔を見せたことは一度もないそうだ。

初め救護班のものは通りすがりにこの家を見て、紹介状も何も無しに、いきなり甲神部隊の罹災者《りさいしゃ》収容所にしたいから貸してもらいたいと頼んだ。家のなかが広いように思われたからであった。折から主人は留守で奥さんと娘さんがいたが、まるで待っていたかのように「承知いたしました」と奥さんが承諾してくれた。不思議なほど献身的な、よく出来ている奥さんだそうだ。

救護班の人たちの借りている部屋は、階下の八畳間が四部屋である。人員は甲神部隊の罹災者を合せて五十人内外で、焼け爛《ただ》れて死にかけているものや呻き声を出したり血便を出したりしているものがいて、膿のためか体熱のためか強烈な悪臭を放っている。保さんの話によると、それでも奥さんや娘さんは、二階に寝るのを憚《はばか》ってか夜は台所で寝ているらしい。主人だけ二階に寝るのかも分らない。

僕は縁側に腰をかけ、弁当を食べながら保さんと明日の打ちあわせをした。罹災者たちに話声が聞えないように、手洗鉢のところの濡縁《ぬれえん》の近くに腰をかけていたが、悪臭は強烈にそこまでもにおって来た。二人三人の呻き声が絶えず聞え、不意に「退避、退避」と云う叫び声が聞えたりした。奥さんが麦茶の土瓶《どびん》を持って来て、慇懃《いんぎん》でもなくお粗末でもなく、

「御苦労さまでございます。あまり冷たくないお麦茶ですけれど、どうぞ召上って」

とお辞儀をして立って行った。

顔はちらりと見た。その顔に相応《ふさ》わしい程のよい後姿はゆっくり見た。

僕は保さんに、明日のお昼ごろまでに大野浦へ行く約束をした。今日、大野浦の罹災者収容所（大野浦の国民学校の講堂）から、ここの仮本部に連絡があって、小畠村字光末《あざみつすえ》の虎雄《とらお》さんと、高蓋村の長十郎さんという甲神部隊の人を収容していると云って来た。本人たちは一日も早く郷里に帰って療養したいと云っているが、一人は重傷で寝返りすることさえ覚束《おぼつか》ない。ともかく、甲神部隊の罹災人名簿整理の一助ともなるかと思い、ついでもあるので連絡すると云って来たそうだ。ついては、この仮本部から誰かが大野浦へ出かけて行かなくてはならなくなった。僕がその任務を買って出

たわけだ。

15

八月十二日

朝のうち薄曇、ひとしきり足痛。午後快晴。

昨日、五時すぎ尾長町の収容所仮本部を出て、帰りの道は横川駅の近くまで山陽本線の線路を辿《たど》った。途中、中年の女が僕を追い越しざま振りむいて、

「閑間さんでしょうが。ほんと、まあ、閑間さん」と云《い》って僕を立ちどまらせた。「こんな珍しいところで逢《あ》って、まあ、ほんと不思議。お宅さん皆さん、いかがでした」

僕はその顔よりも声で幼馴染《おさななじみ》のテイ子さんだと分った。小学校のときの同級生、藤田テイ子である。この女は、高等小学校を出ると倉敷の紡績工場に勤め、結婚衣裳《いしよう》をこしらえて、福山市外湯田村の細川医院の近くの農家へ嫁に行った。間もなく亭主が亡《な》くなったので、亭主の弟夫婦に家督を譲って倉敷の旅館へ女中奉公に行った。満洲事変当時には、ひところ小畠《こばたけ》村に帰っていたが、その後はずっと福山市の加々美旅館

の住込女中になっていた。僕も広島で勤めるようになってからは、会社の盆暮の休みで小畠村への往き帰り、たいてい加々美旅館を中継の休憩所《い》にするようになった。電話を借りたり知人への伝言を頼んだり荷物を預けたり、自分の勝手のためにテイ子さんを煩《わずら》わしていた。

今年の正月休みのときには、痔《じ》が痛むので加々美旅館に一泊した。そのときテイ子さんは難症な痔を治す医者を紹介してやろうと云って、湯田村の細川医院宛に紹介状を書いてくれた。また、院長にも直接電話をかけてくれた。僕は会社へ長距離電話をかけ、工場長から長期欠勤の許可を得て入院した。全治するまでには半月あまりかかったが、昨日テイ子さんの云うことに、僕が退院してから数日後に、細川医院へ僕の病気見舞に来てくれたそうだ。

「そりゃ大きに失礼したなあ」と謝ると、

「いえ、義弟夫婦のところへ、闇米《やみごめ》を仕入れに行ったついでですがな。でも今日は、ほんと珍しいところで逢いましたなあ」と云った。

テイ子さんも御多分にもれず、広島の焼跡へ人探しに来たのだそうだ。湯田村の義弟が今年の春に予備召集を受け、第二陸軍病院の炊事兵になっていたが、ピカドンが落ちて数日たつのに、どうしているかまだ分らない。死んだのではなかろうか。湯田村にいる女房は、さきごろ供出の松根掘りに出て足を挫《くじ》いて寝たきりで、何かと云えば、泣き中気のように泣くばかりだ。義弟のお袋は口が達者なだけで、年寄のことだから外へ出たら何の役にも立たぬ。テイ子さんは思案にあまって、どうしたものかと湯田村の細川医院の院長先生のところへ伺いを立てに行った。

細川先生のうちには岩竹さんという人が東京から疎開していたが、その人が十日ばかり前に広島第二陸軍病院に召集された。この岩竹さんは細川先生の義弟に当る医学博士である。炊事兵としてではなくて、世間で云う懲罰召集を受けて軍医予備員として入隊させられた。だからテイ子さんの義弟と同じ兵営にいた筈《はず》だ。この博士はピカドンでどういうことになったろうか。それに岩竹さんの甥御《おいご》は広島第一中学に通っている。このお子さんの安否も気になるだろう。細川医院ではどうされているのだろう。そんな気持もあって、テイ子さんは先生のところへ見舞をかねて相談に行った。

細川先生はテイ子さんにこう云った。

——何ともはや怖《おそろ》しいことだ。私はもう義弟も義弟の甥も、黒焦《こ》げになってしまったと思っている。残念ながら、もう諦《あきら》めるよりほか仕様がない。義弟の妻《さい》にも諦めるがいいと云ってみたが、やっぱり夫婦の情、肉親の情として諦め難いものがあるのだろう。泣く泣く広島へ出かけて行った。私も福山の駅まで見送った。九日の朝のことだ。今日で二日たつが、電報も手紙もまだ来ない。尤《もつと》も、今では郵便も電信電話も、民間の者には施設が有って無きが如《ごと》きと同じようなものだ。新聞だって、毎日刊行されてはいるのだろうが、新聞配達所へ取りに行っても何も来ていない。五日も六日もお預けで、ときには七日目に七日目ぶんの新聞が一とまとめに来ていると云ったような有様だ。昨日、私が往診した患者さんは、もう二十何日あまり、どこからも一通の葉書も来なくて心細くて仕様がないとこぼしていた。その家の戸主の人は、病人に栄養を摂取させるためこっそり鯊釣《はやつり》に出かけるが、このごろは釣の餌《えさ》にする青蠅《あおばえ》の蛆《うじ》まで栄養失調だと嘆いていた。切ないことばかりだと云っていた。何しろ広島に落ちた新型爆弾は、仮に燐寸箱《マッチばこ》ぐらいの大きさでも五十キロ爆弾の何千倍もの威力があるそうだ。実に凄《すご》い化学品が出て来たものだ。しかし、こんなもので人間を殺そうという料簡《りようけん》を起してはいかんのだ。そんなことをしてはもう無茶苦茶だ。義弟はもう白骨となっていると私は諦めている。

細川先生はぽたぽたと涙をこぼした。それきり口をきかなくなって、テイ子さんに義弟を探しに行けとも行くなとも云わなかった。それでもテイ子さんが広島に行く決心をしたと知ると、先生はクレオソート丸の小瓶を餞別《せんべつ》にくれた。

テイ子さんは広島に来ると、街を片づけている人たちに道を聞きながら第二陸軍病院の焼跡に辿りついた。ぽつんと天幕小屋が立っていた。そのなかにいた兵隊をつかまえて聞きたいことを訊《たず》ねると、三冊の帳面を代りばんこに繰った末に云った。

「せっかくですが、あなたの尋ね人は、いや、それに該当する炊事兵のことは、この書類に記入されておりません。お気の毒です。この部隊の被爆者は、芸備線の戸坂《へさか》の収容所と庄原の収容所のほかに、可部《かべ》線の可部の収容所に送られました。戸坂なら、ここから約三里あまりです。可部線は横川駅から山本駅まで電車が不通です。しかし山本駅でしたら、逓信《ていしん》局の先から線路づたいに左へ行けば宜《よろ》しいです。簡単に説明します。山本駅は、大体に於《おい》てこの方角です」

書類に名前が載っていないのは、死体が見つからなかったためだろうか。本人が元気でどんどん逃げだしたためなんだろうか。書類の手落ちだろうか。

テイ子さんが呆然《ぼうぜん》として立っていると、兵隊と並んで腰をかけていた若い男が云った。

「御注意して置きますが、この部隊から出した被爆者は、概《おおむ》ね火傷《やけど》で顔が腫《は》れています。近親の人が御覧になって、殆《ほとん》ど誰だか分らないものばかりです。名前を呼んでも返辞のできないものがあります。ですから軍袴《ぐんこ》の帯紐《おびひも》に、原籍と姓名を書いた荷札がつけてあります。よく気持を落ちつけて、それを御覧になることですね」

兵隊らしくない云いかたであった。

テイ子さんは可部へ行こうか戸坂へ行こうかと迷ったが、今さら迷っても仕様がないと気を取りなおして可部へ行くことにした。ところが迂闊《うかつ》なことに、細川先生の義弟《おとうと》さんの行方について訊ねるのを忘れたまま天幕小屋を出た。あとは、ただ兵隊が指差して見せた方角へ向って行き、線路づたいに歩いていると僕を見つけたそうだ。

僕はテイ子さんと並んで歩きながら、そんな話のほかに福山近郊に於《お》ける戦時下の風潮について話を聞かされた。いろんな情報も聞かされた。旅館のお客たちからそういう内密の話を聞かされるのだ。あるお客さんの話では、備前の伊部《いんべ》町の二十軒余の窯元《かまもと》が、軍の命令によって第一種兵器の手榴弾《しゆりゆうだん》と第二種兵器の水筒を備前焼で作っている。先日、どこかの部隊から下士官たちが来て、伊部町でその手榴弾の性能を試したが、松の木の五分板をぶち破り、池の魚も浮きあがらせ、本当の手榴弾と同じような威力があった。また、あるお客さんの話では、ビルマ戦線でイギリス兵が搭乗《とうじよう》しているアメリカ製の中戦車が、日本軍の中戦車を撃つと弾丸が貫通し、日本軍の戦車が撃った弾丸は敵戦車の塗料を落すだけだ。「処置ないです。もしも、あんな戦車が英軍のマレー戦線に二台でも間にあったら、日本軍はどうなっていたろうか」と、そのお客が云ったそうだ。これはもし本当のことだとしても歴然たる流言蜚語《ひご》である。

山本駅で電車を待たされたので、乗車したときにはすっかり日が暮れていた。テイ子さんは僕の寓居《ぐうきょ》へ寄るのは遠慮すると云ったので、古市駅から別れて来た。(テイ子さんはリュックサックを背負い、モンペに白シャツを着て赤十字腕章をつけていた。細川先生の奥さんに入れ知恵されて腕章を手に入れたものらしい。この腕章のせいで、天幕小屋の兵隊がテイ子さんに丁寧な口をきいたのだろう――後日記)

僕は家に帰るのは後まわしで工場に行き、食堂で見つけた工場長に石炭事情の経緯を報告した。すべてが八方塞《ふさ》がりの状態にあって、我々としてはどうにも歯が立たないことを説明した。工場長はがっかりしたように天井を見て、

「そうか、駄目か。押せども引けども駄目なんだな。とにかく、しかし御苦労であった」と云った。

僕は甲神部隊のことも工場長に説明し、大野浦へ出張の許可を得て家に帰って来た。シゲ子と矢須子はもう夕飯をすまして蚊帳《かや》を吊《つ》り、縁側に腰をかけて涼んでいた。僕の食事はお膳《ぜん》に乗せて蚊帳のなかに入れてあった。涼しそうな感じを出すためにしたことだろうが、むさ苦しい感じしか出ていなかった。

遠来の二人の客は、お昼前の電車で帰ったとのこと。

今朝は両足の指が痛くて目がさめた。怪我《けが》なんかしていないのに無性に痛んだ。ずきんずきんと来る痛みでなくて、雑巾《ぞうきん》をしぼるように一貫して左右均斉に来る痛みである。

「被爆者には灸《やいと》がいいそうです。灸をすえたらどうでしょう。どこかへ行って艾《もぐさ》を譲ってもらって来ます」

シゲ子はモンペもはかず防空頭巾《ずきん》も被《かぶ》らずに出かけたが、二時間あまりもたって帰って来た。諸所方々を探しまわって、町はずれの農家で新しいタオルと交換して来たと云う。その艾は、木の葉を啣《くわ》えた神農《しんのう》様の絵を印刷した紙袋に入っていた。足の痛みを防ぐには三里に灸をすえると云われている。シゲ子や矢須子は勿論《もちろん》のこと、僕も三里とはどこだか正確なことを知らないので、シゲ子が家主の隠居さんに聞いて来て、

「三里というのは、膝頭《ひざがしら》の下の外側の凹んだところ。ここだそうです」

そう云いざま、モンペをはいていない裾《すそ》を必要以上にまくって見せた。あられもない姿に見えた。ふと僕は、昨日収容所で保さんが云っていたことを思い出した。保さんも陸男さんも、ピカドンの被爆者たちは軽傷の者でも一様に性的関心が無くなっていると云っていた。僕は被爆者としても片頬に火傷しているに過ぎないが、いま性的

関心を持ったろうかどうだろうと顧みた。結果は、自分もピカドンの毒気を受けているのではないかという不安に行き当った。

僕は自分で三里に灸をすえ、足の先が痛いのを我慢して立ちあがった。みしみし云うほど痛かった。呻《うめ》き声を出すと幾らか痛さが助かった。便所へ行くには苦労した。外出の支度がすんでから上《あが》り框《かまち》に腰をかけて食事をした。遅い朝飯である。家を出たのは十時をすぎていた。

よくしたもので、大野浦へ着いたときには足の痛みが薄れていた。立つなら立ったきり、臥《ね》るなら臥たきりにしている方がいいようだ。

大野浦では国民学校が軍民混合の被爆者収容所に当てられていた。僕は大野浦の駅から国民学校まで行く途中、向うから来る三十前後の綺麗《きれい》な顔だちの婦人と擦れ違った。そのとき異様な臭《におい》を嗅《か》いだ。昨日、尾長町の収容所で嗅いだのと同じ悪臭である。ピカドン被爆患者の放つ臭気である。

「ちょっと伺います」と僕は、その婦人に声をかけた。「失礼ですが、あなたは被爆患者収容所の、女医さんか看護婦さんじゃないでしょうか」

「違います」と婦人は落着いた態度で答えた。「わたくしは大野浦国防婦人会員です。奉仕的に被爆者の看護に出ている者です。昨日も通りすがりの人が、あなたと同じような質問をされました。わたくし、悪臭を発しますでしょう」

「はい、失礼ですが、ぷんぷんにおいます」

「あなたは、患者さんをお見舞されるんでしょう。御案内します。くさいですから、少し離れておいで下さい」

親切な人もあるものだ。僕はくさいのは問題にしないことにして、収容所のことを聞きながらついて行った。

（この婦人は大島タミ代さんと云って、被爆患者たちを親切に看護していた婦人会員である。御亭主は満洲《まんしゅう》へ出征し、終戦と共にシベリヤに抑留されたが早期に帰って来た。たぶん大島さんは、戦地の亭主のつらさを偲《しの》んで患者たちに親切にしたのだろう。兵隊や民間の若い患者たちから『小母《おば》さん、小母さん』と慕われていた。背中の火傷に蛆をわかして痒《かゆ》がる患者は、「痒い痒い、小母さん背中を掻《か》いて」と甘ったれるのがいた。瀕死《ひんし》状態の患者は「淋《さび》しい淋しい、小母さん」と云って、何人となく次から次に大島さんに膝枕《ひざまくら》させてもらって死んで行った。戦争が終って暫《しば》くすると、この婦人は甲神部隊員の遺骨を二体、わざわざ神石郡の高蓋村や上下町まで持って来てくれた。当時、まだバスが通っていなかったので、先《ま》ず小畠村に来て、友成虎雄さんの案内で山道を歩いて高蓋村から上下町に行った。虎雄さんは大野浦に収容されていた患者のうちの、たった一人の生き残りである。同じく収容されていた高蓋村の福島さんと上下町の前原さんは、大野浦から遺骨となって大島タミ代さんに抱かれて帰って来たわけだ。今でも虎雄さんは、この婦人のことを大島ナイチンゲールと云っている——後日記）

美貌《びぼう》だが悪臭を放つこの婦人の話では、大野浦は広島市の爆心地から約四里ほど離れている。八月六日のピカドンが落ちる時刻、この婦人は姉さんと二人で田圃《たんぼ》の草取をしていたが、爆弾が落ちたとは知らなかった。どがんという音がして、目の前の稲がさらさらと葉を震わせた。地震ではないかと思った。二時間ばかり草取をしてから帰って来る道で、呉服屋の便所のタイル壁が剝《は》げ落ちているのを見た。東側の上の方がたくさん剝げていた。東の空を見ると黒い雲が拡《ひろ》がっていた。

「何の雲だろうか、演習の煙幕かしらん。それでないとしたら凄いねえ」と姉さんが云った。

昼すぎになって、トラックが大通りから国民学校の方へ行った。それでもまだ分らぬままに二時間か三時間たった。

四時ごろ、国防婦人会の幹部の人が拡声器で触れて廻った。

「大野浦婦人会の皆さん、会員のかたはみんな国民学校へ来て下さい。負傷者の看護に来て下さい。至急、国民学校へ来て下さい」

大急ぎで支度をして出ると、負傷者を満載したトラックが何台か追い越して行った。目につくのは、黒ずんだ色の皮膚、灰色の皮膚、皮のむけた人、後枠や横枠に凭《もた》れて死んでいると思われる人、紙か手拭《てぬぐい》を顔にぴったり貼《は》りつけて、鼻と口と目のところを切抜いている者、助手台に乗った軍人などである。足がすくんで暫《しばら》く道ばたに立ちどまっていたそうだ。

この婦人は僕を国民学校に案内すると、

「では、あそこの軍医さんを御紹介します。親切で、研究熱心な軍医さんです」と、教員室の入口に立っている加藤少尉《しょうい》という軍医に引合わしてくれた。

僕はこの軍医の善良そうな顔つきからして、些細《ささい》なことは問題にしない大まかな人らしいという印象を受けた。磊落《らいらく》な人らしいという印象も受けた。この外見にもかかわらず、軍医は僕の云《い》うことを皆まで聞こうとしないで云った。

「この収容所は、現在では国民学校じゃなくって、陸軍病院の分院です。今は、場合が場合であるため、兵隊と民間の負傷者を収容してありますが、患者の移送について地方人が容喙《ようかい》することは御遠慮願います。あなたの仰有《おっしゃ》る尾長町の収容所へ、この収容所から書類が送られているという説は、あなたを疑うわけではないが、誰か地方人の作為でしょう。おそらく、そうだろうと思いますから、あなたが云われたことは聞かなかったことにして置きます。くれぐれも云って置きますが、この収容所は陸軍の管轄《かんかつ》に属します」

何だか屁理窟《へりくつ》のような気がしたが、僕は一も二もなく降参して、甲神部隊の患者に逢《あ》いたい希望を述べようとした。すると軍医は、これも皆まで聞かないで、ピカドンによる重傷患者は毒素を含む熱気を発散しているから近寄るのは危険だと云った。現に、看護に来ている丈夫な人たちが毒素に当てられて、看護を受ける病人よりも先にぽっくり死ぬ例が頻発するようになっていると僕を威《おど》かした。元気に動きまわる人ほど毒素の作用を受け易《やす》い。民間の軽症患者を郷里の者が引取りに来て連れ帰る途中、附添人の方が倒れて助けを求めたという例もあると云う。（加藤少尉は終戦で郷里の鳥取に帰って亡《な》くなった。やはり多数の被爆患者に近づいていたせいだと云う。――後日記）

軍医はよほど虫の居どころが悪かったらしい。または、ごった返している軍の収容所の内幕を、一般人に知らせたくなかったのかも分らない。

僕は云っても無駄だと諦《あきら》めて広島へ引返し、この経緯を尾長町の甲神部隊被爆者収容所仮本部へ報告した。骨折り損のくたびれ儲《もう》けとはこのことだとしても、足の指の痛みが消えてしまったのは何よりだ。

家に帰って来てからまた三里にお灸《きゅう》をした。大野浦へ行くとき足先の痛みが治ったのは偶然だが、尾長町の収容所でも救護班員の陸男さんや勝さんは、被爆病予防のおまじないに昨日からお灸をすることにしているそうだ。衛生下士官の保さんは、救護班の人たちが無《む》闇《やみ》矢《や》鱈《たら》とお灸をするのは考えものだと云った。誰かが灸点をどこかの専門家に教わって来て、みんなそれを真似《まね》てすればいいわけだ。

(附記――大野浦国民学校の原爆患者収容人数は、八月六日午後五時から九月二十一日まで四十七日間にわたって、一二四六人。収容教室は一六教室〈一教室二〇坪、計三二〇坪〉治療に当った医師四名、軍医七名、看護婦一日平均二五人、奉仕人員一日約七〇人〈一日四交替、延二八〇人、全期間、延九三八〇人〉茶毘《だび》に附した屍骸《しがい》、約二五〇体。引取人不明の遺骨は広島市へ移送した。これは大野浦の役場の記録である。当時、広島市周辺の各町村国民学校には罹《り》災者《さいしゃ》が収容されていたが、各町村役場に現在その記録が残っているかどうかは不明である。聞くところによると、戸坂村の国民学校には数千人の罹災者が送られて、収容しきれないので、学校の庭ばかりでなく村の農家の庭も仮収容所になっていた。――後日記)

（以下も後日記だが、小畠村から広島に出動した特設部隊救護班について、僕の誤聞を訂正する意味と、もう一つのことのために記したい。救護班は警察命令によって出動した消防団員〈十六名〉と、県庁からの命令による保健所職員〈保健婦十二名〉の二団があった。僕は最近になってこのことを知った。

広島に爆弾が落ちた八月六日、夜になって小畠村の消防団員一同は、村長からの通達で十時ごろ村役場に集合した。

村長は次のような意味のことを云った。

「夜ぶんのところ、急なお呼びたてをして恐縮だが、本日は警察命令によって諸君に集合していただいた。実は本日午前八時ごろ、広島市が爆撃されて甚大《じんだい》な被害を蒙《こうむ》った。詳しいことは更に分らぬが、諸君は神石郡各町村の消防団員と共に広島へ赴くことになった。即《すなわ》ち、上司の命令によって勤労に当ることになるのだが、家屋引倒し作業には充分に気をつけて、不慮の災難に遭わぬようにすると共に、中国第三二〇六〇部隊である甲神部隊の郷土出身者の救護には、一段と力をつくすようにお願いしたい。ついては、諸君の武運長久を祈る」

次は消防団長が訓辞に立つ順序だが、団長の家は役場から遠く、燈火管制で提燈《ちょうちん》の明りを遠慮しなくてはいけないので連絡がつかなかった。代りに収入役兼消防副団長の兼重さんが立った。

「今回の我が消防団の出広《しゅつこう》は、家屋引倒しの作業も然《さ》りながら、甲神部隊員の救護が主要な任務ではないかと思われる。故《ゆえ》に、甲神部隊員のうちでも我が小畠村出身者を一人でも多く救出し、やがては来るものと覚悟せねばならぬ日に於《お》ける村の防衛に万全を期せらるるよう、救出救護して帰って来てもらいたいと思う。今は詳しい様子が分らぬ故、広島に行ったら然《しか》るべく立ち働いてもらいたい」

この訓辞を餞《はなむけ》にした。

団員の服装は消防服に地下足袋で、携行するのは鋸《のこぎり》、ロープ、鳶口《とびぐち》、防空頭巾、夜具としての外套《がいとう》などである。乗物は木炭自動車と云われているトラックだから、燃料の木片をつくるため大急ぎで木材を刻む必要があった。その手伝いやら見送りやら、みんな総出の大騒ぎになった。自動車のライトは覆《おお》いをして、僅《わず》か三メートルか四メートル先が見える程度にしていたので、見送る者と送られる者は互に顔が分らない。声を頼りに、車上から伸ばした手と下から伸ばした手が握り合って、夫と知り妻と知り得るようなことであった。

自動車は先《ま》ず高蓋村の役場に着いた。ここの篤志家《とくしか》から、小麦粉、巻鮨《まきずし》、砂糖などの饗応《きようおう》があって、在郷軍人分会長が激励の言葉をくれ、この村の消防団員と共に、次は高蓋村から折返し、豊松村、油木町、福永村、外四箇町村の団員と合流し、夜明けごろ上下町に着いた。そこを朝一番の汽車で発《た》って十時ごろ広島市外の矢賀町に着き、徒歩で市内に入って生存者の救出と死体焼却の作業に当った。

広い焼野原のことだから、家屋引倒しの作業に使うロープや鋸は何の役にも立たなかった。焼跡から薬罐《やかん》や空瓶など手当り次第に集めて水を入れ、水に餓《う》えている被爆者に配給してまわった。大火傷《やけど》をしてふらふら歩いたり坐《すわ》りこんだりしている被爆者に口を明けさせて、水をこぼさないように流しこむ。こんな仕事や死体焼却に忙殺された。

だが、生存者救出の作業は芳《かんば》しくなかった。小畠村の甲神部隊員二十一名のうち、数名の被爆者を救出したが、即死に被爆病死を加えて隊員の十九名を現地で失った。

一方、小畠村の保健所には八月六日の夜、所長に宛《あ》て「被害多し、すぐ来い」という電報が来た。所長の佐竹博士が出発すると〈佐竹さんは広島に二三日いるだけで帰って来て、終戦後に亡くなった〉次に医務課長の加納さんに、神石《じんせき》郡内の保健婦を連れてすぐ救護に出広せよと電話命令があった。加納さんは郡内の保健婦十二名を連れて八月十日に徒歩で出発したが、水害のため福塩線の上下駅から乗車できなくて、三次《みよし》町まで歩いて行って一泊した。翌朝、汽車で矢賀町まで行って市内に入り、救護本部〈焼残りの東警察署〉に着いた。

救護本部は陸軍被服支廠《ししょう》構内にある煉瓦《れんが》づくりの倉庫内の一隅に移されて、保健婦たちは主に負傷者の治療に当った。所長は県庁の喜多島という衛生課長で、ピカドンでやられた顔面の傷を三角巾で包んでいた。婦長は丸山と云った。

加納さんは事務長に命じられた。患者は言葉通り殺到して来たが、発熱下痢する被爆病の治療法は、所長にも他の医者にも分らない。ただ栄養剤を与えるのは悪くないという判断のもとに、加納さんの連れて行った保健婦たちは、出動のとき携行したビタミン剤や葡萄糖《ぶどうとう》の注射薬を使った。それがすっかりになった十何日目かに、上司の命令で余所《よそ》の郡から薬を持って来た保健婦たちと交代して引揚げた。加納さんも解放されて村に帰った。

帰郷後の保健婦たちは、なかには被爆患者と同じように下痢したり、少しは頭髪が抜けたりするようになる者がいた。しかし治療法もなければ薬もない。何としたものかと狼狽《うろた》えまわり、その挙句、お灸で気休めをしているのもある。白血球を減らさないようにするために、太陽に照らされるのをなるべく避けて、トマトを頻《しき》りに食べているのもある。鉢植えのアロエの葉を食うものもある。藁《わら》にもすがりたい気持は僕にも分る。

保健婦たちと違って焼跡を歩きまわった救護班員は、高蓋村では二十一人のうち現地で一人死んで、帰って来て原爆病で十一人が死んだ。焼跡を歩きまわったというだけでこの有様だ。来見村《くるみ》では十六人のうち、十五人死んで一人生きている。仙養村《せんよう》では全部のものが亡くなった。

以上、僕は今ではもう原爆の怖《おそろ》しさについて、口をつぐんでいる必要がなくなったので、保健婦たちのお灸のまじないも偽りない実状として書きとめた。焼跡を歩きまわって来た人たちの死亡率も統計的に記した。理由は、先日まで姪《めい》の矢須子の縁談が加速度的に捗《はかど》りかけていたが、不意に先方の青乃から断って来て、おまけに矢須子が原爆病の症状を現し始めたからである。止《や》んぬるかなである。事ここに及んでは隠し通せるものでもなく、隠して置く必要もなくなった。矢須子は先方に宛て、自分にその症状が現れはじめたことを泣きの涙の手紙で知らせたらしい。先方に対する愛情から打ちあける決心をしたのだろうか。絶望感から衝動的にそれをしたのだろうか。

矢須子は次第に視力が弱って来て、絶えず耳鳴りがするようになったと云っている。はじめ僕は茶の間でそれを打ちあけられたとき、瞬間、茶の間そのものが消えて青空に大きなクラゲ雲が出たのを見た。はっきりそれを見た——後日記）

16

「被爆日記」は終戦当日の八月十五日附で終っている。あと三日ぶん清書すればおしまいだが、重松は矢須子の病気が気懸りで、こまごました筆先の仕事にかまっていられなくなった。それに庄吉さんたちと共同で、鯉《こい》の養魚池を整備する急ぎの仕事が出来たので、当分のあいだ日課として庄吉さんのうちの崖下《がけした》へ出かけることにした。

矢須子の病気は急速に悪くなって行った。原因は、初めのうち重松夫妻が矢須子の挙措について迂闊《うかつ》であったことと、矢須子が重松夫妻に対して遠慮しすぎたことにある。先方から話を断わってくる前だから、ちょうど婚約がまとまりかけて、嬉《うれ》しさ恥ずかしさで血の道が起ったようになっていたことでもあり、女同士のシゲ子に打ちあけることさえも憚《はばか》っていた。こっそり医者の診察を受けることもしなかった。みんな後になって分った話である。シゲ子が小畠《こばたけ》村の合同病院へ矢須子を連れて行き、初めて診察を受けさせたときには容易ならぬ病状になっていた。いくら繰返して云《い》っても云い足りないが、矢須子は重松夫妻に遠慮しすぎたのだ。婚約がまとまりかけていたとは云え、恥ずかしがるにも程がある。

シゲ子は病院から帰って来ると、折から庭先に出ていた重松に云った。

「ほんと、口惜《くや》しいわ。矢須子さんは、みんな秘密にしておったんよ」

「おじさん、すみません」と矢須子は項垂《うなだ》れて通りすぎた。

これが午後三時ごろのことであった。重松は用意して置いた弁当と懐中電気を持って養魚池へ出かけ、庄吉さんや浅二郎さんと産卵池の水温の調節をした。もう七月だが、親鯉が卵を産む池の水は、この地方の八十八夜前後ぐらいの十八度から十九度、二十度ぐらいが適温である。しかし初めからその水温にしては拙《まず》いのだ。また、初めから雌雄を一緒にして置いても宜《よろ》しくない。その前に雌と雄を板仕切で別居させ、水温を九度から十度ぐらいまでにして暫《しばら》く飼いならし、次に適温の新しい水を入れた産卵池に雌雄一緒に放ってやる。そこで雌雄は、やっと会合したところで気分のいい新しい水に浸るので、たちまち刺戟《しげき》されて、夜の十一時すぎから明方までに産卵の支度に取りかかる。魚巣は棕梠《しゆろ》の毛やヒカゲノカズラ、金魚藻《きんぎよも》などである。

これは庄吉さんと浅二郎さんが常金丸《つねかねまる》村の養魚場で習って来た採卵法である。初めて実地にすることでもあるし、二人とも養魚のことに関する限り、すること為《な》すこと熱意がこもっている。浅二郎さんはイタチの襲来に備えて明方ごろまで鯉の見張番をすると云い、庄吉さんも明方まで見張をすると云った。重松は明日の朝早く来ることにして、十一時ごろ鯉が水をばしゃつかせだしてから帰って来た。

ひどい霧だから庭のケンポナシの梢《こずえ》が夜空に溶けこんでいるように見えた。母屋《おもや》は土間も縁側も戸がしまっていた。咳払《せきばら》いを二つ三つすると、曰《いわ》くありげに縁側の戸が一枚そろそろ明いた。懐中電気の光を当てると、つんつるてんの寝間着をきたシゲ子が、ひそひそ声を出した。

「ちょっと待って」

重松は同時に光を消した。シゲ子は後ろ手に戸をしめて、縁框《えんがまち》にしゃがむなり重松の耳もとで囁《ささや》いた。

「あのな、矢須子さんが、まだ眠ってないかも知れんのんよ。どこか、外でこっそり話しましょうな」

「よしよし、こっそり話そう」重松もひそひそ声を出した。「矢須子が、どうかしたのか。早く云わんか」

シゲ子は踏石に降りてサンダルをはくと、足音を殺しながら、重松をケンポナシの木の下に連れて行った。

重松はシゲ子が手を放してから、自分が手を引かれていたことに気がついた。二人がこんな忍び足でこんな挙措に出たことは、去年亡《な》くなったお袋の在世中も、また結婚前も含めて一度も経験したことがない。

濃い霧にしては庭が明るすぎた。シゲ子は気が立ったときの癖で、後れ毛を頻《しき》りに掻《か》きあげながら囁いた。

「ねえあんた、病院の梶田《かじた》先生が云われたこと、わたしも耳打ちで話さんならんわ。他人に知られては拙いんよ」

「よし、こっそり話せ」

さっき午後九時すぎのこと、矢須子が仮寝をした隙《すき》に、シゲ子は病院の梶田医師を自宅に訪ねて診察のときの模様をたずねた。すると先生の話で、矢須子が重松夫妻に知れないように家庭療法の本を見て独りで治療をしていたことが分った。これが世間に知れたら、重松夫妻は原爆病の養女が重態になったのに、まだ放ったらかして置いたと曲解されるだろう。どうせ原爆病は不治の病いだという見方がこの曲解を招き易《やす》くする。最近もそういう前例が近隣の村にあった。若い女性の羞恥心《しゆうちしん》というものは、時と場合によっては頑迷固陋《がんめいころう》の気性と隣合わせになるものだ、だから悲劇が起ることがある。梶田医師が云ったそうだ。

「矢須子さんは、初めに熱が出たんで」と、シゲ子は囁いた。「家庭療法の本を見て、アスピリンを飲んだんよ。それでも熱が下らんので、本を頼りにサントニンを飲んだんよ」

「そりゃ駆虫剤じゃろう」

「そうすると下痢して、二三日で熱が下ったけれども、お尻《しり》の辺に腫物《はれもの》が出来て痛がったんよ。恥ずかしくて医者に行けないんで、悪い病気かと思って抗生物質軟膏《なんこう》を塗ったんよ」

「そう云えば矢須子は、ひところ風呂《ふろ》に入らんかった。人に伝染すると思って、遠慮したんだろう」

「それで、腫物がつぶれて、少し楽になったけれど、熱が上るし髪の毛が抜けるんで、こりゃ原爆病や、しまったと思って、アロエの葉を三枚も四枚も食べたんよ。それからもう堪《たま》り兼ねて、あんたに打ちあけたんよ。これはみんな梶田先生から聞いた話なの」

「そう云えば、うちのアロエは急に根上りになったな。あれは貧血の薬と云うけんな、可哀《かわい》そうに、血球を殖《ふ》やそうと思ったんじゃな」

「あたしゃ、可哀そうを通り越して、口惜しくて口惜しくて。あの人、腫物なんかにこだわって、何ということかしら。でも、まさか思い当ることなんかなかろうに、どうして早く云ってくれなんだのかしら」

シゲ子は次の言葉を咽《のど》に詰まらせて息を吸い込んだ。

重松も溜息《ためいき》をついた。今のところ矢須子には栄養を摂《と》らせ、医者と運を頼りに暢気《のんき》にさせて置くよりほかはない。

翌日、大夕立が来て、代官所跡の大きな松の木に落雷があった。雨があがると病院の梶田先生が矢須子を診察に来て、今後三日置きに往診してくれることになった。病室は梶田先生の見立てで風通しのいい離れに定めた。看護にはシゲ子が当り、病状日記は矢須子に隠してシゲ子が書くことにした。

病人の食事は梶田先生の云うままに、原爆軽症患者の重松と同じもので我慢させることにした。矢須子は寝たいときに寝ていいし、散歩したいときに散歩して、しかし三度の食事だけは欠かさぬようにと梶田先生から云い渡された。シゲ子は離れの床の間に田能村竹田《たのむらちくでん》の山水画を掛けた。この軸は終戦後五箇月ばかりたって初雪の日に、新市町の織物屋さんが途方に暮れたような風で小畠村へ買出しに来て、米三升に蒟《こん》蒻玉《にゃくだま》五箇を重松に添えさして物々交換して行った代物である。贋物《にせもの》だかどうだか分らない。

重松は病人に窮屈な思いをさせてはいけないと考えて、なるべく病室へ顔を出さないようにすることにした。同じ原爆病患者でありながら、今のところ先の烏《からす》と後の烏の病状が顚倒《てんとう》し、先の烏が後の烏を振向く目は後の烏にとっては不快なものだろう。病人は重松を煙たがっているようだとシゲ子も云った。と云って、矢須子は実家へ帰りたがってもいない。重松は矢須子が離れに移って二日目に、床の間の壺《つぼ》へ早咲きの撫子《なでしこ》を活《い》けに行き、矢須子の急激な衰弱ぶりに驚いた。じっと見ていると病人は目を閉じた。たった二日三日で血色がぐっと悪くなって、透き徹《とお》るように青白い顔は貧血症状にあるのを知らせていた。

病人の症状は逐一シゲ子が話してくれた。寝る前に書く病状日記も見せてくれた。これは病院の看護婦たちの記入する病床日誌のような体裁でなくて、描写や主観をところどころに入れた普通の日記だが、あながちこれでも棄《す》てたものではないことが分った。重松は矢須子の病気のことで思案に暮れ、痔《じ》の手術を受けたことのある湯田村の細川医院の院長先生に、今後の処置について伺いを立てるため、この日記を矢須子の病状表の代用として持って行った。

細川先生は一頁《ページ》か二頁かちょっと見てこう云った。

「これは広島のＡＢＣＣへ送ったらどうでしょう。一病院の医者と、その医者の治療している一原爆病患者と、それから看護人と、この三者の取組が現れておるようですね。ここにも一人のこういう被害者を中心として、迷いのために大いにくたびれている人間の一組がある。被害者の一組がある。それがよく分ります。広島のABCCは、原爆被爆者の調査資料を保管して、ときたま原爆症患者の実態を発表しているところです」

重松はＡＢＣＣというものの存在を知らなかった。細川先生の話では、終戦の年の秋ごろアメリカ進駐軍の調査班が東京大学の医者と一緒に広島の焼跡へ来て、その任務遂行に当っているうちに発展して行って調査委員会が出来た。これが米国原子爆弾災害調査委員会、つまりＡＢＣＣと云うもので、原爆被害者を対象に遠大な理想をもって研究調査している施設である。しかしＡＢＣＣは被爆患者の発病経緯は調査するが、患者の治療をしてくれる施設ではないそうだ。

重松はそんな遠大な理想よりも、矢須子の病気のことが気になるので、

「とにかく先生、お忙しいところ恐縮でございますが」

と話を逸《そ》らし、さっき云いかけて止《よ》したことを云った。

「先生、お手空《す》きの時間がございましたら、その日記をお読みになっていただけませんでしょうか。それをお読み下さいましたら、先生におすがりしたい私の気持が分っていただけると思います。実は、その日記にありますように、私どものうちの者が原爆病に取りつかれまして」

「私に原爆病を……」

先生は苦い顔をした。

「私は痔の医者ですよ。あんたも知っていなさるように、いぼ痔、きれ痔、あな痔、さけ痔、かれこれの痔の医者ですよ。原爆病というものは、あれは病気の怪物じゃないのかね。私も義弟の原爆病では手を焼いたが、どう致しようもなかったな。しかし、この日記なら今晩じゅうにでも拝見します。じゃ、これは預かって置きますよ」

あっさり承知してくれたので、重松は近日中にお伺いしますと云って帰って来た。

細川先生に預けて来た日記は、矢須子が病院の梶田医師に往診を受ける最初の日から後七日間にわたるものである。シゲ子が擲《なぐ》り書きで書いているのを重松が罫用紙《けいようし》に浄書して、仮名づかいも文章も重松の好みのままに改めてある。

高丸矢須子病状日記

七月二十五日　雷雨　天神祭

午前十時半、激痛こみあげ、矢須子さんの苦しみよう痛ましかりき。十分あまりにて苦しみ治まる。三十八度の熱。少し脱毛。

午後二時頃、沛然《はいぜん》として降雨、大なる落雷二発三発。

午後三時半、雨はれて梶田先生御来診。三十九度の熱。お尻の腫れもの潰《つぶ》れ、別のところへまた一つ出来たとのこと。矢須子さんに遠慮して私は見ない。腫れものの手当がすんだ、もう宜しいとのことで、洗面器と熱湯と水を濡縁《ぬれえん》に置いて部屋に入る。先生が濡縁に立たれると、矢須子さんは顔をタオルで覆《おお》った。先生は「先刻の落雷には驚きましたな」と笑い、また矢須子さんの脈を見て「注射しましょう。ペニシリン十万単位」と独りごとを云って、慣れた手つきで注射。

先生を門口まで見送ると、「御病人、昨日に比べて体がだるそうですが、熱のせいでしょう」と云われる。

夕食は、鮠《はや》の煮びたし、卵、昆布、らっきょう、御飯一膳《ぜん》、トマト。さっき、三日置きに往診して下さることになったが、主人と相談し、矢須子さんとも相談し、毎日往診していただくように梶田先生の自宅へお願いに行く。承諾を得る。

病人、午後八時に就寝。

七月二十六日　晴　涼風

朝、三十八度の熱、さむけ。味噌汁《みそしる》、海苔《のり》、らっきょう、漬物、卵、御飯半膳。

昼、三十六度。食欲なく、代りにトマト、チシャ揉《も》み。

午後三時、梶田先生御来診。「念のため検便しましょう」と仰有《おつしや》って、しぶる矢須子さんに承諾させる。二番目の腫れもの潰れ、三番目の腫れもの出ているとのこと。手当を受ける。膏薬と粉薬を頂く。

夕飯、おつゆ、ちくわ、縞鰺《しまあじ》の干物《ひもの》、胡瓜《きゆうり》揉み、御飯二膳。

読書は矢田挿雲《そううん》の太閤記《たいこうき》。午後九時半ごろ就寝。

七月二十七日　晴　むくむくと夕立雲

朝、三十七度。気分よろしく、朝飯は茄子《なす》の味噌汁、いんげん豆、卵、御飯二膳。

久しぶりに笑う。

読書は昨日に引きつづき矢田挿雲の太閤記。

昼、三十七度。胡瓜漬、きんぴら牛蒡《ごぼう》、鮠の煮びたし、卵焼、御飯一膳。

古市の頃の朋輩《ほうばい》より来信、長文の返事をしたためて矢須子さん自身でポストに入れて来る。

三時ごろ梶田先生がお見えになるまで昼寝。

平熱の六度四分。十二指腸虫、蛔虫《かいちゆう》、共に検出されず、打診異常ありませんとのこと。腫れものの手当がすんで、帰りぎわ仰有ることに、

「今朝、石見《いわみ》の郷里から電話がありまして、親父《おやじ》が中気で倒れたと知らせがありましたので、明日の朝早く発《た》ちます。後のことは、森谷先生が引受けて下さるそうですから、どうか御心配なく」

ふくれ面《つら》にならないではいられない。前々から、森谷医師が梶田先生につらく当っていたという噂《うわさ》はあった。

「先生、まさか石見へ帰りっきりになさるんじゃございませんでしょうね」「いえ、そんなことありません、親父の中気は軽くてすんだそうですから。じゃ、御病人にお気をつけて下さい」「先生、何だか呆気《あっけ》ないような気がします」

折から主人が崖下《がけした》の養魚池から帰って来て、主人、私、ともども先生を坂の降口までお見送りする。先生はオートバイで見事に坂を降りて行かれた。

夕方、三十七度五分。掘りたてラッキョウの塩漬、チシャ揉み、鮠の煮びたし、コロッケ、御飯二膳、トマト。

夜、むしむしするので、矢須子さんも一緒にみんなケンポナシの根方に涼台を出して涼む。塩豆をつまみながら雑談。庄吉さんのところの八十九になる滝蔵爺《じい》さんが、明後日は土用の丑《うし》の日ですのでと云《い》って、鰻《うなぎ》を三尾、矢須子さんの見舞に持って来て涼台で四方山《よもやま》ばなし。滝蔵爺さんは病人に気をつかって病気のことには触れず、昔からの云い伝えや半分は嘘《うそ》のような話をする。もっともらしく話すので矢須子さんがよく笑う。爺さんは決して笑わない。それが可笑《おか》しさを倍にする。
○わしらが爺さんの若い時分、むかしむかしその昔、このケンポナシの下に涼台を出して宵涼みをしておったげな。そこへムジナが人間の食いこぼしを漁《あさ》りに来て、涼台の下から顔をのぞかしたげな。これでヤッコラひとむかし。
○わしらが爺さんの若い時分、むかしむかしその昔、小畠村は尾形の里に、尾形の与一という孝行息子がおったげな。近隣に聞えた孝行者で旅の者にも名を知られ、人を嚙《か》む蝮《まむし》でさえ与一に一もく置いたげな。蝮は旅行く者をよく嚙んだ。旅行く者が蝮を見て、わしは小畠村尾形の与一と申す、わしは小畠村尾形の与一と申す。これを三べん唱えると、蝮は鎌首《かまくび》伏せて、するするすると逃げたげな。めでたしめでたし。
○わしらが爺さんの若い時分、むかしむかしその昔、猟師が鹿《しか》を捕って戻りの道は、山犬 狼《おおかみ》が後をしたって送り狼でついて来た。猟師が後を振向けば狼がかぶりつく。それで隠し持った袋の塩をそこらに撒《ま》くと、猟師は事なく家に戻れたそうな。これでヤッコラひとむかし。

七月二十八日　快晴　お昼ごろ夕立　すぐ快晴
主人、起きぬけに梶田先生の御自宅へ薬料と餞別《せんべつ》を届けに行く。帰って来ての話に、梶田先生はもう小畠村に戻らぬ決心らしいとのこと。主人の青くなっている顔と、ふうふう云う鼻息で実際そうかと思われた。

病人、気分よろしく、熱三十七度。朝飯は、ずいきの味噌汁、ラッキョウ、卵、漬物、御飯二膳。

三番目の腫れもの潰れ、病人自身で膏薬を貼《は》る。

どの医者にかかるか三人で相談、三人三様で話が纏《まと》まらず。主人は思案に暮れて易断の本など出して来たが、ただ頁をぱらぱらめくるだけ。結局、病人自身に選ばすことにして、昼飯がすむと本人は気分もよく平熱だからと云って医者へ行く。送ろうとしたが、附添不要だと強く拒むので諦《あきら》める。

主人は崖下の養魚池へ行く。いそいそと出かけるのが羨《うらやま》しい。鯉《こい》のお産は最初に失敗し、二度目に補欠の雌雄で成功の由《よし》。

鰻を一尾だけ割いて白焼にする。その前に矢須子さんの蒲団《ふとん》を干す。

午後四時ごろ、雑貨屋の親爺《おやじ》さんが駈《か》けつけて来る。

「今、お宅のお嬢さんから電話がありました。お宅さんへ伝言してくれとのことでした。思いきって隣村の九一色《くいしき》病院へ入院したが、容態は大して悪くないから安心してくれとのことでした」「人違いじゃないでしょうか」「お宅の矢須子さんからです」寝耳に水で呆然《ぼうぜん》とする。気を取りなおして、生家へ宛《あ》て、誰か九一色病院へ直行してくれと打電。崖下の養魚池の主人へ連絡に行く。主人、そのまま九一色病院へ直行。

夕方、また雑貨屋の親爺さんが駈けつけて来る。「お宅の御主人から電話でした。矢須子さんのお父さんとも相談して、病人の云う通りこのまま入院させることにした。今晩、帰りが遅くなるかも知れんと伝えてくれとのことでした」「容態のことは」「それは伺っておりません。いや大丈夫でしょう」今朝がた虫が知らせたのか怪しく胸騒ぎしたことに思い当る。

七月二十九日　晴

昨晩は遅く主人が帰って来た。九一色病院での診断は、梶田先生の診断と少し違い、発熱は腫《は》れものの炎症によるものとのこと。腫れものは一種だけの菌でなく、雑菌との混合感染によるものらしいとのこと。要するに九一色病院の先生は、軽い原爆病の外に余病があると診断して、ツベルクリンの注射を打った由。

今朝、九一色病院へ行きがけに雑貨屋へお礼に寄ると、昨日のお昼すぎに矢須子さんが黒田病院から出て来るのを見かけたと親爺さんが云う。すると店に来ていた吉村屋の小母《おば》はんが、「そう云えば、あたしも見ましたけんな。黄色いパラソルでしょうが。大村医院に入って行かはるところを見ましたけんな」と云う。黄色いパラソルの娘なら、この村では矢須子さんより他《ほか》にない。吉村屋の小母さんは二時半ごろパラソルを見たと云い、雑貨屋の親爺さんは一時ごろ見たと云う。はじめに黒田医院で診察を受け、次に大村医院で診察を受け、それから九一色病院へという順らしい。病気が病人を迷わせると云う俚諺《りげん》は嘘ではない。ぐらりぐらり右に左によろめきながら、時々刻々に思い惑い思いわずらっている。本当に藁《わら》へもすがりたい思い。

九一色病院の病室は狭苦しいが、木造モルタルで西洋風の恰好《かっこう》だから室内が明るくて風通しが良い。寝台がカーテンで半分かくされている。寝台に横になっていた矢須子さんは、見るなりほろりとして、「勝手なことしてすみません」と枕《まくら》に顔を埋めた。そのことには話を触れないで、持って行った鰻の白焼のことから、聞きかじりの鯉の養魚法について話をする。暖簾《のれん》に腕押しのようで、さっぱり矢須子さんは元気がない。

十時半ごろ院長先生の回診。ツベルクリン陰性、熱三十八度。腫れものの手当がすむまで外に出る。暫時《ざんじ》のあいだ泉水の鯉を見て引返す。廊下で九一色先生に逢《あ》ったので立ち話をする。

先生の話。

昨晩、真夜中ごろ看護婦が病室の見廻りをしていると、矢須子さんが床板に膝《ひざ》をつき、啜《すす》り泣きをしながらベッドに凭《もた》れていた。事情を聞くと、腫れものの出来ているところが痒《かゆ》くて痒くて苦しいと訴える。寝間着の裾《すそ》をめくってもらって、看護婦が懐中電気を近づけると蟯虫《ぎようちゆう》がうようよいる。この虫は体内に寄生する小さな虫で、夜になると肛門《こうもん》から這《は》い出てそこらに卵を産みつける。腫れものの腐敗している組織部分に卵を産んでいる公算がある。いずれにしても、その悪い組織の一部を取って顕微鏡で調べた上、すっかり取除く外科手術に取りかかりたい。さきほど見ると、もう一つ腫れものが肛門のすぐ脇《わき》に発生しつつある。

「それでは、悪い組織を取除くと致しますと、あとはどうなりますでしょう」「次第に肉が盛りあがります」「引攣《ひつつり》が残りますでしょう。幾ら何でも、それでしたら」「それは幾分かその傾向として、そういうことになりますでしょう」

先生は年齢五十歳ぐらい。

矢須子さんは疲れているようだし、昼飯を知らせるベルが鳴ったので、それを汐《しお》に帰ることにする。

廊下ですれ違いに見た食膳は、縞鯵の干物、いんげん豆の胡麻和《ごまあえ》、卵、漬物、塗りのお櫃《ひつ》。

七月三十日　晴

午後、主人が九一色病院へ出かけて行く。

帰って来ての話では、三十七度の熱。昨晩、激痛があった由。今日はダイアジンを正午に一錠呑《の》んで、四時間半置きに一錠ずつ呑むとのこと。見舞に持って行った桃を四つ切りにして食べさすと、前歯で齧《かじ》らず横っちょで齧ろうとする。聞けば、前歯が二本とも頼りなくなりかけて、舌先で捏《こ》ねまわしても動いているような気がするとのこと。

「食欲がないそうです」と主人が先生に云うと、食欲のことはともかくも今は腫れものを撲滅《ぼくめつ》するのが緊急事だから、ダイアジンだけは時間を正確に呑ますようにしてくれと云われたとのこと。腫れものが次から次に出来ては潰れ、出来ては潰れしているらしい。どんなことになっているのかしら。「どう云ったらよいのかしら、こんなの」と云うと、主人が「そうだな、ともかく満身創痍《そうい》じゃけんな。歯はぐらつくし、尻は痛いし、熱は出るし、激痛が一日に一度は来ると云うし」と云った。今日はお昼すぎに突風が起った。水車の小母はんが、通りすがりだったからとのことで風見舞に来て、原爆病の話から湯田村の細川先生のところの話をした。先生の弟さんで博士の医者が広島の陸軍病院で被爆して、火傷《やけど》で頬や耳朶《みみたぶ》が崩れたところへ蛆《うじ》が湧《わ》き、右の耳朶を蛆に食われてしまったそうな。手も火傷で崩れて、指がくっついて一枚の手の平のようになった。身は骨と皮ばかりに痩《や》せて、蒲団を三枚も四枚も敷いて寝ていても、畳の固さが骨にこたえて痛くてならなかったそうな。一度、息が絶えて死人になっていた。ところが細川先生が看護して見事丈夫にしたそうな。

小母はんと入れ代りに、矢須子さんのお父さん来訪。病人の医療費いっさいは、あの子の分前ぶんのうちから出したいと云った。主人はむっとしたような顔をしながらも、何も云えずに腕組して下を向いた。辟易《へきえき》したという言葉が当っている。

17

看護疲れのため シゲ子が立ちくらみするようになったので、入院中の矢須子には附添婦を附けて、重松が奇数の日に病院へ見舞に行くことにした。偶数の日には、矢須子の実父の高丸が見舞に出かけていた。シゲ子は心臓の障害を来たしている。

八月中旬になると、高原にしては珍しく酷暑の日が続き、矢須子の容態は素人目《しろうとめ》にも殆《ほとん》ど絶望的になって来た。耳鳴りがすると云《い》うし、食慾《しょくよく》もなく、頭の毛を梳《す》くと可なりの脱毛が認められ、歯茎の発赤腫脹《しゅちょう》が顕著になった。院長の九一色先生は歯齦炎《しぎんえん》らしいと診断して、マントウ氏反応を試みたり血液を採ったりして、ダイアジンを一日ぶんくれた。

これは入院二日目に貰《もら》ったのと同じ錠剤で、四時間半置きに一錠ずつ呑《の》むのである。

「この薬、また飲まなきゃいけないのかしら」と矢須子がためらったので、「飲まねばいかん」と重松が云った。

附添婦の話では、病人は一日に一回必ず激痛に襲われて、このときばかりは苦しくてたまらなくなるらしい。七転八倒の苦しみをする。からだ全体が疼痛《とうつう》の塊のようになるのである。主に夜ふけてこの発作が起るそうだ。

病人は痛々しく痩《や》せ細り、かさかさの唇は皮膚と同じく蒼白《そうはく》で爪《つめ》は土色である。

「口をあけてごらん」

と云ってあけさせると、門歯はいつの間にか欠けて無くなっているが根は残っている。数日前までは、ぐらぐらと根ごと揺れていたにもかかわらず、中途からぽろりと折れたらしい。腫れた歯茎からは絶えず血が滲《にじ》み出て、硼酸《ほうさん》で含嗽《うがい》したぐらいでは血がとまらない。口をつぐんで暫《しばら》くすると、唇の合せ目に赤い糸のような細い筋が浮いてくる。

お尻《しり》にまた新しい腫物《はれもの》が二つ殖《ふ》え、それが隣合って瓢《ひさご》型にはびこりかけている。今までの六つの古い腫物はみんな切開手術され、しかし創口《きずぐち》が治癒《ちゆ》しないで肉が盛りあがって水瓜《すいか》が破れたようになっている。その周囲の皮膚は青黒く腐色を帯びている。重松はそれを見たわけではなかったが、帰りに看護婦が階段の下までついて来てそう云った。

悲観的な話ばかりである。院長先生に会って訊《たず》ねても潔《いさぎよ》い返辞をしなかった。

「血沈がよくないですな。どうも血液に難色がありまして、為体《えたい》の知れない影像が多いし、赤血球も半分以下ですからね」

匙《さじ》を投げたと云わんばかりである。

為体の知れない影像は、もしかすると異型の白血球かもしれないが、白血球だとすれば数が非常に多すぎると先生は云った。重松はこんな恐怖感をそそるような医学上の熟語はもう聞きたくなかった。ますます矢須子に対して負目を感じるばかりである。矢須子が原爆病にかかったのは、黒い雨に打たれたためばかりでなく、まだ熱気のある焼跡の灰のなかを歩きまわったためもあるだろう。相生橋《あいおいばし》から左官町に出る途中、匍匐《ほふく》前進するとき矢須子は左の肘《ひじ》を擦りむいた。その傷も死の灰の作用を受けなかったとは思われない。今さら云っても仕様がないが、宇品《うじな》の日本通運支店から強引に古市の工場へ辿《たど》って行ったのが拙《まず》かった。もし重松が支店長の杉村さんに頼んだら、矢須子を二日や三日は泊めてくれた筈《はず》である。その点、重松は責任を感じている。もともと矢須子を広島へ呼んだのは重松である。

湯田村の細川医院から手紙と共に別封の書類が来た。

前文御免を蒙《こうむ》り申上げ候《そうろう》。先日御来訪の節は干鮎《ほしあゆ》の御土産を忝《かたじけな》く頂戴《ちょうだい》仕《つかまつ》り候。その節仰《おお》せの件につき、熟考の末にて左記の如《ごと》く申述ぶべく候。しかしながら老生の義弟、健康回復せしは僥倖《ぎょうこう》中の僥倖にて、老生はリンゲルと輸血を試みし他は手を束《つか》ね、何の為《な》すところなく罷《まか》り在りたるものに御座候。その点を御納得のほど願いたく、御参考のため嘗《かつ》て義弟の草せし手記を取寄せて別送仕り候。これ一つには、老生も医師として治療拒否の挙に出るとの誤解を招かざるよう致し度《た》き意味も有之《これあり》、また一つには患者にとりて旺盛《おうせい》なる闘病精神は如何《いか》に肝要なるものかを御認識願い度き意味も有之り候。また一つには偶然の結果として、重症患者にも奇蹟《きせき》的な恢復《かいふく》無きにしも非《あら》ざることを附言致し度き意味も有之り候。

手記は御一読の上にて御返却を賜り度く候。尚《なお》、御病人の御安泰を衷心より祈上げ候。

再拝

細川生

閑間重松殿

手記は「広島被爆軍医予備員・岩竹博の手記」という題がつけられていた。たぶん細川院長は重松の無理な要求を持てあまし、わざわざ東京の岩竹さんに電話してこの手記を取寄せてくれたのだろう。

重松はそれをシゲ子の枕元《まくらもと》で読みながら「奇蹟だな」と何度も云った。「矢須子さんに読ませなくっちゃ」とシゲ子も何度か云った。水車の小母《おば》はんが云っていたように、岩竹さんは重松などより以上に手酷《てひど》く被爆して、骸骨《がいこつ》のように痩せ細り、手の指がくっついて、耳朶《みみたぶ》を蛆《うじ》に食われて無くなしていたにもかかわらず息を吹き返した。

手の指も整形手術で常人と変らない恰好《かっこう》になっている。今では東京の向島《むこうじま》須崎町というところで開業医をしているそうだ。

手記は次のような書きだしになっている。

「昭和二十年七月一日をもって広島第二部隊入営の赤紙召集を受け、匆々《そうそう》にして身辺の整理をつけ東京より西下。名古屋も大阪も大きく戦災を受けていた。岡山では折から小雨が降りだして、昨夜の空襲で駅がまだ燃えているなかを通過した。半裸体で座蒲団《ざぶとん》を頭に被《かぶ》り、線路のわきを歩いて行く避難民がいた。

福山で下車。湯田村に疎開させている妻子に会い、入隊の服装に改める。先《ま》ず床屋で鼻髭《はなひげ》を落し頭を丸坊主《ぼうず》にして、戦闘帽に巻ゲートルをはき、奉公袋をさげて妻や義兄に見送られ、福塩線の汽車に乗る。今度の召集は、年齢四十五歳までが限度だと云われるが、自分は四十五歳ぎりぎりで召集を受けた丙種合格の新兵である。戦死のときの用意の写真は撮る気になれなかった。

広島の親戚《しんせき》に一泊。一日朝八時、生れて初めて兵営の門をくぐる。総員五十数名、営内診断所の前庭に集合。広島県と岡山県の出身者ばかりである。山口県関係は山口連隊に、島根県地区の医者は浜田連隊に入営したそうだ。一同、最初は軍医予備員教習所でなくて歩兵部隊に預けられるとのこと。灼熱《しゃくねつ》の太陽のもと、前庭で一時間あまり待たされて、診察室の隣の二十畳敷ぐらいな板の間に坐《すわ》らされた。やがて第一陸軍病院長の鷲尾《わしお》軍医中佐という六尺ゆたかな巨大漢が、二人の軍医を従えて入場着席。一応点呼のあと、劈頭《へきとう》ものすごい訓辞を受けた。

俺は鷲尾中佐である。貴様たちは国家存亡を賭《か》けたこの一戦に、今日まで従軍志願を積極的になさなかったのは何ごとであるか。国賊にひとしい奴《やつ》どもである。その意味をもって今回その筋の命令により、懲罰召集として一網打尽に動員を行った。今日只今《ただいま》より貴様たちの命は俺が預かった。貴様たちは社会的に今日まで可なり優遇され、相当の地位についていたかもしれん。しかし軍隊では貴様たちの知識は全然通用しない。貴様たちの頭の中は馬糞《ばふん》同様で軍人精神は蚤《のみ》の糞ほどもない。今後は専《もっぱ》ら軍人精神充実に重点を置いて鍛えるから左様心得ろ。

次に、各自一人ずつ中佐の前に出て行って、姓名と前歴を申告し、なぜ今まで軍医予備員に志願しなかったかという詰問《きつもん》を受けた。自分は第一師団と広島連隊区に昨年一月送附済の一件書類を奉公袋から取出して、この通り志願完了していて未志願でないことを具申した。それで訊問《じんもん》は尻きれとんぼに終った。しかし自分より先に訊問を受けた人たちも、あとに続く人たちもすべて志願書を出している。去年も一昨年も召集を受け、体質的欠陥のため即日帰郷となっている連中が多かった。なるほど体格検査が始まると、集っている連中のうち、羨《うらやま》しいと思われるような体格の者は殆どいなかった。脊椎《せきつい》カリエスのためコルセット持参の者、頸腺炎《けいせんえん》で繃帯《ほうたい》した者、肋骨《ろっこつ》カリエスの瘻孔《ろうこう》のあとのある者、学生時代に運動会で足を折って膝《ひざ》が半分しか曲らなくなっている者もいた。新任の院長鷲尾中佐には、それについて横の連絡がなかったのだ。過去の提出調査書が紛失したのかも分らない。中佐の先刻までの鼻息は一人相撲の形になって、ちょっと恰好がつかなくなって来たと見えたとき、広島市出身の一医師がせせら笑って大きな欠伸《あくび》をした。院長はつかつかとやって来て、この医師に平手をくらわした。よろめくところを、また三発四発くらわした。世に云う往復ビンタであった。この殺伐な行為で先々のことが思いやられて暗い気持になった。

レントゲン透視と喀痰《かくたん》検査の結果、即日帰郷となった者も何人かいた。病院の医師欠乏という理由から帰郷させられる者もいた。奉公袋をさげて殊勝げな顔つきで、嬉《うれ》しさを噛《か》み殺して帰って行く人が羨しかった」

こういう順序で岩竹さんたちは歩兵部隊に預けられ、十五日間、歩兵としての基礎訓練を受けた。その主なる目的は、本土決戦に於《お》ける敵戦車部隊に対して爆弾を抱いて飛込むという戦術習得にあったようだ。木造模型戦車に向って突進し、綱のついた爆弾型の角材を投げつけて、素早く伏せる練習を毎日幾十回となく繰返した。後日、教習所附になってから分ったが、この懲罰召集部隊は海辺防備隊に配置され、一人一殺で敵戦車一台を屠《ほふ》れば任務完了という計画であったそうだ。

七月十四日、歩兵部隊から第二陸軍病院教習所に転属の命令が出て、太田川のほとりにある二階建の兵舎に移った。そのときには、もう山口班と浜田班の召集組約八十名あまりが到着して、合せて百三十名あまりになった。教育係の吉原少尉《しょうい》は若冠二十三歳で、平壌《へいじょう》医専を繰上卒業した短期軍医である。この教育係の訓辞は、内容的に云って鷲尾軍医中佐のそれを更に凌《しの》ぐものがあった。

「ここは鬼兵舎と云われる有名な兵舎である。お前たちは今からこの兵舎に入るに当り、覚悟を更新する必要がある。甘くしたのでは貴様たちはつけあがって始末が悪い。上司の命令によって、びしびし鍛えるからそう思え。第一、貴様たちは（以下、九十一字伏）」

こんなのは訓辞をする側では「気合を入れる」と云うが、訓辞される方では暗澹《あんたん》たる気持にさせられる。

この訓辞のあと、三人ずつ隊長室に呼ばれて家庭の事情や家計の状況などの記録をとられた。危険地域に割当てる参考資料にするためだろう。

その翌日から果して猛訓練が始まった。「軍隊と云うよりも監獄部屋に等しいものであった」と岩竹さんは書いている。「朝は非常呼集というやつを面白半分に度々やらされた。薄明の朝靄《あさもや》をついて三粁《キロ》も四粁もの駈足《かけあし》だ。護国神社を通り抜けて相生橋を渡り、本願寺別院の裏を北にまわり、御幸橋《みゆきばし》を経て饒津《にぎつ》神社に出て帰隊するコースでは大半落伍《らくご》した。微熱患者、下痢患者も数を増し、入室患者も出た」と書いている。「軍服がほんとうに搾《しぼ》るほど汗に濡《ぬ》れたのは、匍匐前進の訓練のときであった。腰が高いと靴で臀《しり》を踏まれ、銃口が低いと指揮刀で肩をつつかれる。両肘は擦り剝《む》けて血がにじむ。徳山市で産婦人科を開業していた中村予備員は体重二十三貫もあって、太鼓腹で心臓肥大のため、昨年、即日帰郷になった中年の医者である。（今年は入隊したが）彼には両手に銃を捧《ささ》げての匍匐前進は無理であった。遅れて踠《もが》いている彼の臀を吉原軍医は幾度か蹴《け》った。中村予備員は口惜《くや》し涙を流して、自殺してやろうかとさえ思ったと憤慨していた」手のつけられない無頼漢になった倅《せがれ》に蹴られているようなものである。「倅におどかされた親爺《おやじ》のように、その顔には当惑と失望の色が隠せなかった」と岩竹さんは書いている。

八月六日、朝六時半ごろ空襲警報が出て、Ｂ29二機か三機が一弾も落さず南に去った。こんなのは今までにたびたび経験したことで珍しくなかった。七時すぎに警報解除となって、警戒警報中の七時五十分、病院長以下、軍医、衛生兵、予備員など、全員が営庭に整列して東方を遥拝《ようはい》し、勅諭発布記念日として奉読式が行われた。最前列に上級軍医と衛生兵、次に山口・島根両県下から召集された第一装の軍医予備員が整列し、最後部に服装の悪い広島地区応召の軍医予備員が並んでいた。広島地区の者は入営時に軍の連絡が十分とれていなかったので、星もなければ何もない作業服のような服装をしたままであった。

式が終ると、次に副官が訓辞を始めたが、そこへＢ29が爆弾を落した。岩竹さんはこのときの印象を次のように書いている。

「式は約二十分にして完了。解散する前に、防空体制の動作が機敏を欠くという事で、副官より散々文句を云われていた最中である。聞きなれたＢ29一機の爆音が聞えた。南から来て真上に来たなと、思わず空を見上げた途端、繋留《けいりゅう》気球のようなものが、ふわりと落ちて来るのを兵舎の屋根越しに認めた。次の瞬間、稲妻のような白い光、或《ある》いは大量のマグネシウムを一時に燃やしたような閃光《せんこう》を感じ、体中に強烈な灼熱感《しやくねつかん》を覚えた。同時に、物凄《ものすご》い地響きを聞いたまでは覚えている。その後どんなになったか、どのくらい時間が経過したかは分らない。或いは爆風で薙《な》ぎ倒され、気絶したのが真実であったかも分らない。生気を取戻したのは、軍靴で私の首と肩を踏台にして誰かが動きだしたためである。

私は真暗なところで窮屈な材木の下敷きになっていた。身動きの出来ない僅《わず》かな空間にあって、漸次、精神状態が正気づくにつれ薄明るい光線を見出《みいだ》して、その方向へ渾身《こんしん》の力をふるっていざり出した。それは瓦《かわら》のない屋根の下であった。かなり長時間を要したような気持がする。やがて地面の上に立つことが出来た。

今考えると、その地点は庶務室と炊事場の境に近いところであった。這出《はいだ》した距離を考えても可なり吹き飛ばされていたようである。病舎や教育隊の二階建は既に聳《そび》えていない。落花狼藉《ろうぜき》、ぺしゃんことという言葉が最適の表現である。人影もなくて静寂、あたりは夕闇《ゆうやみ》が迫ったように暗く、炊事場や病舎の方からは早くも黒煙が上っていた。

私の軍服も右半分は煙を出しながら燻《くすぶ》り、右の懐中にあった財布も、左腕のロンジンも眼鏡も失われていた。漸《よう》くにして軍服の火を揉《も》み消した。右手背は皮膚が灰白色にぺろりと剝《は》げて、赤肌に黒い土が一面についていた。顔全体も灼熱感が強く、左手背と指は剝げてはいないが焼鏝《やきごて》をあてたように白くなっている。腰から下は歩いても痛くはない。材木で打ったのか背中が馬鹿《ばか》に痛い。仕方がないので洗面所に辿《たど》りついて水道栓をひねってみた。水が出るではないか。洗面所の柱はそのまま立っていた。先《ま》ず手背の土を洗い落し、誰かが物干場に忘れている褌《ふんどし》で手を巻いた。強度の近視の私には、薄暗くて遠方ははっきり見えなかった。誰もいなかった。みんな避難して私だけが取残されたのだろうか。洗面所の位置から方角を見定めて、太田川の岸に辿りつくことが出来た。二三人の顔見知りの兵がいた。半裸で転んでいる人もいた。

空襲警報で兵営の倉庫から持出した毛布を野積にしてあったので、勝手にそれを一枚とってぐったり坐りこんだ。緊張が一時にほぐれ、気抜けがして呆然《ぼうぜん》となった。人数は五六人になったが、この出来事に対して適切な判断を下す人がいなかった。狐《きつね》につままれたようなものだ。凄い破壊力である。私は兵舎が至近弾にやられたものと判断したが、気が落着くにつれて対岸の家並も無くなっていることに気がついた。

三滝橋の方角と、向岸の本願寺別院のあたりから、赤い焔《ほのお》が見えて火災が起きていた。爆弾と焼夷弾《しょういだん》が同時に落ちたにしては、空襲警報発令中のことでもなかったし不思議でならぬ。予備員の同僚も三四人どこからともなく集って来た。三好君も来た。伊藤君も来た。最後列の方に並んでいたものばかりである。みんな口もきけそうにない。前列にいた人たちのうちには、家の下敷になって出られない者もたくさんいるに違いない。いかんせん負傷した体で、しかも素手で、すでに火を噴いている倒潰《とうかい》家屋の下から救助することは不可能である。誰云うともなく、ここは危険だからというので三滝分院に避難することになった。私も決心した。東京で三月九日の夜、浅草、本所、向島などの江東地区がやられたとき、一面火の海となって隅田川に浮かんで焼死している人の姿をたくさん見た。そのことを思い出した。火焔《かえん》は河面を舐《な》めるのだ。

私たちは上流に向って移動を開始した。道路という道路は倒潰家屋で完全に閉鎖されていたので、暫《しばら》くの間は川端の踏みならし道を歩いて行った。幾度となく穴のようなところに足を奪われて、遂《つい》に片方の靴を取られた。探してみたが見つからない。伊藤君は早くついて来いと云う。茨《いばら》の茂みから人の喚《わめ》き声が聞えて来るような気がするが、夢のなかで逃げているようなもので救助の方法がない。火は迫って来る。顔が次第に腫《は》れて来て疼痛《とうつう》が増して来た。歩みはなかなか捗《はかど》らない。この惨状を目のあたりにして、人ひとり救い出せない医師としての自責の念に駆られながらも、逃げることで精いっぱいだった。

何時ごろだったか分らないが、ここまで辿りつくのに饒津神社の前を通り川岸まで出るのに二時間ぐらいはかかったようだ。このとき曇った空から薄日がもれはじめた。後で分ったことだが、茸《きのこ》状の暗雲が漸く消えかけたころではなかったかと思う」

岩竹さんのいた兵営は爆心地に近いところにあった関係で、たまたま茸雲を真下から見る位置をとりながら逃げていたのではなかったろうか。だから「曇った空」と簡単に書いているのだろう。それにしても大火傷《やけど》をした身で逃げきって、よくも命びろいをしたものだ。隊員百三十何名のうち、生き残った三人のなかの一人である。

岩竹さんの手記によると、二人の同僚と一緒に饒津神社の横手に出ると、「重砲隊の近くは爆発のおそれがあるから通行止だ。川を越えて中の洲《す》へ渡れ」と人から教えられ、毛布を頭に載せて胸のあたりまで水に浸りながら中の洲に着いた。そのとき三滝の方には、湧《わ》きあがる黒煙のなかに火焔がちらちら見えていた。三滝も駄目だと云うので、気を取りなおして上流の川岸に上った。もう空腹も苦痛も感じない。ただ、ゆっくり横になる場所が欲しかった。

幾台もの軍用トラックが忙しげに広島方面に向っていた。その一台のトラックの運転兵が、へたばっている岩竹さんたちを見て、

「おい、兵隊か。この山の北側に戸坂《へさか》というところがある。収容所の準備をしているから、元気を出せ。医療品もどっさりあるそうだ。すぐこの山の北側だ」と呶鳴《どな》って通りすぎた。

「戸坂、戸坂」と三人は口々に云《い》って、北に向けて歩いて行った。岩竹さんは片方の足が跣《はだし》だから、跛《びっこ》をひきながら同僚の後からついて行った。すぐ山の向うと教えられたが、ずいぶん遠いと思われた。約三里あったのだ。この道中は、負傷者の死にもの狂いの行列で、身の毛がよだつほどの光景であった。

戸坂では国民学校が収容所に当てられて、別に救護所というようなものはなかった。平屋の校舎が二棟あるだけで、狭い運動場に天幕の仮収容所が二張りあった。校舎にも天幕にもたくさんの負傷者が詰めかけて、もう日が暮れかけているのに長蛇《ちょうだ》の列をつくって順番を待っていた。廊下には、倒れたきりで呻《うめ》き声を出している者もあり、せっかくここまで来ながら息絶えて布ぎれを顔に被《かぶ》せられているのもある。子供の名を呼んだり母親を呼んだりしているのもある。しかも治療と云っては、マーキュロクロームを塗る役と、チンク油の代用にメリケン粉を油で溶かしたのを塗る役の者がい

るだけで、繃帯材料もなければ注射もない様子である。

岩竹さんの顔はますます腫脹《しゆちよう》が増して、水瓜《すいか》のように丸々となったので、瞼《まぶた》が殆《ほとん》ど閉じたきりと同じになっていた。同僚の三好さんは頬に大きな水疱《すいほう》を作り、手の皮を剝ぎとられていた。伊藤さんは頬に火傷をした上に、打撲傷による瘤《こぶ》を額にこしらえていた。三好さんは医学博士で産婦人科の専門医であり、幼い長女の写真を常に胸にしのばせている。伊藤さんは三次《みよし》町の開業医だが薬学にも精《くわ》しい人である。

岩竹さんたち三人はマーキュロクロームを塗ってもらい、廊下の入口に隙間《すきま》を見つけたので持参の毛布にくるまって夜を明かした。亢奮《こうふん》していたせいか、朝食をとっただけの飲まず食わずでも空腹を感じなかった。喉《のど》が渇いて水がほしかったが伝染病を怖《おそ》れて我慢した。三人ともあまり口をきかなかった。口をきく気力もなくなっていた。

翌七日、軍人と一般人を区別して教室の方に軍人を収容した。岩竹さんの顔は極度に腫れて倍くらいな大きさになり、瞼を指でこじ明けなければ目が見えなくなったので、担架に乗せられて東の端の重症患者の教室に運ばれた。半ば焼けこげていた軍服は、丸めて三好さんの枕《まくら》にしてやったまま別室に運ばれた。だからポケットに入れて置いた手帳と名刺入と煙草《たばこ》ケースが行方不明になった。このときが三好さんとの今生の別れであった。伊藤さんと別々になったのもこのときである。（しかし伊藤さんは、

間もなく夫人の手厚い看護で一命を助かって、今日も健在で三次市に開業されているそうだ——後日記）

岩竹さんはこの日の自分の病状を次のように書きとめている。

「私の移された教室には、軍医予備員は一人もいなくて一般兵科の若い重症者ばかり集められていた。咽《のど》が乾いてやりきれなかった。体じゅうの骨が、ばらばらになるような気がした。激しい悪寒《おかん》がして熱が出た。三十九度以上あったろう。瞼が腫れ上ったため、寝ているほかに仕方がない。八月七日、稀粥《きしゆく》一杯を支給された。排尿は二日間に一回あっただけ。

水を飲んではいけないと禁じられていたが、遂に堪《こら》えられなくなって、片眼を指で開きながら、こっそり掘抜井戸まで辿《たど》りついて飲んだ。鉄気《かなけ》くさい水だが蘇生《そせい》したように元気が出た。校庭の天幕は六張りに殖《ふ》えていたが患者はまだ溢《あふ》れていた。屍体《したい》は運動場の端の方にかためて並べてあった。

夜になると患者の唸《うな》る声が更にひどくなった。教室の窓からやにわに飛出して水田の中を歩く脳症患者もいた。一夜のうちに約三分の一近くの者が静かになった。冷たくなった屍《しかばね》は一体ずつ担架でこっそり運ばれて行く。私は火傷範囲からして絶対に死なないと自分を元気づけた。しかしながら、どう考えてもこんな大勢の負傷者が一時に出た原因が分らなかった。負傷者の姓名、階級、所属部隊、本籍地を、看護婦が調査して名簿を作って行った。私は家族宛《あて》に戸坂収容所にいることの連絡を依頼したが、やってはくれなかった。軍医らしき者は誰も診察に来なかった」

18

八月八日の朝、突然に発表があった。患者の員数が多すぎるため、この仮収容所では手が届きかねるによって、備後《びんご》の北部にある庄原《しょうばら》の陸軍病院分院に一部患者を転送する。ついては、自己の体力において汽車に乗り得る自信のある者は申し出るように。そういう内容であった。

事実、運ばれて来る被爆者の数は、死んで行く人よりも遥《はる》かに多かった。屍体を片づけると、すぐまた怪我人《けがにん》が運ばれて来る。教室のなかも校庭の天幕のなかも患者がいっぱいで、近所の農家までも納屋《なや》や木小屋のなかが満員になって、庭先にまで被爆者が臥《ね》ているということであった。広島市を中心とする周辺の市町村の国民学校は、戸坂《へさか》国民学校と同じく緊急収容所に当てられて、どこも超満員になっていたらしい。

だから遠隔の地に広く散らす必要があるわけだ。さもなければ医者が足りないし、患者の何割かを野ざらしにして置かなければならないことになる。

「おい、緊急発表だ。みんな聞いておるか。いま云《い》ったように、庄原の収容所へ行きたい者は申し出ろ。各自の体力において、庄原まで汽車に乗れる自信のある者は、手を挙げろ。戸坂から庄原まで、汽車で三時間だ」

衛生兵の声で繰返してそう云うのが聞えると、

「庄原へ行きたい人、ありませんか。汽車に乗れる自信のある人、手を挙げて下さい。戸坂から庄原まで、汽車で三時間です」

と国防婦人会の女の声が聞えた。

岩竹さんは庄原行と聞いて、仰向けに臥たまま目蓋《まぶた》を指の先で明けて天井を見た。はっきりと板の木目を見ることが出来た。これなら戸坂の駅まで歩いて行けそうな気持がした。それで目を閉じ、元気を出して手を差しあげた。腕に力が入らなくて、手首から先がだらんとなった。

患者たちの気持は動揺しているようであった。

「わしゃ行きたいが行けん。罪なこと聞かせてくれる」と云うものがいた。それはどんな風に負傷している人か、どんな人間か分らなかった。

「行きたいやつは、行け行け」と捨鉢のように口走るものがいた。それも誰だか分らない。

「庄原へ行くぞ」と叫ぶものがいた。

岩竹さんは庄原へ辿りつくまで生きていたいと思った。仮に最悪のことになったとしても、汽車のなかで息を引きとりたくないものだと思った。なぜかと云うに、庄原は岩竹さんの生れ故郷である。しかも庄原にある広島第一陸軍病院分院の院長は、岩竹さんの郷里の先輩であると同時に大学時代の先輩で、軍医として召集されている藤高茂明博士である。謹直だが気の置けない医者である。藤高さんならチンク・オイルぐらいは塗ってくれるだろう。渡りに船とはこのことではないか。この偶然の好機を逃がしてなるものかと、両手を挙げたい気持であった。しかし岩竹さんは、挙げている右手がだるくなったので左手に替えた。

「よし、もう手を下ろしてよろし。確認票を交附する」

傍でそういう声がしたので、手を下ろして目蓋をこじ明けて見ると、衛生兵伍長《ごちょう》が岩竹さんの軍袴《ぐんこ》の紐《ひも》に荷札をつけた。半ば身を起して見ると、墨汁で「庄原行」と書いてある。

「いつ出発ですか」と衛生兵に訊《たず》ねると、

「員数を確認した後だ。間もなく校庭に集合だ」と云った。

やがて昼食になって、団子汁のような粥《かゆ》のようなものが出たが、岩竹さんは食慾《しょくよく》がないのでお茶だけ飲んだ。発熱のためだと思われた。

午後三時に集合の命令が出て、臭気鼻をつく屍体《したい》を積重ねた校庭に集合し、戸坂駅に通ずる田圃道《たんぼみち》を無慮六百人ばかり一列になって歩いて行った。岩竹さんは目蓋を左右交互に指先で明けながら歩いた。まともな恰好《かっこう》をしているものは一人もいなかった。たどたどしい足どりの化物行列のようなものである。

駅の手前の坂道を行く途中、咽《のど》が乾涸《ひから》びて苦しいので、道の右手の農家の土間口にいた婆《ばあ》さんに「すみません、水を飲まして下さい」と声をかけた。婆さんは岩竹さんの腫《は》れた顔や爛《ただ》れた唇に厭《いや》な顔ひとつせず、「労《いたわ》しや、咽が乾くでがんしょう。そうでがんしょ、そうでがんしょ」と独りで頷《うなず》いて、土間に入って行ってお盆に大きな湯呑《ゆのみ》を載せて持って来た。水ではなくて冷たい渋茶であった。

戸坂駅で汽車に乗ってから後のことは、岩竹さんの「広島被爆軍医予備員の手記」から引用する。

「私は特別輸送列車の最後尾の車輛《しゃりょう》に辛うじて席を得た。中学時代に幾度か往復したことのある郷里に通じる芸備鉄道の汽車である。その汽笛を聞いて、このなつかしい音を聞いたから生きられるぞと元気を出した。一昨日来の睡眠不足と亢奮《こうふん》と不安から、漸《ようや》く脱却できそうだという感慨が湧《わ》くだけに、三時間という所要時間は余りにも長く汽車は余りにものろく感じられた。体は発熱のため焼けるように熱い。ともすれば張りつめた気持も跡切《とぎ》れがちで、すっと奈落へ落ちて行くような心地になる。頭が朦朧《もうろう》となって来る。駅に停《と》まるごとに汽車が大きくがたんと揺れて、しっかりしろと鞭撻《べんたつ》してくれる。どの駅でも国防婦人会の襷《たすき》をかけたお婆さんや中婆さんたちが、お茶や梅干などを接待してくれた。私は唇も口腔《こうこう》内もすっかり腫れていたが梅干は美味《おい》しかった。『お気の毒になあ』『御難儀でしょうなあ』『かわいそうになあ』と、いろいろ慰めの言葉を聞かしてくれた。なかには涙を流している中婆さんや若い女もいた。我が子、我が夫を、戦地へ送っているに違いない。わっとばかりに泣き崩れる婆さんもいた。私は入営してこのかた初めてこんな子女落涙の情景に接し、かつて三十年前に中学校で教わった李白《りはく》の『長安一片ノ月』という詩を思い出した。今にして、あれは単に風俗描写するだけの詩でなくて、胸の塞《ふさ》がる詩であったのだと思い当るところがあった。私たちの車輛でも二人の兵がもう冷たくなっていた。私は家内や子供たちのことが気になった。甥《おい》のことはもう諦《あきら》めなければならないという気持があった。

備後十日市駅《びんごとおかいち》（今の三次駅《みよし》）に停車した。三次は私の出身中学のある町だ。指先を使わずに左の目蓋を明ける練習をしていると、窓のすぐ近く、ホームに立っている見覚えのある少女が目についた。思わず、『あっ』と声に出した。庄原の伯母のところで幼いときから育てていた子供である。先方は私の変りはてた姿を見て分る筈《はず》もなかったが、私が声をかけたのでやっと気がついた。聞けば、女学校を卒業して勤労動員で駅に出ていたのだそうだ。私は身も心もまさしく敗残兵である自分の立場を掻摘《かいつ》まんで話した。すると彼女は直ちに駅の電話で庄原駅に連絡し、庄原と備後十日市の駅長の許可を得て同乗同行してくれた。そんな時間があるほど汽車は長く停車したわけだ。それにしても全く奇遇である。おかげで親類縁者に早く連絡がつくことになったので、どのくらい心強く思ったか分らない。妙なもので、張りつめていた気持が弛《ゆる》んだのか病状の方が急に悪くなった。総身、がたがた震えだした。

庄原駅に着くと、親類のうちの少女は私の伯母のうちへ連絡しに行った。私の生家は庄原町からちょっと離れているが、伯母のところから連絡してくれる筈である。

一方、私たち敗残兵が木炭バスで夕闇《ゆうやみ》のなかを運ばれて行った先は、病院でなくて国民学校の二階の板の間の教室である。戸坂の国民学校と変りはない。みんなの鮨詰《ずめ》になっているなかへ割込んで横になったとき、私の意識はまるで混沌《こんとん》として悪寒《おかん》戦慄《せんりつ》に襲われていた。すっかり夜になると、高熱が募って来て口がきけなくなった。声を出そうにも出ないのだ。

その夜、空襲警報が一度あったことを微《かす》かに覚えている。今までに私が意識を失ったことは前後三回ある。一回目は、被爆直後の意識喪失だ。二回目は、汽車にゆられた後で庄原の国民学校に着いたこの夜である。三回目は、後になって謂《い》わゆる原爆症の発病で生死の境を彷徨《ほうこう》した九月初旬の数日間である。従って自分は瀕死《ひんし》の病人であったため、意識不明のときの客観的状況の観察は勿論《もちろん》のこと、我が身の症状観察も明瞭《めいりよう》を欠く場合が多い。

八月九日の朝は夜来の高熱も幾らか下火になって、意識恢復《かいふく》の徴候を自覚した。化膿熱《かのうねつ》と云うか敗血症的な熱発である。この日は、軍医が見廻りに来て衛生兵に処置を命じた。被爆してから初めて軍医が見てくれたわけだ。しかし軍医は聴診器も当てなかった。

私の負傷は殆ど全部が火傷によるもので、頭、顔、頸《くび》、背中、双方の上膊部《じようはくぶ》、手背、手首、手指のほか、耳朶《みみたぶ》にも火傷を受けていた。手首は皮膚が剝《は》げ、背中は牛肉のようになって肋骨《ろっこつ》が見えそうになっていたそうだ。後日、これは瞬間数千度の透過光線によるものだと分ったが、さすがにその機械仕掛の爆弾の性能は我々の端《たん》倪《げい》を許さない。衛生兵はピクリン酸のような薬液を私の創面に塗り、臥《ね》ると床板に触れる部分にだけ一尺四方のガーゼを貼《は》って処置を終り、すぐ次の患者の処置に移った。一列車何百人もの集団でやって来た患者の処置だから、丁寧だとか雑駁《ざっぱく》だとかの贅沢《ぜいたく》は云っていられない。

翌八月十日、衛生兵が私の背中のガーゼを剥ぐときには、思わず私も叫び声をあげてしまった。ガーゼは熱と体重と分泌物《ぶんぴつぶつ》とで創面いっぱいにへばりついている。衛生兵がそのガーゼの下端を持って剥いで行く。疼痛《とうつう》のため無意識に私の腰があがって行く。坐《すわ》って両手をついていても、腰を挙上するには限度があるものだ。腰をあげきると、次に体重で臀《しり》が落ちる。そのときはもうガーゼが剥げ落ちる仕組になっている。たらたらと流れる血にはお構いなく、刷毛《はけ》で薬液を背中に塗ってガーゼを貼り、顔、頸、上膊部、及び手背、手指にも塗って、すぐ次の患者に移る。この治療法には、忍耐強いと自認する私も降参した。ここでも患者が次から次に屍体となって運び出されて行った。やはり国防婦人会の人たちが助勢に来て患者の排尿などの面倒を見ていたが、鼻を衝《つ》く悪臭には可なり閉口していたようである。

この日の午後、不意に『おい、岩竹軍医予備員はどこか。岩竹はどこか』と云う声を聞いた。つづいて『岩竹、おりませんか。岩竹、おりませんか』と金切声を出す女の声を聞いた。これは妻の声だと分った。私は答えようとしたが、唇が腫れていて言葉が出ない。痛む左手を僅《わず》かに挙げた。妻は広島の陸軍病院の焼跡へ私を探しに行き、私が戸坂へ移送されたと聞いて戸坂国民学校へ行き、庄原へ転送されたと聞いてまた追いかけて来たのであった。しかし私の顔は、妻でさえ識別できないほど変形を来たしていた」

この手記のなかに、岩竹さんの奥さんが当時のことを回想的に語った記録が入っている。岩竹さんの奇蹟《きせき》的な恢復について、奥さんが誰かに質問されて答えるのを速記にとったものだろう。これは矢須子の治療法の参考にもなるのではないか。

「あのころ私は福山市外湯田村の細川医院に疎開しておりました。私の主人の岩竹は広島第二部隊に軍医予備員として入営し、主人が親代りになっている甥は広島第一中学に行っておりました。湯田村の細川は私の実兄でございます。八月八日の晩は福山の空襲でした。その翌朝からは、福山へ通じる福塩線も井笠《いかさ》線もみんな不通になったので、九日の朝早く、細川の兄が湯田村から福山まで私を自転車の後に乗せて送ってくれました。それから私は草戸《くさど》まで歩いて参りました。草戸から鞆《とも》ノ津に出て、鞆ノ津からバスで尾道《おのみち》の手前の松永へ、松永から汽車に乗って、日が暮れて広島に着きました。草戸、鞆ノ津、松永、尾道を経て広島へ。これは昔の平家の一部の落人《おちゆうど》や足利尊氏《あしかがたかうじ》など、陸路を西海に落ちのびて行くときの道筋であったそうでございます。

広島の駅前には天幕が張ってありまして、私はその天幕のなかに入って夜が明けるのを待ちました。兵隊さんが番兵をして、行き暮れた人らしいのが幾人も寝転んでいらっしゃいました。私、湯田村を出発いたします前、細川の兄が行っても駄目だから止《よ》せと留めたのですが、どうも生きておるような気が致します。それで主人は酒好きなものですから、薬瓶《くすりびん》に酒をいっぱい詰めたのをリュックサックに入れまして、それから兄に赤十字のマークの腕章を借りて、従軍看護婦か何かのように見せかけて行きました。その腕章が無いと女は誰も広島市内へ行けませんでした。服装はモンペに草履でした。

私は広島市の地理を知りません。第二陸軍病院へ行く道を兵隊さんに聞きますと、あの辺はすっかり焼けたから行っても仕様がないと云うのです。広島第一中学のことを聞きますと、あそこは全校生が殲滅《せんめつ》されて徹底的に焼野原になったと云われました。甥が亡《な》くなったことはもう確定的でございました。ですから私、天幕のなかで横になりました。みなし子が一人おりまして、兵隊さんが幾らあやしても親を慕って寝ないんです。私が添寝して、やっと眠ったので、朝四時ごろ、そっと抜けだして主人を探しに第二陸軍病院へ参りました。

兵舎も何もない焼野原でした。天幕だけありました。名前は覚えておりませんが、東京辺からいらしていた将校の方が、今は幾ら何しても分らないから、軍の通知があるまで郷里へ帰っていなさいと云われ、氷砂糖とお茶を接待して下さいました。念のため、また第一中学のことを聞きますと、やはりあそこも同じように焼野原だとのことでした。将校の方は帰るように頻《しき》りに云われるので、私はどこか探してみたいと思って、その近くの川に沿って川上に向けて行きました。川端にはトタンや菰《こも》でつくった掛小屋がありましたけれど、人はみんな黒い顔をして目のふちと歯だけが白く、昔の絵巻物に描いてある難民のような恰好《かっこう》の人たちばかりでした。暫《しばら》く行くと倒れて呻《うめ》いている人の群があったので、大きな声で『岩竹、おりませんか』と呼んでみました。反応がなくて、耳をすましても呻き声ばかりでした。化物か何かの声のようでした。

ほんとうに恐しい爆弾だと思いました。通りすがりの人に聞きますと、やはり新型特殊爆弾というのが落ちたそうで、その人の仰有《おつしや》るには、陸軍病院の兵隊が被爆して収容されたことも知っているとのことでした。それで私、どこでも探してみたいから教えて下さいと申しますと、収容しているところは三箇所あると仰有いました。でも、取りのぼせてしまっていて、ただ一箇所、戸坂というところだけ耳に残りました。偶然なんでございます。あとの二つは忘れました。いずれにしましても一度に三箇所を尋ねることは出来ません。とにかく戸坂を探したら、後はまた何か噂《うわさ》を聞いて次を探して歩こうと思って、戸坂しか覚えませんでした。戸坂は広島から三里くらい。歩いて行って村に入ったのがお昼前の十一時ごろ。土手をずっと歩いて行きました。それにしても陸軍病院跡の天幕のなかで、なぜ将校の方が収容所を教えて下さらなかったのか腑《ふ》に落ちません。

戸坂では農家を一軒ずつ尋ねながら歩きまして、仮収容所本部の国民学校へ探しに行ったときには午後四時ごろでした。校庭の天幕のなかにも、それから教室にも廊下にも怪我人《けがにん》がいっぱいでしたが、収容者名簿がまだ出来ていないということでした。『岩竹、おりませんか。岩竹、おりませんか』と廊下や教室のなかや天幕のなかを呼びまわっても答がありません。ところが怪我の軽い人は農家へ収容されているということを聞いたので、また一わたり農家を尋ねて歩きました。最後にぐったり疲れまして、恥も外聞もなく或《あ》る一軒の農家で『縁側に休ませて下さい』と云《い》って、ひんやりした縁を借りて横になりました。午後五時ごろでした。かれこれ二三時間も休みましたでしょうか。また国民学校へ戻りました。そうしましたら、今度は収容者の名簿が出来ていて、岩竹は庄原の国民学校の方へ昨日転出されたと聞かされました。怪我の軽い人だけ転送されたというので安心しました。でも、その喜びも束《つか》の間《ま》で、通りすがりの人に聞くと、みんなふらふらの恰好をして死にかけている者ばかりだったというのです。

妙なもので、主人の怪我が軽かったらしいと思っても私は気が急ぎ、重傷かもしれないと思っても気が急ぎました。戸坂の駅へ行くのも大急ぎで歩きました。そうして発車寸前の汽車に乗込んだものの、満員で汽車がのろく、やがて塩町で乗換えようとすると庄原行の終列車がもう通過した後でした。仕方なくホームに新聞紙を敷いて坐り、夜が明けるのを待っていましたが、私の隣に府中町の人がいて、いろいろ話をしているうちに、その人が府中町の細川分院を知っていると云うのです。それでは、私はいま庄原に行く途中ですから、必要なものを持って来てもらうように細川の兄宛《あて》に走り書きして、それを細川分院に届けてくれるようにその人に頼みました。不幸中の幸いです。その人は福塩線府中行の汽車に乗り（福塩線も福山近くの他は通じておりました）私は芸備線庄原行の汽車に乗るということで都合よく行きました。福塩線と芸備線は塩町で分れています。

おかげさまで細川への連絡がうまく行きまして、細川の兄と看護婦と、細川へ疎開している私の娘が、その日、十一日の夕方ごろ庄原の伯母の家に来てくれました。（伯母は例の少女の連絡で、岩竹がこの町に転送されて来たことを知って、岩竹の生家へ連絡に行ったので留守でした）私は一と休みしたり、身なりを調えたりして待っていましたので、すぐ庄原の病院へ――あれは国民学校でしたが、伍長《ごちょう》か軍曹か、衛生兵のような人の案内で教室に入って行きますと、戸坂の国民学校と同じように、見渡すかぎり怪我人がぴったり臥ておりました。岩竹はどこにいるのか分りません。衛生兵のような人が『おい、岩竹軍医予備員はどこか』と云ったので、『岩竹、おりませんか。岩竹、おりませんか』と私も呼びました。

私の胸は動悸《どうき》を搏《う》っておりました。何の答もありません。でも、弱々しく手を挙げるのが見えまして、やっと主人だということが分りました。顔が倍くらいに腫れあがり、右の耳朶に絆創膏《ばんそうこう》で留めてガーゼを当てておりました。どうしたことか耳鳴りがして困るというのです。ここで私が不思議に思ったのは、一人の患者が呻《うめ》きだすと、たくさんの患者が一斉に呻きだすことでした。そう云っては何ですが、まるでその声は田圃の蛙《かえる》か何かが一度に鳴くような凄《すご》い声でした。

この校舎の収容所のことは、正式に云えば広島第一陸軍病院分院附属仮収容所と云ったら宜《よろ》しいでしょう。緊急時のことですから、患者の手当や設備の不足を非難するのは無理ですが、規則だけは軍隊と同じで喧《やかま》しく、国防婦人会の人が手伝いに来るから、患者の家族の看護はいっさいお断りするというのです。でも、瀕死《ひんし》の主人を見捨てて帰るわけには参りません。それで私、戦争中に通用していた定まり文句《き》で、一人でも早く元気になってお国の役に立ってもらうのが大事ですと云いました。ほんとうに喧嘩《けんか》です。でも、衛生兵のような人は、にこりとも致しません。私は気が揉《も》めて仕方がなかったので、主人の先輩でここの庄原分院長をしていらっしゃる方にお願いして、院長命令で主人を二人部屋に移していただきました。ですから、軍医予備員と云ってもまだ見習の二等兵が、軍医の扱いを受けるようになったわけですが、この昇格は僅《わず》か二時間くらいで御破算になりました。それがどうしたわけかと申しますと、主人の移された二人部屋の先客であった歩兵部隊長の大佐の人が、脳症を起して発狂状態になっておりまして、その夜のうちに駄目になったからでした。

次に移されたのは、四畳半くらいな三人部屋でした。先客の一人は、岡山県から召集されていた長島軍医予備員二等兵という医学博士の人と、岡山県笠岡町出身の若い志願兵の伍長でした。長島二等兵は顔と両手を火傷《やけど》して、下痢に悩まされておりました。若い伍長は火傷はなくて頭に大きな疵《きず》をしていました。

軍の人は民間人に対する態度がはっきりしておりました。それと同時に、至って曖昧《あいまい》なところがありました。みんなそうだと云うことは出来ないまでも、なかにはそういう軍人がいることに私は気がつきました。主人が三人部屋に移されたとき、細川の兄が看護婦を連れて、ガーゼや繃帯《ほうたい》やリンゲル、葡萄糖《ぶどうとう》注射液、チンク・オイルなど、当時の民間では貴重だったものを二人で提げられるだけ持って来て、お役に立てて下さいと軍医の花木中尉《ちゅうい》に差出しました。ところが中尉は苦りきって、軍は軍の方針でやっておるのだから、民間から勝手なものを持込まぬようにしてもらいたいと、きついお叱《しか》りを受けました。そのくせこの中尉は、主人の火傷を治療するのに、為体《えたい》の知れぬ透明な液体を看護婦に命じて塗らせておりました。ある日、その塗布されたあとを主人が見ると、瓜《うり》の種が一粒附着しておりました。翌日、この薬は何かと主人が看護婦に聞いて、昨日は瓜の種がついていたと云いますと、『あら、種が残っていましたの。よく搾《しぼ》って漉《こ》した筈《はず》でしたのに』と云って、胡瓜《きゅうり》の汁を塗っていたことを自分で暴露してしまいました。『即成ヘチマコロンじゃないか』と主人は、腫れあがった口許《くちもと》をゆがめておりました。火傷に胡瓜の汁を塗る療法は、素人《しろうと》療法としては昔からあるかもしれません。でも火傷と云えば、リンゲルとか葡萄糖とか食塩水とか云ったものを、どんどん補って水分の補給をやらなければ、身体の三分の一以上をやられたときには助からないということです。

いま一つ、こんなことがございました。八月十三日であったことを記憶しておりますが、主人は右の耳痛のため堪えきれなくなりました。翌日、十四日のお昼すぎ、庄原日赤病院の耳鼻科の医長で屈原という召集中尉がお見えになって、極めて不遜《ふそん》な態度で、そして横柄《おうへい》な口のききかたで、主人の耳を手荒く診察して下さいました。耳朶を覆《おお》ったガーゼを取って脱脂綿を取除くと、耳穴から脂《あぶら》のような分泌物がどろどろと流れ出て、かさぶたを被《かぶ》っている耳朶から耳穴の入口まで、いっぱい蛆《うじ》が湧《わ》いている。小さな一ミリほどの蛆が二百匹ぐらい。私は中尉に云われ、洗面器で受けてスポイトの水でもって洗い落しました。耳穴のなかの蛆は中尉が取出してくれました。

おかげで鼓膜を刺戟《しげき》していた元兇《げんきょう》が影をひそめまして、耳痛もとれて熱発も下降の徴候を見せだしました。私は持って来た酒を一滴二滴、主人の口にたらしました。

(主人の右の耳朶は蛆に侵蝕《しんしょく》されて欠損したままで、未《いま》だに耳鳴りがするそうですが)主人は蛆を取除いてもらったのが嬉《うれ》しくて、感謝のしるしに屈原中尉のところへ酒の一升瓶を届けるように私に云いつけました。それで私、庄原の伯母に頼みまして、一升瓶を都合つけて風呂敷《ふろしき》に包んで届けに行きますと、酒瓶を戸棚に入れた中尉は風呂敷を床板に投げつけて、『こんなもの、持って帰れ』と云いました。私は帰って来て主人にその通り報告しましたが、『そうか、戦争のせいだ』と云っておりました。戦争というものは、そういう人間をこしらえる必然性を持っていて、良いことは何ひとつ生まないと主人は云うのです。

私は庄原にいる間、伯母のうちに寝泊りして収容所に通っておりました。細川の兄は伯母の家に一泊しただけで、看護婦と私の娘を連れて湯田村へ帰りました。

八月十五日、終戦の日に主人は急に高い熱を出して虫の息になりましたが、翌日から少しずつ熱も下りました。でも、衰弱がひどいし手当もよくないし、細川のうちへ行くことにして、二十日の日に闇値《やみね》で炭焼の木炭トラックを雇いました。(もうそのころは、患者はどこでも行きたいところへ行って宜《よろ》しいという許可が出ておりました)私と主人が助手席に乗りまして、被爆患者の臭気を嫌ってマスクをかけた運転手と三人ならんで府中町へ参りました。主人の方がしっかりしておりました。

私の方はもうくたくた。

主人は府中町の細川分院に入って、その翌日から原爆症を起しました。ですから、庄原でもう一日もたもたしていたら、そこで死んでしまったでしょう。それは安心感のためとか、今まで気力で持っていたということではなくて、ちょうど被爆してからそのくらいの期間が経《た》つと原爆症を起すということです。ですから庄原で主人と同室だった長島さんも、主人よりはずっと軽症でしたけれども、私たちが府中町へ着いた日にお亡くなりになっています。

府中町の分院には二日二晩いるだけで湯田村の細川に行きましたが、分院で岩竹の寝ていた部屋は臭気が抜けないので、十日あまりも戸を明け放しにしていたということでした。湯田村には新山桃《にいやまもも》の直系に当る白桃畑がありまして、あの桃を十貫目ずつ二回に買って岩竹は合計二十貫も食べました。歯齦《はぐき》も唇もみんなやられているし、口のなか全体が炎症を起して食べられるのは流動食だけ。それで白桃を大根卸で摺《す》って丼《どんぶり》にいっぱい入れ、そのなかに卵を二つか三つ入れまして、そんなのを口のなかに流しこむようにしていました。感心なことに、丼に一滴も残さないで食べておりました。当人は負けぬ気で極力努力していたようでした。白桃を二十貫食べるのに一箇月までかからなかったのではないかと思います。二十二日に湯田村へ帰って、原爆症が本腰になったのが二十三日で、息もしなくなる、もう駄目だ、私が泣き叫ぶというときが、九月の二三日ごろ。そのとき主人は虫の息で遺言をしました。遺言するときには口がきけるものでございます。そして、聞きわけもいいものでございます。私、主人に申しました。あなたの遺言通りに致しますから、交換条件に、今から後は思い残しのないように治療させてもらいたいと申しました。

主人はこの交換条件を承知してくれました。でも、輸血をして、それからリンゲルをさせますと、熱が非常に出て苦しがりました。もう止《よ》してくれと云うので、それだけはさせてくれ、それでいけなかったら諦《あきら》めるから。そういう交換条件を出しまして、リンゲルと輸血をして、それが良かったのかどうか分りませんけれども、次第に持ち直して行きました。でも、左の腕が化膿《かのう》しました。リンゲルのためではなくて、一種の敗血症のためだろうと云うのです。それも他人には手術させないで、細川の兄が府中の分院へ行って留守のときに自分でメスで切りまして、今でもその後が残っています。なかなか頑固ですから切開手術は他人にはさせません。

ほんとうに、そのときは木乃伊《みいら》のようになりまして、骸骨《がいこつ》と同じでした。ちょうど細川のところの置物に骸骨の標本がございまして、それが主人とそっくりでした。まだ暑いときのことですから、蛆を湧かせる蠅《はえ》を防ぐため昼間でも蚊帳《かや》を釣っておりまして、あの白い蚊帳を透かして見ると、ほんとうに骸骨と瓜二つです。細川の義姉が気持悪がって、置物の骸骨をどこかへ蔵《しま》ってしまいました。

あのころは、来る日も来る日も主人は痛がりました。体じゅうの筋肉が無くなって骨と皮ばかりですから、蒲団《ふとん》を敷いていても畳の固さが、じかに骨にこたえて痛いと申します。それでベッドぐらいの高さに何枚も蒲団を積みまして、その上に羽根蒲団を二枚敷いて、羽根だからそんなに抵抗がある筈はないと思いましたのに、蒲団の下に畳の継合せがあるか無いかちゃんと分るんです。ちょっと想像できないでしょう。後で見たら、その畳は腐っておりました。

医者は細川の兄だけにかかりました。とにかく、どの医者も匙《さじ》を投げ、誰からも見放されてしまって、リンゲルと輸血を細川の兄がやってくれました。血液はO型ですが、私どもでは子供たちがみんなO型でございますから。

食糧は割合に不足いたしませんでした。近所の人にレバーを頼みますと、一頭ぶんの肝臓をどっさり持って来てくれたりしましたが、誰だってそんなに食べられるものじゃございません。結局、食餌《しょくじ》は桃と卵。それを一ばん美味《おい》しく頂いておりました。桃は季節が過ぎたら手に入らないと思いまして、二度にまとめて買って深い井戸の底へ沈めて置きました。湯田村は昔から桃の産地で、本場の岡山県新山に劣っても行ってもなかなか売ってくれませんから、着物を持って行ったり何かして。私の着物、行李《こうり》に二杯、すっかりそれで無くなってしまいました。

あの当時、原爆患者は頭の毛が抜ける抜けないで、この患者は死ぬか、まだ生きているか判断するのが常識となっておりました。主人の頭の毛はすっかり抜けてしまいましたけれど、同じ原爆患者でもいろいろと症状が違っているのではございませんでしょうか。私は主人の場合についてしか存じませんですが、とにかく原爆症が出ましてからは非常に食慾《しょくよく》が減退いたしました。それを一緒にしての病気ですから、病気が患者当人の肉を食べてしまうまでは、痩《や》せるだけ痩せた末の木乃伊です。ちゃんとした栄養は受附けないし、ですからその補給が出来なくて、さながら癌《がん》の患者みたいな状態です。白血球も減って行く一方ですが、主人の場合は二千ちょっと欠けるくらいのところまで減っただけでした。

それからもう一つ、主人は被爆してから十日間ぐらい便秘しておりました。おしっこも少しずつしか出なくなっておりました。とにかく凄い爆弾だったらしくって、手首のところの皮膚なんかぺろっと剝《は》げました。あれは透過光線と云うのだそうで、体の外側ばかりでなくて内臓にも作用することが分りました。主人の場合は膀胱《ぼうこう》の内側の粘膜がすっかり剝げて、その粘膜が尿道かどこかに詰まって、おしっこが出なくなりました。ちょうど、竹の筒を割ると中に竹紙《ちくし》がありますね。あんな大きなものではないのですが、膀胱の内側のあのような皮が剝げて、おしっこが詰まります。原爆の透過光線のために粘膜が剝離《はくり》するわけです。あれは細川へ行ってからでしたので、被爆後三週間くらいたってからではないかと思います。でも、下腹に力を入れて、おしっこが膀胱から尿道に出るとき、括約筋のあたりを上から押せば出るのです。両手で力を入れて下腹を押せばいいのです。主人はそのたびにコップに入れて検査して、どのくらい竹紙のようなものが出たか私に見せておりました。可なり出ておりました。

いいえ、それは膀胱だけのことではございませんでしょう。胃でも腸でも肝臓でも、あらゆる器官が大なり小なり影響を受けますでしょう。歯と歯齦《はぐき》の接触面も影響を受けますでしょう。ですから、歯がぐらぐらして来るのではないでしょうか。人によっては血便が出たとも云い、下痢に悩んだということも聞きました。主人のは便秘でした。膀胱の故障は、あの竹紙のようなものを排泄《はいせつ》してしまえば何のこともないようです。新しくまた粘膜が出来るのではないでしょうか。

庄原でございますか。いいえ、あそこの収容所でも、もう毎日、大八車に積めるだけ積んで運び出しておりました。戸坂の収容所でも、私が行ったときには天幕のなかにいっぱいと、廊下にもいましたが、夕方五時ごろまた行ったときには、天幕のなかはがらんとしておりました。でも、近づいたら臭《くさ》い臭い。たまらない臭気です。あのころ、私どもの甥《おい》は広島一中の一年生でございました。私が広島へ行ったのは、主人と甥の安否を尋ねるためでしたが、広島に着いて駅前の天幕のなかで兵隊さんに聞きまして、広島一中の生徒は全滅したことが分りました。私は胸が引裂ける思いでした。むごたらしいことだと思いました。でも、主人に会ってもこの話は暫《しばら》く知らせないようにして置きました。私が主人のあとを追って強引に戸坂へ行ったのも、それから庄原まで行ったのも、甥を亡《な》くした痛手で異常に神経が高ぶっていたからではないかと思います。

それにしましても、甥は無残な最期《さいご》を遂げました。

広島空襲があった翌日ごろ、湯田村から出発した特設救護班は、広島一中の焼跡を片づけたそうですが、その人たちが細川のところへ様子を知らせて下さったという話です。私どもの甥は勤労作業に行っていましたが、一人だけ教室に坐《すわ》ったままの姿で焼け死んでいたということです。閃光《せんこう》でやられましたのでございましょう。あのころ中学生は名札をつけることになっておりまして、これだけが残っていたと云《い》って届けて下さる人がありました。真鍮板《しんちゆう》に名前だけ書いたものですが、やっと認識できる程度になっておりました」

以上が岩竹さんの奥さんの述懐である。これと「広島被爆軍医予備員・岩竹博の手記」を綜合《そうごう》すると、原爆病の適当な治療法はまだ発見されていないらしい。ただ岩竹さんの選んだ処置は、輸血とビタミンCの大量補給と桃と生卵を食べることであった。それから、もう一つ云い得ることは、怠けるという言葉の善悪は別として、怠けるのも悪くないことであるらしい。労働には白血球が必要だから、それが欠乏して来ると抵抗力が減退して過重な負担がかかって来る。だから、怠けるに限るといっては人聞きが良くないが、達観することにきめたと云いなおしてはどうだろう。それから旺盛《おうせい》な闘病精神と。これが重松の読後感であった。

19

重松は岩竹さんの手記を読んで、何を措《お》いても矢須子に気力を失わせてはいけないと思った。必ず生きるという自信を持たせなくてはいけないのだ。一日ごとに衰弱して行く上に治療法がないのだから、食餌《しょくじ》と気力で生きてもらうよりほかはない。今が瀬戸際《せとぎわ》だ。

妻のシゲ子の話では、矢須子は九一色《くいしき》病院へ入院する日に、小畠《こばたけ》村の医者のところを午前中に二軒も廻って診察を受けていた。無論、二軒ともで薬を貰《もら》っているが、その薬にはどちらにも手をつけないで溝《みぞ》に棄《す》てている。坂下の雑貨屋の小母はんがその薬袋に書いてある名前と日附を見て、それから中身も調べ、矢須子が一つも手をつけずに棄てたに違いないとシゲ子に云《い》ったそうだ。矢須子がどんなに迷いぬいているか分るのだ。岩竹さんの旺盛な闘病精神をお手本にさせなくてはならぬ。

岩竹さんは手記のなかで、庄原の陸軍病院分院を出た前後のことを次のように云っている。

「耳のなかの蛆虫《うじむし》を取除いたためか、耳痛と熱発は取れたが衰弱が日増しに加わった。必ず生きられるという自負、絶対に死なないという自信が次第に影をひそめて来た。けれども、今ここでこの病気では死にたくない。どこか他の場所で納得の行く病気で死にたいと思うようになって来た。

八月二十三日に、あまり遠隔の地でなくて帰宅に自信のある者は、帰宅しても宜《よろ》しいという許可が出た。自信はなかったが帰りたい一心で、藤高院長の許可を得て臨時召集解除の証明書を受取った。東京までは無理だとしても、せめて湯田村の細川医院まで辿《たど》り着きたいと元気を出して、十五里離れた福山市外までの契約で木炭運搬の木炭車トラックを雇った。

白衣に戦闘帽を被《かぶ》らせられ、無我夢中で府中町の細川分院まで行きつくことが出来た。途中、怖《おそ》るべきがたがた道であった。この道路の荒廃度の激しさは何を語っていたか、誰しもそれに気づいていた筈《はず》である。私は熱気の籠《こも》るトラックの助手席で幾度か迷妄《めいもう》状態になった。傍にいた介添の妻も疲労のため二度ほど失神状態になった。三時間の道程だが一年にも感じられた。

正に間一髪、生きるか死ぬか運命の二股道《ふたまたみち》は紙一重のところにあった。翌二十四日から原子爆弾症が起ったのである。もう一日か半日か後れていたら、間違いなく庄原で無常の風に誘われていたことだろう。

私は半ば意識を失っているうちに、府中町の分院から湯田村の細川医院に移された。輸血、注射、注射、注射。これは覚えている。少し意識が回復した。

毎日、四十度の熱発、白血球二千、次第に肉が落ちて骸骨《がいこつ》そのもの、生きた木乃伊《みいら》と化した。手首や耳のあたりの火傷《やけど》はともかくも、背中の火傷が無性に痛かった。

骨と皮ばかりでも痛さを知覚するものである。妻の云うには私の背中の火傷のあとは、さながらビフテキのように黒く固くなって、ぼろりとそのビフテキが剝《は》げたときには、肉が深く抉《えぐ》れて肋骨《ろっこつ》が見えるくらいであったそうだ。医学的に云えばネクローゼ、壊疽《えそ》になるやつだ。ピカドンのとき斜めに光線を受けたのに結果がこれである。たぶん床ずれと一脈の関連はあるだろう。血液の循環が悪くなって、そういう現象を余計に醸成せしめたということもあるだろう。

衰弱は極度に達し、幾度も意識を失うようになった。心音消失、呼吸停止、背中に巨大な褥瘡《じょくそう》を生じ、膀胱《ぼうこう》粘膜も剝離《はくり》して尿閉を来たす有様で、これが助かると云う医者は義兄の院長を始めとして誰一人いなかった。診察に立会った医者はみんな私を見放していた。頭の毛は痂皮《かひ》と共に鬘《かつら》のようになってごっそり抜け落ちた。私は最期《さいご》の覚悟をして妻に遺言した。しかし助かった。枕元《まくらもと》で泣き叫ぶ妻の声に気を取戻すと、いま心臓がとまっていたところだと云う。たぶん私の顔の皮は痙攣《けいれん》し、眼球は吊《つ》りあがり、チアノーゼを来たして苦悶《くもん》の表情をしたらしいが、私自身は比較的明るい広々としたところに浮きあがっているような気分であった。別段、苦しさは感じなかった。断末魔の苦しみという言葉があるが、本人は案外にも楽なものだと思った。しかし人が見たら苦悶しているように見えたろう。

私は原爆症発病後の約二週間、二十貫に及ぶ白桃の果汁だけ啜《すす》って生きながらえた。ビタミンCの注射や輸血なども効いたかもわからない。爾後《じご》、一年半を要してレントゲン火傷のような潰瘍《かいよう》は漸《ようや》く直った。病臥《びょうが》中であったときの私は人間の骨組だけになっていたが、これは建築中に於《お》けるビルディングの鉄骨組のようなもので、後で新しく筋肉がついたのだから、私の肉体は生れかわったようなもので新しい。今では耳朶《みみたぶ》が一つ欠如して、酒を飲めば頬や手首の傷あとが赤くなるが、頑固な耳鳴りのほかは何等の後遺症もない。ただ耳鳴りは日夜ひっきりなしに遠寺の鐘のように鳴りつづけ、私自身にはそれが原爆禁止を訴える警鐘に聞きとれる」

シゲ子は九一色病院へ矢須子の見舞に出かけるとき、この手記を院長先生に治療の参考にしてもらうと云って持って行った。

気の鬱屈《うっくつ》するときには寧《むし》ろ忙しげにしている方が助かるようだ。重松は急いで戸締りをして、鯉《こい》の子の発育状況を見に庄吉さんのところへ出かけて行った。折から庄吉さんと浅二郎さんが池のほとりにいて、のっぽの浅二郎さんは大きな擂鉢《すりばち》でキャベツを擂りつぶしていた。びっこの庄吉さんは孵化《ふか》池《ち》の鯉の子を攩網《たもあみ》で掬《すく》い、選別しながら隣の予備の池に移していた。

「暑いですなあ」と重松が云うと、二人とも「やあ、暑いですなあ」と云った。当村の挨拶《あいさつ》言葉は、夏の天気のいい日なら「暑いですなあ」で、夕方なら「お疲れでしょう」である。雨の降る日ならお互に「良いお湿りで」と挨拶する。

浅二郎さんが擂鉢を擂るのを重松は手伝った。キャベツを擂りつぶすと、今度はレバーを入れて擂りつぶし、蛹《さなぎ》の粉や小麦粉を入れ、それを小さな団子にして孵化池に沈めてやる。

「まるでこれは、釣の撒餌《まきえ》のようなものだの」と重松が云った。「このごろ撒餌は、魚の臓物の塩辛も入れるそうだ。これにも塩辛を入れたらどうだろう」

「いや、いかん」と浅二郎さんが云った。「塩辛を入れてやると、鯉の子が興奮するということじゃ。じっくら、じっくら育てねばいかん」

浅二郎さんは原爆病が目に出るのを警戒して、黄色い眼鏡をかけていた。庄吉さんはずいぶん以前から口髭《くちひげ》を生やしている。

孵化池の鯉の子は、二腹ぶん採取した卵のうち約八割が斃死《へいし》したので、一腹二万五千粒と見て一万尾という概算である。大きさはまだ目高ぐらいなものだ。こんなのは毛子《けご》と云う。生後二箇月ぐらいして背中に青みが差し、七八分から二寸ぐらいになったのは青子《あおこ》と云い、この程度になったら養魚池に放流する。まる一年か一年あまりたったのは新子《しんこ》と云い、食用として成長したものは切鯉《きりごい》と云うそうだ。

青子を放流する養魚池は、もう二十日あまり前に三つ出来あがっている。水をすっかり干して魚の臓物や廃物食糧や堆肥《たいひ》などを入れ、醱酵《はっこう》させた草なども入れ、太陽熱で分解させてから水を引き入れてある。浅二郎さんも庄吉さんも、その水が理想的な濁り方をして来たと云っている。清水のように透明ではないが、水が養分を含んで植物性プランクトンや微塵子《みじんこ》が湧《わ》いているそうだ。小川から水を引き、流水養鯉池という形式になって、一日に五時間か六時間ぐらい水を静かに流す仕掛になっている。

浅二郎さんたちの腹案では、毛子を秋のうちに十匁《もんめ》から二十匁に育て、来年は食用になるように三百匁以上までにする。それから阿木山の麓《ふもと》の大池にも放流する。今度は我々が元手をかけた鯉だから、大池へ釣りに行っても池本屋の後家は余計な口をきけないようになるわけだ。ただ問題は、一万尾の毛子のうち、何割が果して青子に育つかということである。しかし浅二郎さんも庄吉さんも、流水養鯉なら素人《しろうと》でも五割は大丈夫だと云っている。孵化に着手したのが季節的に見て少し後れたが、水温を調節して旧暦を新暦に振替えて餌《えさ》を与えれば今からでも遅くはない。

重松は家に帰ってから加藤大岳編纂《へんさん》の「宝暦」という暦を見た。旧暦は立待月《たちまちづき》の六月十七日、聖護院《しょうごいん》大根、隠元豆《いんげんまめ》、結球白菜など、人蔘《にんじん》、瓜《うり》類の後地に播《ま》くに適した日頃となっている。九月の残暑というものを利用した農作経験から得た貴重な教えである。なるほど、これなら鯉の子も育つわけだと思ったが、あと三日で新暦では八月六日の広島原爆追憶日、八月九日は長崎原爆追憶日となっている。

「そうだ、あと三日だ。筆記を急がねばならぬ」

重松は一人で夕飯を食べた。それから「被爆日記」の清書に取りかかっていると、シゲ子が最終バスで帰って来た。

「遅いなあ。おい、岩竹さんの手記、持って帰ったろうな」

重松が聞くと、シゲ子はその包みを机の端に置き、手拭《てぬぐい》を取って来て胸元の汗を拭《ふ》きながら云った。

「この岩竹さんの手記、あたしの見ている前で院長さん読んだんよ。読みながら、院長さんの表情に微妙なものがあったんよ」

「それで、治療法について、院長さん何か云ったか。それが大事なことだ」

「読みながら、二度ほど参考になりますと云ったんよ。それから読んだ後で、実は自分も広島二部隊に軍医懲罰召集で入隊したと云ったんよ。岩竹さんの入隊したのと同じ日に、同じ部隊へ入隊したんですって」

「でも、あの院長さん生きておるじゃないか」

「入隊した日、体格検査で即日帰郷になったんですって。そのときにはカリエスで、石膏《せっこう》の繃帯《ほうたい》を下腹に巻いておったんですって。運不運の二筋道は妙なものね。院長さんは顔をしかめて読みながら、一度ぐっと息を嚥《の》みこんだんよ」

「そりゃあ、生唾《なまつば》だって嚥みこむだろう。それとも、嗚咽《おえつ》の一歩手前のところであったかも知れんな」

シゲ子は矢須子の病状を詳しく話した。矢須子は夕食後二時間あまりたって、院長から輸血とリンゲルの注射をしてもらい、すやすや眠ったということだ。

重松は翌日まわしで「被爆日記」の清書を仕上げた。

八月十三日　晴　午後すこし雲あり
朝、五時すぎに目がさめた。同時に石炭のことが気になりだした。
会社の食堂がまだ開いてなかったので、炊事係に云ってフスマを混ぜた冷たい麦飯にお湯をかけて食べた。弁当には倉庫の空箱の底に見つかったという乾パンを貰った。石炭入手のあてもなく、行く目的のところもなく、浮浪者のようなものでありながら気ばかりあせっていた。とにかく、車中で考えることにして広島行の電車に乗った。朝凪《あさなぎ》だから火葬の煙が行儀よく山裾《やますそ》や川原から立ちのぼり、焼跡の街へ近づくにつれて煙の数が疎《まば》らになっていた。市内から市外へ逃げた重傷者は早く死に、市外から郡部へ逃げた被爆者は、昨日の晩あたりばたばた死んでいることが分る。

車中、僕の隣の座席にいた中年の男は情報に通じていた。その人の話では、ソ連軍がソ満国境を突破したばかりでなく、怒濤《どとう》のごとく南下して満鮮国境も突破したとのこと。ソ連も同じような爆弾を持っているかも知れないとのこと。米軍が日本の本土を占領すると、日本人の男はみんな去勢されるかもしれないとのこと。ピカドン以後、広島へ来ていた丈夫な者が死ぬようになったのは、ピカドン爆弾に毒瓦斯《どくガス》が仕込まれてあったためである。落下傘《らっかさん》の一つに毒瓦斯、一つに爆弾が仕込まれていたという話は真相であるとのこと。ピカドン以前には広島市内に百九十名あまりの医者がいたが、このうち百二十名あまり死亡したとのこと。

くたくたの紺のモンペをはいた平凡な顔の男だが、こちらの聞くことは何かにつけてよく知っていた。

(しかし、その情報はずいぶん間違っていた――後日記)

焼跡に入ると路上の硝子《ガラス》の破片に太陽が反射して、まともに顔をあげて歩くことが出来ないほどであった。屍臭《ししゅう》は昨日よりも少し薄らいでいたが、家が潰《つぶ》れて瓦《かわら》の堆《うずたか》くなっているところは臭気が強く、蠅《はえ》が真黒になるほど群がっていた。街を片づけていた救護班には後続部隊が加わっていたらしい。洗いざらしだが、まだ汗でよごれていない服装の者が混っていた。

行くあてもないままに歩いているうちに、石炭統制会社の焼跡に出た。立札が十七八本も立っていたが、どれを見ても仮事務所の所書をここへ出してくれと書いた札ばかりである。手懸りになるものは何ひとつない。どうにもならないが、どうにかしなくてはいけないのだ。かれこれ思案しているうちに、いつか戸坂《へさか》道路のわきに石炭が積まれていたのを思い出した。場所は戸坂駅と矢口駅の中ほどの小田というところである。今年の春から夏にかけ、僕は戸坂道路を三度往来して、三度とも上質の石炭が山と積まれているのを見た。

僕の会社では、麻を煮沸水洗して乾《ほ》したのを被服原料にして、一週間分から十日分くらい原料部がそれの保管に当っている。今月の二十日すぎまでは充分にあるが、石炭の方はもう殆《ほとん》ど底をついている。今から統制会社の社長の消息を尋ねに駈《か》けずりまわっても間に合わない。僕は戸坂道路わきの石炭の持主を探して交渉することにした。

小田という村は、太田川の本流を隔ててちょうど古市の対岸に当るところである。少し廻り道かも知れないが、芸備線を伝って山裾の涼しいところを通り、古市の会社の真向うから川を渡って帰ればいい。それにきめて芸備線の線路に入って行った。

僕は弁当の包みを石炭統制会社の土台石の上に忘れて来たことに気がついたが、構わず歩いて行くことにした。線路のわきには、木蔭や空地や畑の隅などに避難者の掛小屋が見えた。古板、焼けたトタン板、古莚《ふるむしろ》、古叺《ふるかます》、藁《わら》、萱《かや》、青草など、各種の材料を寄せ集めて作っている。木の枝はそのまま衣紋竿《えもんざお》にも物干竿にも使われて、立木を柱の代りとしているのもある。石を積んで作った竈《かまど》に、トタン板を山型に折り曲げたのを鍋《なべ》の代りにかけているのもあり、枯枝を掛小屋のわきに堆く積みあげているのもある。小屋よりも樹蔭《こかげ》と云いたい小屋のなかに、石を積み重ねて白い布包みを置き、そのそばの空罐《あきかん》に雑草の花を活《い》けているのもあった。この樹蔭にひとしい小屋のなかに、一人の老婆《ろうば》が青萱を敷いて仰向けになっていた。

これらの小屋で共通していることは、入口に杉や檜《ひのき》の枯葉や青草を蓄えていることであった。蚊《か》遣《や》りの材料に違いない。農家で肥料にする灰を取るやりかたで、枯葉に火をつけて燃えあがらないように厚く青草を被《かぶ》せ、夜もすがら燻《いぶ》らせて置くのだろう。負傷者の臥《ね》ている小屋も二つ三つ見かけたが、その一つの小屋では真昼だというのに盛んに蚊遣りの烟《けむり》を出していた。風変りな一家であるようだ。小屋のわきに穴を掘って、その窪《くぼ》みに広い防湿紙を敷いて水を入れ、若い女が焚火《たきび》のなかから小石を取出して一つ一つ水のなかに落していた。話に聞く山窩《さんか》の風呂《ふろ》の立てかただが、本当の山窩の一家であったのだろうか。行水を使うなら近くの川で間に合わせればいい筈《はず》だ。負傷者のために風呂をわかしていたのかも分らない。戸坂の駅には汽車を待つ負傷者がたくさん集まっていた。僕は線路から出て駅の前は素通りで、また線路づたいに歩いて行った。だが、頼みにしていた石炭はなかった。その場所は整地されたようになっていた。近所の農家で聞くと、あの石炭は一夜のうちになくなったとその家の爺《じい》さんが云った。それはいつのことかと聞くと、広島が空襲された日の夜のことだと云う。あの石炭は誰の所有だったのかと聞くと、初めのうちは陸軍の露天積みだと云われていたが、実際は誰のものか分らないと云った。陸軍の露天積みという触れこみなら誰も手をつけるのは遠慮する。誰か闇《やみ》で買い溜《た》めていた石炭ではなかったか。僕はそんなことまで口に出した。結局、爺さんは胡散《うさん》くさげな目つきで僕を見た。

「しかし、石炭は重要物資だからね」

僕はただそう云って、その場を引きさがった。

古市の真向うまで大急ぎで歩いた。浅瀬を渡ろうと川原に降りて行くと、岩のかげに行倒れになりかけている人間が一人いた。

その男は仰向けに倒れ、白目をぐっと剝《む》きだして口をあけ、パンツ一つの腹部を微《かす》かに膨らましたり窪《くぼ》ませたりしていた。この虫の息の人間の半身に、横手の大きな岩が日蔭を与えていて、岩の反対側には頭の焼けただれた二体の屍《むくろ》が見つかった。

僕は足音を殺して通りすぎようとしたが、石ころだらけの川原だから、ごつごつという靴音を消せなかった。ピカドンこのかた、人の死骸《しがい》を見すぎるほど見たにもかかわらず、死骸というものが僕は怖いのだ。いやに夕日がまぶしかった。川の水が照返していた。

川原は石ころのところから次第に砂地に変り、そこから遠浅の流れになっている。僕は着ているものを脱ぎながら「白骨の御文章」を口のうちで唱えた。

「……我やさき、人やさき、けふともしらず、あすともしらず、おくれさきだつ人はもとのしづく、すゑの露よりもしげしといへり。されば、あしたには紅顔ありて、夕には白骨となれる身なり。すでに無常の風きたりぬれば、すなはち、ふたつのまなこたちまちにとぢ、ひとつのいきながくたえぬれば……」

ゲートルを解き、靴を脱ぎ、ズボンを脱いだ。それをシャツでくるんでバンドでくくり、持ち易《やす》くして川を渡った。日照りつづきで水は深いところも股《もも》までしかないが、石のヌラに足を取られて一度ならず水中に尻餅《しりもち》をついた。

左岸はそうでもないが、右岸には一面に仮の火葬場があった。くすぶっているのが幾つも幾つも、上流にも下流にも見え、煙はみんな川面《かわも》に向って流れている。僕は一散に砂原を駈けぬけて堤防にあがり、草いきれでむんむんする青田のほとりに降りた。パンツが濡《ぬ》れているので裸のまま畦道《あぜみち》を通りぬけ、古市の褌街《ふんどしまち》を横切って仮寓《かぐう》に帰って来た。まだ日が暮れていなかったが、通りすがりの人は裸の僕を見ても別に不思議そうな顔をしなかった。裸で逃げる罹《り》災者《さいしゃ》なら珍しくない。

「おい帰ったよ。川を渡って来た。実地に川へ立ちこむと、流れが案外きついもんだな。おい、僕はひもじいよ」

弁当を焼跡に置き忘れたことはシゲ子に云《い》わなかった。云えば二重に損をするような気持がした。

空腹になると声は涸《か》れるが大きな声を出すものだ。僕は裏の小川で体を洗いながら、芸備線沿いに歩いて帰ったことを大きな声でシゲ子に云った。山窩のように防湿紙で風呂を立てているのを見たことも話した。

シゲ子は浴衣《ゆかた》とパンツと帯を持って来て、

「工場長さんがお見えになりました」と改まった顔で云った。

咄嗟《とっさ》に、それは石炭補給の件で督励に来たのだと思った。無理もない。尤《もっと》もなことだと大急ぎで浴衣を着て土間に引返すと、富士田工場長が珍しく和服姿で上《あが》り框《かまち》に腰をかけ、食事を運ぶ岡持ちを脇《わき》に置いていた。

「やあ、いらっしゃい。夕食後、報告に行くつもりでした。しかし石炭は今日も駄目でした」

「ねえ君、今朝ほど奥さんから伺ったが、奥さんと姪御《めいご》さんが郷里へ帰られるんだってね。罹災者だから当然それは許可されていいわけだ。それで、せめてものことに、今晩の君たちの夕飯と、僕のぶんを持って来たよ。ここで会食しようと思ってね。会社の食堂の調達だから、貧相な献立だがね」

僕にはその意味がすぐに分った。僕と矢須子は、会社へ勤めているから会社の食堂で食事をする。しかし妻のシゲ子を連れて食堂へ行くのは、僕ばかりでなく矢須子も心苦しいと云っている。そうかと云って、この物資欠乏の折から他所者《よそもの》が食糧を手に入れることは無理である。しかも戦争はいつまで続くか分らない。一億玉砕の焦土作戦に持込むのだという声も高くなっている。だからシゲ子は一先《ま》ず矢須子を連れて郷里へ帰ることにして、今日じゅうにも工場長にそれを申出たいと云っていた。僕も無論それに賛成した。岡持ちと云い工場長の和服姿と云い、これで矢須子の円満退社が認められたものと分った。

僕は工場長を部屋に通して、矢須子がながながお世話になったお礼を云った。シゲ子も本人の矢須子も礼を云った。

　岡持ちは食堂用の超大型のもので、シゲ子が蓋《ふた》を明けると、食堂の料理のほかに、景品と見える三合七勺《しやく》瓶と牛肉の罐詰が一個あった。ひねこびてはいたがトマトも二箇あった。瓶の中身は焼酎《しようちゆう》だと僕は見た。こんな贅沢《ぜいたく》なものを見たのは久しぶりである。

「まあ、何から何まで、ほんとに有難うございます」とシゲ子が畳に手をついて、工場長の前だから東京弁で云った。

「有難うございます」と矢須子も手をついて云った。

　僕は咽《のど》の鳴る思いがした。工場長の和服姿を見たのは初めてだが、きちんと坐《すわ》っている浴衣の膝《ひざ》に二寸四方ぐらいな白い継が当っている。三合七勺瓶は、無理に無理して持って来てくれたものらしい。膝頭の継を見るにつけ、誠にどうも罰が当るような気持がした。僕が飲助だということは、同じ飲助の工場長もよく知っている。

「工場長、この瓶の中身は」

「アルコールだよ。苦味丁幾《くみチンキ》から抽出《ちゆうしゆつ》したんだ。局方のシロップも混入されてある」

　工場長の話では、単舎利別《たんシャリベツ》のことを日本薬局方ではシロップと云い、白砂糖の六割余に対して蒸溜水《じようりゆうすい》が三割余の溶液である。医者は矯味薬《きようみやく》としてこれを用いている。苦味丁幾は竜胆《りんどう》や橙皮《とうひ》などの粉を局方のアルコールに入れ、圧力を加えて濾過《ろか》した薬品である。このごろでは、苦味丁幾もシロップも都会の薬局では売ってくれないが、田舎の薬局に行くと折合った値段で売ってくれることがある。工場長は先週の日曜日に郷里へ行って、知りあいの薬局で苦味丁幾を蒸溜してもらい、シロップも買って砂糖代りに保存しているそうだ。

「ほんとに、御丹精の貴重品でございますね。でも、アルコールでしたら水を持って参ります」

シゲ子が座を立つと、工場長は胡坐《あぐら》に崩して云った。

「苦味丁幾は、蒸溜しないで飲むと苦いもんだな。でも、我慢して水で割りながら飲むと、一合も飲めばちょっと酔った気分になれるんだ。今年の正月、僕は蒸溜しないのを二合ほど飲んだがね、酔ったことは酔ったが翌日下痢したよ。胃腸の薬だというのに不思議だね」

矢須子は岡持ちのなかのものを一つ一つ食卓に載せた。会社の食堂で仕出したものは、桑の葉の天麩羅《てんぷら》五枚、なめ味噌《みそ》と食塩、お新香二片、フスマを混ぜた麦飯の丼《どんぶり》である。これが四人ぶんあった。桑の葉は炊事部の社員の発案で、工場の横の桑畑から採取したものであるそうだ。戦争のため農家では養蚕を中止して、桑の枝を刈込んで野菜の間作をやっている。今、桑は切株から土用芽を出して、食べごろの若葉をつけているそうだ。

トマトは矢須子が台所へ持って行き、半分に切ったのを一片ずつ皿に入れて持って来た。牛肉の罐詰は、シゲ子が皿を持って来て四人ぶんに分けた。

四人で食卓を囲んだ。矢須子は工場長に教わって、水七分にアルコール三分の割でコップに注いだ。貴重品を取扱うような慎重な手つきであった。

工場長が杉箸《すぎばし》でコップのなかを掻《か》きまわしたので、僕もその通りにした。

「お匙《さじ》を持って参ります。ライスカレーを食べる匙ならございますから」

シゲ子が立ちかけると、

「いえ奥さん、酒を掻きまわすのは、僕は必ず杉箸に限ることにしています。そして、アルコールを水で割る場合は、僕は七分三分説を遵奉《じゆんぽう》するつもりです。でも理想と現実は、この通り食いちがいを生じ易いものですね」

工場長は剽軽《ひようきん》にそう云って、自分のコップにアルコールを少し注ぎ足した。

「では工場長、頂戴《ちようだい》します。その前に、健康を祈って乾杯」

「では、コップでかちかち」

気のせいか微かに苦味があるが、純良アルコールだから匂《におい》がいい。シロップによる甘みのつけかたもちょうど頃合と思われた。

シゲ子も矢須子も酒は飲めないので、工場長に云われて先に食事にとりかかった。僕はアルコール三割では濃すぎるので、水を注ぎ足す代りにちびりちびり飲むことにした。桑の葉の天麩羅は初めてだが、食塩をつけて食べると頗《すこぶ》るよろしい摘物《つまみもの》になるのが分った。菊の葉や柿《かき》の若葉の天麩羅なら戦争このかた何度か食べている。

工場長は僕たち一家のため、謂《い》わば水いらずの晩餐会《ばんさんかい》を設けてくれたのだ。それが結果から見ると、大半は重苦しい話を繰返す送別会になった。実は工場長も、今日は広島の石炭統制会社の焼跡へ行き、それから被服支廠《ししよう》の笹竹中尉《ちゆうい》を訪ね、何もかも埒《らち》があかないので逓信《ていしん》病院の知りあいの小山医師を訪ねた。ところが、その医者が収容患者の処置に忙殺されているとのことだから面会を遠慮して、出口のところで煙草《たばこ》に火をつけていると、看護婦たちの語りあっている雑談でピカドンの正しい名称が分ったそうだ。

工場長は青く酔った顔で云った。

「ピカドンは、原子爆弾というのが正しいそうだ。物凄《ものすご》い輻射《ふくしや》エネルギーを発するらしいな。僕も焼跡で見たが、焼落ちた棟瓦《むねがわら》に泡粒《あわつぶ》が立っていた。瓦の色も、焰《ほのお》の舌のように赤くなっているね。凄いものが出来たもんだ。今後七十五年間、広島と長崎には草も生えぬそうだ」

ピカドンの名称は、初めが新兵器で、次に新型爆弾、秘密兵器、新型特殊爆弾、強性能特殊爆弾という順に変り、今日に至って僕は原子爆弾と呼ぶことを知った。しかし今後七十五年間も草が生えぬというのは嘘《うそ》だろう。僕は焼跡で徒長している草を随所に見た。それを工場長に云うと、

「そう云えば、僕も見た。伸びすぎて、垂れさがっているスカンポを見たよ」と云った。

僕は正宗白鳥という小説家の随筆を思い出した。たしか三国同盟が成立したころ読売新聞に出ていたが、ニュース映画でヒトラーの演説しているところを見ると、虎《とら》が吠《ほ》えているとしか思えないと書いていた。当時、ヒトラーのことを悪《あ》しざまに公言する人は珍しかった。ヒトラー・ユーゲントというのが来朝し、それをそっくり真似《まね》て青年隊を組織した県知事もいた。挙世滔々《とうとう》としてその風潮に向っている最中に、正宗さんという人は胸のすくようなことを書いてくれたと強い印象を受けた。その後、僕は軍需工場に入って増産ということに専念しているうちに、いつの間にかヒトラーが戦争に勝ってくれればいいと思うようになっていた。ところが広島が爆撃されてからは、手の平を返したように自分は矛盾だらけだったと思うようになった。それでも表

むきは従来の通り国論に従っているような風をして、去る八月七日に高野広島県知事が県民へ発した告諭文を清書して会社の玄関に掲示した。

「今次ノ災害ハ惨悪極マル空襲ニヨリ吾《ワ》国《ガ》民戦意ノ破砕ヲ図ラントスル敵ノ謀略ニ基クモノナリ、広島県民諸君ヨ、被害ハ大ナリト雖《イエド》モ戦争ノ常ナリ、断ジテ怯《ヒル》ムコトナク救護復旧ノ措置ハ既ニ着々ト講ゼラレツツアリ、軍モ亦《マタ》絶大ノ援助ヲ提供セラレツツアリ、速《スミヤカ》ニ各職場ニ復帰セヨ、戦争ハ一日モ休止スルコトナシ」

僕がそれを掲示したのは八月九日のことで、当日、長崎にピカドンの落ちた午前十時五十何分の少し前の時刻であった。そのことは長崎が爆撃されたという壁新聞を見た後で、こまかい情報を聞いてから気がついた。もうそのときには、掲示文の「軍モ亦絶大ノ援助ヲ提供セラレツツアリ」の「セラレツツアリ」というところに鉛筆の圏点が打ってあった。誰かのいたずらである。その翌日は誰が剝《は》がしたのか掲示は無くなって、そのあとのペンキ塗の板壁に「ハラガヘッテハイクサガデキヌ」と鉛筆で大書されていた。

（この落書は工場長も気がついていた筈だが、それについては何も云わなかった。僕も消さなかった。そのまま八月十五日を迎え、終戦の詔勅が発せられた後で見ると、誰がしたのか雑巾《ぞうきん》で消したらしい跡がついていた。戦時中の工員たちの気持を象徴す

るような圏点であり落書であり、また落書の消えて行きかたであったと思う――後日記）

僕は桑の葉の天麩羅を肴《さかな》にしながらアルコールの水割をコップに三ばい飲んだ。久しぶりの酒だから、酔うには酔ったがちっとも気勢があがらない。工場長は僕の倍くらい飲んで、飲めば飲むほど青ざめて被服支廠の笹竹中尉の従来の遣《や》りくちをこきおろした。我々は工場の操業を円滑にして行くために、彼等に対して今までどんなに卑屈な態度をとっていたかお互に身にしみて知っている。人間の惨めさが、ありありと現れていて我ながらいやらしい。彼等にとって、我々は滑稽《こっけい》な木偶《でく》の坊《ぼう》に見えたろう。

工場長は丼の飯を綺麗《きれい》に食べ終り、帰りぎわに明日は甲号の国民服を闇屋に売るのだと自棄《やけ》のような口をきいた。それから上り框に尻餅をつき、甲号の国民服は新興宗教の何とか教団の以前からの制服と全く同じ型だと云った。泥酔者《でいすいしゃ》らしい連想である。その教団の本部の庭木に、いつか頬白が巣をかけていて親鳥が盛んに青虫を運んでいるのを見たと云った。

「おい、頬白は何と云って鳴くか知ってるか」と工場長は、浴衣の腕まくりをして大きな声で云った。「頬白は、一筆啓上ツカマツリ候と鳴くんだ。おい、閑間君の姪御殿、郷里へ無事に帰ったら、一筆啓上と手紙をよこせ」

「はい、その通りに致します」と矢須子は云った。「でも工場長さん、私の郷里の頬白は、ベンケイ皿モテ来イ酢ヲ飲マショ、と鳴きます」

「何だこら、もっと短く鳴け」

「私が子供のときには、頬白は、チンチク二十八日、と鳴きました」

「よし、それなら短くてよろし」

工場長はふらふらしながら帰って行った。

僕が子供のときには、頬白はチンチク二十八日と鳴いていた。子供たちはその鳴声の真似《まね》を繰返し、それに続けて、ニンジン牛蒡《ゴボウ》キライ、油揚ハ捩《ネジ》レトッテモ大キイガ良イ、と囃《はや》したてるのであった。未《いま》だに何の意味のことやら分らない。

燈火管制は厳重にしていたつもりだが、食卓の上を片づけていると管制当番の人が注意してくれと云って来た。家内が裏の小川へ洗いものをしに行くとき燈火が漏れたのだ。

20

八月十四日　曇　後晴

シゲ子と矢須子は大家さんに置手紙して、午前五時ちょっと過ぎに神石《じんせき》郡の郷里に向って出発した。弁当には焼米のほかに食塩少々と水筒の水を持たしてやった。それ以外に咽《のど》に入るものは家には皆無である。罹《り》災《さい》証明書は広島の焼跡で隣組長がくれる規則だが、広島を通らないで北廻りの電車で可部《かべ》・塩町経由にするのだから、証明書は持たないで行った。焼跡から遠ざかって行く者は誰も制限を受けないことになっている。

僕は二人を送り出してまた眠ったが、裾《すそ》の長い着物を着た一本足の人間が柄杓《ひしゃく》を担《かつ》いで跳んで来る夢を見て目がさめた。すこし汗をかいていた。着換をして出勤しようと寝間着を脱ぐと、家内の赤い真田《さなだ》紐《ひも》と、家内の湯上りを身に着けていることに気がついた。昨晩、工場長が帰ると僕は卓上を片づけて寝床に入ったが、家内と矢須子は裏の小川へ僕のシャツと寝間着の洗濯に行ったので、有り合せのものを着て寝たわけだ。

三合七勺《しゃく》瓶には中身がまだ三分の一ぐらい残っていた。飲もうか飲むまいか。瓶のコルクを抜き、匂《におい》を嗅《か》ぎ、コルクをしめ、台所へ行って、コップを探していると警戒警報が出た。

数日前、西部軍当局の発表に、敵爆弾の威力は爆風と熱波が中心である故《ゆえ》に防空壕《ぼうくうごう》に覆《おお》いをして、体を露出させてはならぬと警告してあった。また、敵機が一機二機の場合も待避しなければならぬと云《い》ってあった。しかし大家さんのところの防空壕は素掘である。僕は外に出てみたが、可部の方角の山で区切られた空にも広島の方角にも機影は見えなかった。それで戸締りをして会社の方へ出かけて行くと空襲警報が出て、どこかで爆弾の落ちる音が幾つか聞えて来た。地響きもした。「岩国だ」と、道ばたの家で叫ぶ声がした。

僕は工員寄宿舎の横を通って事務所に入った。まだ誰ひとり来ていなかった。所在なさに煙草の吸殻を鉈豆煙管《なたまめぎせる》に詰めて喫《す》っていると、二三人の女工員があたふたやって来て「お早うございます。何事が起きたんですか」と息を弾ませた。「何も変ったことはないが、どうしたのか」と聞くと、「舎監先生が、何事が起きたか聞いて来いと云われたんです。今、閑間さんが急いで出社されたんで、何か起きたに違いない。すぐ行って伺って来いと云われたんです」と云う。

そこへまた三四人の工員が不安げな顔でやって来て「お早うございます。何か重大事件が起きたんですか」と云った。「さっきの空襲の音は、普通の爆弾だと思います。みんな岩国だと云っておるんですけれど」と云う者もいた。

僕は間の悪い思いで「別に変ったことはないが、今日は己斐《こい》駅へ配炭の交渉に行くつもりでね。昼の弁当を貰《もら》いに来たよ」と、ふとした思いつきを云った。事実、己斐駅へ行ってみることにした。

それにしても僕の出社は早すぎた。常軌を逸していたと反省したい。従来、広島から通勤していたころは、月のうち二十七八日までは十二時半前に出社していたが、今日に限って早朝に出て来たので、工員たちが神経をとがらせたのも無理はない。広島が爆撃を受けてからは、いつ敵軍が上陸するか、いつ一億玉砕かと、びくびくしているのは工員たちも僕と同じことであるだろう。ただ人間の意志ががんじがらめに縛られて、不平はおろか不安な気持さえも口にするのを押し殺しているだけだ。組織というものがそうさせている。

朝飯はフスマを入れた麦飯と微塵《みじん》切りの芹《せり》の味噌汁《みそしる》で、昼の弁当は同じ飯のお握りと貝の佃煮《つくだに》である。芹は四月すぎると蛭《ひる》の卵や幼生が附着しているから、普通なら食べないことになっている。僕の隣の席にいた中田君という中年すぎの工員が、食事運びの女の雇員に、

「味噌汁はよく煮たのか」と聞くと、「いつもの倍くらい長く煮てあります」と云った。

横合から僕が「弁当の貝の佃煮は蛤《はまぐり》かね」と聞くと、「潮吹貝です。潮水で煮たの

を闇屋《やみや》が持って来たので、調理場さんがお醤油《しょうゆ》で煮詰めました。皆さんの昼食のお菜です」と云った。

中田工員の話だと、最近、宮島線の漁師町では、潮吹貝の塩煮をしたり、魚肉で餅《もち》とそっくりの形のハンペンをつくったりして闇売りしているものがある。配給の塩も闇で流すから塩水で間に合わせているわけだ。日に日に塩が貴重なものになって来る。塩気を摂《と》らない日が重なると、手にとまった蠅《はえ》を叩《たた》こうとしても、叩く方の手首がぐにゃりとして蠅に届かないものだと中田君が云った。

僕は己斐町へ向って出発した。

昨日の朝と同じく、古市、祇園《ぎおん》、山本と、焼跡へ近づくにつれて、立ちのぼる火葬の煙が次第に疎《まば》らになっていた。いわゆる鳥辺野《とりべの》の煙が川原づたいに並んでいるわけだ。

やはり山本から横川までは徒歩連絡である。横川から己斐までは一丁場だから線路づたいに歩いた。己斐駅に石炭貨車が入っているあてはないのだが、とにかく僕は気が急ぐので、枕木《まくらぎ》に落ちる自分の微《かす》かな影を追いながら歩いて行った。ふと振向いて見ると、薄ぐもりの空に鈍く光る午前の太陽を、白い一本の虹《にじ》が横ざまに突き貫いていた。いかにも珍しい虹である。僕は子供のとき、夜ふけに銀色の虹が山のこちら側に出ていたのを見て不思議に思ったのを覚えている。昼間の白い虹を見たのは今日が初めてだ。

己斐駅では駅長や助役たちが緊急会議を開いていた。僕は待つことにした。待合室の壁には尋ね人をするビラがいっぱい貼《は》りつけられ、一人の憲兵がその貼紙を一つ一つ点検して廻っていた。曰《いわ》くありげなその様子が気になった。ベンチというベンチはみんな罹災者に占められて、改札口に一ばん近いベンチには、二人の子供がパンツも何もはかない裸で仰向けに寝ころんでいた。その脇《わき》に爺《じい》さんと婆《ばあ》さんが目をつむってしゃがみ、爺さんは裸の子供たちの方に顔を向けながら、ときどき薄目をあけていた。孫を連れて途方に暮れていたものらしい。

間もなく駅長たちの会議が終り、上り列車が物々しく乗客を満載して通過した。石炭貨車は一輛《りよう》も牽引《けんいん》していなかった。僕は駅長に面会の許しを得て石炭貨車の件について訊《たず》ねたが、八月六日このかた一車も来ないばかりでなく、次の到着についてもいっさい連絡がないと云う。六日から今日まで人の輸送が精いっぱいで、貨物なんか今はどうにもならないとのことだった。

仕方がないので会社の事情を説明し、鉄道電話で石炭の今後の輸送事情を調べてもらうように、言葉をつくして駅長にも助役にも嘆願した。その場へ憲兵が無言のままやって来て、靴音をたてながら壁の貼紙を一つ一つ見て廻った。その挙句、ひとことも云わないで出て行った。どこか他所《よそ》の部隊から派遣された民情探索の憲兵だろう。伍長《ごちよう》の階級章をつけていた。

「割合に庶民的な憲兵ですな」と助役が云った。駅長は黙っていた。

実際、割合に威張らない憲兵であった。僕の思うに、八月六日のピカドン以来、軍人はまだ従来のように威張っていいかどうか自分で判断がつかなくなったのだ。

駅長は大体において僕の依頼を引受けてくれた。それで、明日か明後日また様子を聞きに来ると約束して引きとって来た。

このあたりの街並も、残った家はただ残っているというだけで、棟瓦は吹きとばされ軒は傾き硝子戸《ガラスど》の硝子は一枚もない。残った窓枠《まどわく》も菱型《ひしがた》になっていて動きそうもない。表戸を取払って出入りしている家もある。

僕は山手寄りの往還を歩いて帰った。道のほとりにペンキ塗りの家があった。そのモダン様式の玄関から、十人あまりの罹災者が道に食《は》みだしていた。風船のように顔の脹《ふく》れた人や、頭の毛の焦《こ》げた人や、目鼻のしるしだけつけたような人など、みんな凝固した血をつけている負傷者ばかりである。医院の看板はないが医者のうちらしい。診察室が患者でいっぱいのため、順番が来るのを待っているのだと分った。収容所へ行きそこねた人たちか、または十把《じっぱ》一絡《ひとから》げに収容されるには体力も気力も足りなかった人たちだろう。急いでその家の前を通りすぎた。道ばたの倉庫のような建物の土間にも数人の負傷者がいて、これはみんな寝ころんでいたが、そのなかには片手を差上げている子供が一人いた。ここも大急ぎで通りすぎた。

僕の汗拭《ふ》きの布は埃《ほこり》と汗で土色になっていた。顔を洗いたくなったので水田に沿う道に入ったが、どの田圃《たんぼ》も水がなくなっている。用水の溝川も干《ひ》あがって、底の泥土の窪《くぼ》みに折り重なっている鰌《どじょう》が殆《ほとん》どもう骨だけになっていた。雀《すずめ》も一羽、溝のほとりに死んでいた。翼の一部が焼焦げて腐爛《ふらん》の臭気を出していたが、体を斜《はす》かいに半分くらい泥土へ滅入《めい》りこませ、七八寸くらいスリップした跡をつけている。これで見ると、僕が蓮田《はすだ》のほとりで捉《つか》えた鳩《はと》と違って、爆発の瞬間、強い風圧で泥土に叩きつけられたものらしい。

昼の弁当は、田圃道を歩きながら食べた。この辺では山の麓《ふもと》で火葬の煙を出していた。

会社に帰ると、工場長が数人の工員たちと食堂で麦茶を飲んでいた。いつもと違って何となくみんな思慮深げに見えた。僕は工員たちの手前、昨晩の酒宴のことには触れないで、

「石炭の件は、己斐駅の駅長に連絡を頼んで来ました。明日か明後日ごろ吉凶が分ります。たぶん分ると思います」と簡単に報告した。

「御苦労さん」と工場長は、浮かぬ顔で云った。「ところで閑間君、広島の人たちはどういう解釈をしているかね」

「広島には今日は行きませんでした。しかし、何の解釈ですか」

「明日の重大放送のことだよ。明日の正午を期して重大放送があるとラジオで云うのでね。みんなで臆測《おくそく》しているところだよ」

僕は舌の先が微かにしびれるのを覚えた。どんな重大放送か見当がつかなかったが、講和か降伏か休戦か、そのいずれかであるだろうと思った。本土決戦はもう以前から云い古されている。

工員たちは沈黙がちになっていたが、思い出したように一人が口をきくと一人が相《あい》槌《づち》を打ち、また一人が口をきくとそれに相槌を打った。それらを要約すると次のような意見になる。

今日も敵機群がこの上空を悠々と通っていたが、爆撃もしなかったし味方も砲撃しなかった。昨日も砲撃しなかった。今日の岩国の空襲はともかくとして、ここ一二日は様子が違う。中央の為政者はもう敵と話をつけて、一般への公表が明日の正午だとだ。睨《にら》みを利《き》かして廻っているのだから、講和や休戦は考えられない。残るのは降伏だけということになる。そうだとすると日本軍が外地の占領地区で工作したように、敵軍は本土上陸して江湾を占領し、日本軍の武装解除をするだろうか。それとも、ソ連に対して宣戦布告をするという重大放送だろうか。そうなると世界じゅうの国を敵にすることになる。外地に出征している日本兵はどうなるか。一般国民はどうなるか。今日までは、現在以上の悪い暮しはないと思っていたが、国が滅亡するのだとなると我々にも覚悟がある。しかし、どんな覚悟かまだ自分でもわからない。敵には武力がある。日本人の男という男はみんな去勢されるのではなかろうか。それにしてもピカドンが落ちる前に降伏することは出来なかったのか。いや、ピカドンが落ちたから降伏することになったのだ。しかし、もう負けていることは敵にも分っていた筈《はず》だ。ピカドンを落す必要はなかったろう。いずれにしても今度の戦争を起す組織を拵《こしら》えた人たちは……

話はもう言論統制に逸脱するところまで行ったので、それ以上に臆測は進展しなかった。

僕は己斐駅で交渉したことを工場長に改めて報告した。工場長は云った。

「では、己斐駅の駅長に提出する書類を、明日の正午までに作成して置いてくれないか。重大放送もあることだし、後で誰に調査されても正確に分るように、書類にして置いてもらいたい。いつかのような誤解があっては困るからね。これは工場長命令だ」

傍にいる工員たちにも聞かせるように、はっきりとそう云った。

「いつかのような誤解」とは、今年の春、一車輛ぶんの石炭が誤って他の会社へ運ばれて、我々の会社が石炭を横に流したと疑われたことである。後でそれは間違いであったとわかったが、一時は石炭統制会社が我々の工場から犠牲者を出そうとした。

僕は工場長や工員たちに、己斐へ行く途中に白い虹を見たことを話した。すると工場長が食卓をどんと打って、

「そうか、君も見たか。僕も東京にいたとき、二・二六事件の起る前の日に見た。白い虹だよ」と云った。

やっぱり白い虹は、太陽のまんなかを横に貫いていたそうだ。二・二六事件の起る前日の午前十一時ごろ、工場長が三宅坂《みやけざか》のところを歩いていると、その日は海が荒れていたのか、宮城のお濠《ほり》に何百羽もの都鳥が集まっていた。二月下旬だから鴨《かも》も堤に群れていたが、都鳥は何百羽か何千羽の数かわからないほど群がっていた。不思議なことだと思って見ていると、まだ不思議なことに、空の太陽を白い虹が横刺しにして

いたそうだ。

「それはね、悪いことの起る前兆だ」と真顔で工場長が云った。「あの翌日、二・二六事件が勃発《ぼっぱつ》してね。だからその前の日だ。僕が役所の上役に、さっき白い虹を見たと話したところ、上役はぎくりとしたね。『白虹《はっこう》、日を貫く』と云って、兵乱の起る天象だ。上役がそう云うのだな。史記の何とか伝というのにあるそうだ。僕は、まさかそんな馬鹿《ばか》なことがと思ったが、翌日の夜明けに二・二六事件が勃発したね」

「私の見たのは、太陽を串刺《くしざ》しにしたような、割合に幅の狭い虹でした」

「そうだ。幅は広くはないけれど、流線型の決定的な白い虹だ。縁起をかつぐわけではないが、白い虹は貧乏神のようなものだな。どうもそうらしい」

僕は一日じゅう歩いたので疲れを覚えていた。石炭貨車に関する書類は明日の午前中にでも書くことにして、夕飯は工場長や工員たちと一緒に食堂で食べた。

「昨晩のアルコール、まだ残っています」と工場長にこっそり云うと、

「よし、まことによろしい。重大放送の結果次第では、明晩でも飲みに行くよ」と工場長が云った。

八月十五日　晴

昨日の疲れでぐっすり寝たせいか早く目がさめた。

工場の食堂へ出かけるのが待ち遠しくてならなかった。例によって水を飲んで胃の腑《ふ》をごまかしたが、まだ時間が余るので上《あが》り框《かまち》に腰をかけていると、家主の隠居さんが「重大放送というのは何ですやろか」と聞きに来て、新聞紙に包んだものをくれた。ブラジルのコーヒーの実であると云う。これは隠居さんの甥《おい》が二十何年前にブラジルへ出稼《でかせ》ぎに行って、何年か前に送ってよこしたものである。どんなふうにして食べたらいいか知れないので、今まで紙袋に入れて慳貪《けんどん》戸棚に蔵《しま》っていたそうだ。僕もコーヒーの実の実物を見たのは初めてで、炒《い》りかたも挽《ひ》きかたも知らないが、

「これはモカ種でしょうか、アラビカ種でしょうか。近頃ブラジルでは、モカ種とアラビカ種の交配種が主に栽培されているそうですね」

いつか工場長から聞いた通りのことを云って、有難く頂戴《ちょうだい》した。

隠居さんは僕が戦局に詳しく通じていると思って話をしに来たのではない。重大放送のことが気になるので、ただ話相手を誰かほしかったのだ。僕は当り障《さわ》りのない話をした。

隠居さんの話では、広島の天満川では今でも川魚の死ぬのがある。弱って腹を返して浮いているのを手に摑《つか》むと、鱗《うろこ》がずるりと剝《は》げたり背鰭《せびれ》が抜けたりする。浅野の泉

庭の鯉《こい》は大部分が空襲で即死したが、生き残る鯉も鱗が剥脱《はくだつ》したり急にふらふらになったりするのがある。罹災《りさい》しなくても焼跡を歩きまわった人たちのうちには、次々と皮膚に斑点《はんてん》が出たり頭の毛が抜けたりして、歯がぐらぐら動きだしたりするのもいるそうだ。僕もどんなことになるか知れないが、今のところ髪を引張っても抜けないし皮膚にも斑点がない。歯にも異常がない。(僕は被爆後二年たって、もう大丈夫だと思うようになった頃から歯が二本ぐらぐら動きだし、やすやすと自分で抜くことが出来た。つづいて四本の歯が動きだしたので指でつまんで引張ると何の痛みもなく抜け、今では上の歯が総入歯である。労働して疲れた後は頭に豆粒大の発疹《はっしん》が出来る。僕と共同で鯉の養殖を始めた庄吉さんは、被爆した翌年、歯が無痛状態のまま二箇月間にすっかり抜けたので、上下総入歯にした。庄吉さんの上の歯齦《はぐき》は土手があるか無いかほど低いので、入歯の台を歯科医が技術上の極限まで高くして、唇の体裁がよくなるように作ってくれた。それでも上唇が口のなかに曲りこんだように見えるので、庄吉さんは上唇を隠すため口髭《くちひげ》をのばして今日に及んでいる。太く逞《たくま》しげな髭である。村の人たちはその事情を知っている筈であるにもかかわらず、ふとして庄吉さんの髭が身分不相応だと云うことがある。当人としては決して驕《おご》れる心からの髭ではない。謙譲実貞な庄吉さんのために、ここで弁じて置く次第である——後日記)

僕は隠居さんが帰ってから会社へ出かけ、食堂でみんなと一緒に朝の食事をすませ、必要書類の作成にとりかかった。工場長命令によって己斐駅の駅長に提出する書類である。会社の一週間分の石炭の必要量と被服の生産量を記し、広島被服支廠《ししよう》での最近の交渉経過と、石炭統制会社の潰滅《かいめつ》状況を明細に記す書類だから、ずいぶん頭を要する仕事である。被服支廠の配炭部門担当の将校が無責任であったと書いては支障があるし、彼等が協力してくれたと書いては願書としての効力もないし、舞文曲筆の要があるので骨が折れた。文章の継ぎ目には謳《うた》い文句を挿入《そうにゆう》することにして、この緊急非常事態のもと、石炭の一塊は今や血の一滴だと書いたりした。石炭統制会社が人的機能もろとも消滅してしまった今日では、そう書くのがこの統制下での一方策であったと思う。

書類を書き終って読み返していると、工場の機械の音がぴたりと止まった。十二時に五分前だ。重大放送の時間が来たのである。僕は書類を抽斗《ひきだし》に入れ、廊下に出ると階段を駈《か》け降りて、咄嗟《とつさ》に非常口から裏庭に出た。ラジオは食堂にあるのだが、今、そこに恐るべき重大事が言葉によって発せられる。怖いもの見たさの反対である。みんな食堂の方へ廊下を急いで行っているらしい。その足音が鈍い騒音になって聞えて来た。

裏庭はひっそりとして三方を社屋で取囲まれ、一方は櫟《くぬぎ》の木の茂る岡の麓につづいている。その林のなかから六尺幅の用水溝がこの裏庭に通じ、事務所の社屋と工務部の社屋の間を涼しい風と共に流れ去っている。溝の手前の湿っぽい地面には杉苔《すぎごけ》や銭苔《ぜにごけ》がところどころに密生し、溝の向側には疎穂状の薄赤い小花をつけた水引草の群落がある。ところどころにドクダミも生えている。

事務室を外から覗《のぞ》いて見たが誰もいなかった。食堂へ行こうかと思った。いや、行くまいと思った。工員の部屋を覗いても一人もいない。事務室の横の簡易炊事場を裏口から見ると、焜炉《こんろ》の上の大きな薬罐《やかん》が湯をたぎらせて蓋《ふた》を持ちあげている。弁当持参の事務員たちの沸かしている薬罐だが、みんなラジオを聞きに行っているので、ほったらかしになっている。

放送はもう始まっていたが、裏庭に聞えて来るのは跡切《とぎ》れ跡切れの低い言葉であった。僕はその言葉の意味を辿《たど》ろうとする代りに、用水溝に沿うて行ったり来たりして、ちょっとまた立ちどまったりした。この溝は両側の縁が深さ六尺ほどの手堅い石崖《いしがけ》づくりになって、溝の底もすっかり石だたみで平らになっている。流れは浅いが、ぼさなど一つもなくて、透き徹《とお》った水だから清冽《せいれつ》な感じである。

「こんな綺麗《きれい》な流れが、ここにあったのか」

僕は気がついた。その流れのなかを鰻《うなぎ》の子が行列をつくって、いそいそと遡《さかのぼ》っている。無数の小さな鰻の子の群である。見ていて実にめざましい。メソッコという鰻の子よりまだ小さくて、僕の田舎でピリコまたはタタンバリという体長三寸か四寸ぐらいの幼生である。

「やあ、のぼるのぼる。水の匂《におい》がするようだ」

後から後から引きつづき、数限りなくのぼっていた。

このピリコは広島の川下から遥々《はるばる》と遡って来たものだろう。普通、鰻の子は五月中旬ごろ海から川に遡って来るが、川口から半里ぐらいのところあたりでは、体がまだ柳の葉のように扁平《へんぺい》で半透明である。広島の江湾あたりの漁師はそれをシラスウナギと云っている。ここではもう、ちゃんとした鰻の姿になって、大きな鰌《どじょう》ぐらいの長さだが鰌よりもずっと細くて動きが流麗である。広島が爆撃された八月六日ごろはどのあたりを遡上《そじょう》していたことだろう。僕は溝の縁にしゃがんでピリコの背中を見較《みくら》べたが、灰色の薄いのと濃いのがいるだけで被災したらしいのはいなかった。

「こいつ、釣れるかしら。どんな餌《えさ》を食うのかしら」

僕がその場を離れて非常口の方へ引返して行くと、その戸口から一人の工員が出て来て小走りに僕の横を通りすぎた。

「おい君、どうした」と僕は声をかけた。

　工員は振返ったが、僕をじろりと見るだけで、簡易炊事場の方へ駈けて行った。作業帽を握りしめているところと云い、その固苦しげな駈けだしかたと云い、ただならぬものが感じられた。

　食堂の方へ廊下を歩いて行くと、工員たちが今まで一度も見せたこともないような険しい表情をして次から次に通りすぎた。なかには泣いている男工員もいた。作業帽で顔を覆《おお》っている女子工員もいた。寄宿舎に帰る数人づれの女子工員のうち、泣いている一人の肩に連れの一人が手を置いて、

「あんた、泣かんと置き。これでもう空襲はないけんな」と慰めていた。

　僕の目にも涙が込みあげて来た。それを隠すため、食堂の入口にある手洗鉢《ちょうずばち》で手を洗っていると、配膳《はいぜん》を終った中年の炊事婦が僕のところへ挨拶《あいさつ》に来た。

「閑間さん、ほんとにこのたびは、どうも何でございましたなあ」と丁寧にお辞儀をした。「ほんと、あたしのようなこんな婆《ばば》あでも、口惜《くや》しゅうて口惜しゅうて、ほんとになあ何ですが、あんた」

　この炊事婦は泣いてはいなかった。僕の涙はもう引込んでいたが、正直なところ、それは今月今日正午すぎの涙として正統派に属するものであったとは云われまい。僕

は幼いとき近所で遊んでいて、要市という背の高い半ば白痴の無法者によくいじめられた。それでも、その場で泣くのは我慢して家に逃げ帰り、お袋にねだって拡《ひろ》げた胸元から出してもらった乳房を見ると同時に泣きだすのであった。いまだに乳の味が鹹《しょ》っぱかったのを覚えている。ほっとした瞬間の涙であるが、今日の涙もそれと同じ種類のものではなかったかと思う。

食堂には工場長や職員たちを併せて、二十人あまりしか食卓についていなかった。それも相当年配の者ばかり、みんな石地蔵のように黙りこんでいて、食事をしている者は一人もいなかった。若い炊事婦は布巾《ふきん》を持って、叱《しか》られたときにするように配膳口の暖簾《のれん》の下に立っていた。

「工場長、やっと書類を片づけました」と僕は工場長の向い側に腰を卸した。「降伏らしいですな」

「どうも、そうらしい」と工場長は、案外あっさり云った。「今、陛下が放送されたんだ。しかし、ラジオの調子が悪くってね。工員が調節したが、いじればいじるほど悪くてね、はっきり聞えないんだ。しかし、とにかく降伏らしい」

食卓の上にあるフスマを混ぜた丼飯《どんぶりめし》は、かさかさに乾いて蠅《はえ》がたかり、醤油《しょうゆ》で煮しめた潮吹貝にも蠅がいっぱいたかっていた。誰もそれを追い払おうとする者はいない。

「さあ諸君、元気を出して食べよう」と工場長が、取って付けたように大きな声を出した。「おい、炊事婦のお嬢さん、梅干を持って来い。みんなに、三箇ずつ行きわたるように数を勘定して持って来い。明日から、この工場は敵軍の管理になるかも知れんぞ。そうなったら僕に発言権はないんだ」

みんな黙っていたが、工場長が箸《はし》を持ったので僕らも箸を取った。梅干はみんなに三箇ずつ行きわたった。僕は工場長がするのを真似《まね》て、飯の上に梅干を三つ載せてだぶだぶお茶をかけ、箸でよく掻《か》きまわしてから食べた。途中、お茶を補給しながら気がついたが、丼の底に梅干が一つあるだけで、二つ見つからない。梅の核《たね》は外に出したとも覚えない。そんなに無我夢中で食べた筈ではなかったが、見つからない二つは飯と一緒に呑《の》みこんだらしい。咽《のど》を撫《な》でてみても何の異状もない。ちょっと大ぶりな梅干であったのだけれど。

食後、与田という工員が、さっきの玉音放送は「今後、大いに戦うべし」という御言葉であったと云いだした。それで一時みんなに緊張の色が出て、工場長も職員たちもすぐには食卓から離れようとしなかった。不意に「流言蜚語《ひご》じゃ」と大声を出す者がいた。それに続いて中西という労務課の職員が、さっきの放送には「なお交戦を継続せんか、終《つい》に……」という明瞭《めいりょう》な御言葉があったと云った。

「僕も、はっきりはしないが、どうもそんなように拝聴したな」と工場長が云った。ほかの二三の者も、確かにそんな御言葉であったと云った。そうだとすると、その御言葉からして「大いに戦うべし」という言葉は生れない。やっぱり敗戦だという結論に落着いた。（この日、午後五時の放送で明確に敗戦だと分った。後日、刷物で見た終戦の詔勅は次のようになっていた。

——敵ハ新ニ残虐ナル爆弾ヲ使用シテ頻《シキリ》ニ無辜《ムコ》ヲ殺傷シ惨害ノ及フ所真ニ測ルヘカラサルニ至ル而《シカ》モ尚《ナオ》交戦ヲ継続セムカ終《ツイ》ニ我カ民族ノ滅亡ヲ招来スルノミナラス延《ヒイ》テハ人類ノ文明ヲモ破却スヘシ……——後日記）

僕は事務室から書類を食堂へ持って来て工場長に判を捺《お》してもらった。だが、敗戦となっては軍関係の被服工場の存続はあり得ない。己斐駅へは行くも行かないも無いのである。

「この書類は、どこへ保存しましょうか」と工場長に聞くと、

「僕が預かって、金庫に蔵って置く。では、確かに預かった」と云って食卓から立って行った。

僕も食堂を出ると、もう一度鰻の子の遡上を見るために非常口から裏庭に出た。今度は慎重に足音を殺して用水溝に近づいたが、鰻の子は一ぴきも見えないで透き徹っ

た水だけ流れていた。

これで「被爆日記」の清書は完了した。あとは読み返して厚紙の表紙をつければいいのである。

その翌日の午後、重松は孵化池《ふかち》の様子を見に行った。毛子の成育は上々で、大きい方の養魚池の浅くなっている片隅に蓴菜《じゆんさい》が植えてあった。たぶん庄吉さんが城山の弁天池から採って来て植えたのだろう。緑色に光る楕円《だえん》状の葉片が水面に点々と浮かんでいるなかに、細い花梗《かこう》をもたげて暗紫色の小さな花を咲かせていた。

「今、もし、向うの山に虹が出たら奇蹟《きせき》が起る。白い虹でなくて、五彩の虹が出たら矢須子の病気が治るんだ」

どうせ叶《かな》わぬことと分っていても、重松は向うの山に目を移してそう占った。

井伏鱒二　人と文学

河盛好蔵

井伏鱒二氏の人と文学について論じるに当って、まず氏の経歴について述べなくてはならないが、幸いに氏には自伝的随筆『雞肋集《けいろくしゅう》』(昭和十一年)と『半生記』(昭和四十五年)の二つの貴重な記録があるので、それを中心にして、井伏文学の理解に必要な事柄を述べておきたい。

井伏氏は明治三十一年(一八九八)二月十五日に広島県深安《ふかやす》郡加茂村粟根《あわね》(現在は福山市加茂町粟根)に生れた。井伏家の先祖は嘉吉《かきつ》二年(一四四二)まで溯《さかのぼ》ることのできる旧家で、家号を「中ノ土居」といい、代々地主であった。この生家を昭和四十二年に訪問した安岡章太郎氏は次のように書いている。「建物はおそらく徳川末期のころのものが、そのまま残っているのだろうが、古い家にありがちな陰惨な影がすこしもなく、きわめて明るい感じがするのは、設計が合理的だからだろう。大きく、どっしりとはしているが、ムダな飾りや、威圧的な道具立ては全然ない。ひと口に言って、じつに豊かな、内福な暮らし向きを感じさせるお住まいだった」

井伏氏は次男で、五歳のとき父君を失い、祖父と母堂の手で大切に育てられた。《お爺《じい》さんは私を可愛《かわい》がってくれた。父親を失った三人兄弟の末っ子だから不憫《ふびん》に思っていたらしい。何かにつけて兄や姉などよりもずっと私の方に贔屓《ひいき》した。いつか朝顔型のラッパのついた蓄音器を町で買って来て私たちに鳴らさせたが、兄や姉が鳴らす音は大してよくないようだと云《い》っていた。私が鳴らすとじっと耳を傾けて、「やっぱりフミオ（兄）よりも、マスジ（私）の鳴らす方が音が良《え》え」訪《たず》ねて来る人にもそう云っていた。》

以下《 》でくくった部分は井伏氏のものである。

この祖父は書画骨董《こっとう》を愛し、応挙《おうきょ》、一蝶《いっちょう》、竹田《ちくでん》その他のコレクションを誇っていた。これらの蒐集品《しゅうしゅうひん》はすべてニセモノであったらしいが、井伏氏に書画骨董に親しませるのには役立ったにちがいない。

祖父にくらべて母堂のほうは井伏氏の教育にきびしかったようである。氏に、《私の母は八十六歳だが、まだ割合と達者である》という言葉で始まる『おふくろ』（昭和三十五年）という名随筆があるが、そのなかで氏と母堂は次のような問答を交わしている。

《「ますじ、お前、東京で小説を書いとるそうなが、何を見て書いとるんか」

「何を見て書いとるかと云っても、いろんな景色や川や山を見て、それから、歴史の本で見た話や、人に聞いた話や、自分の思いついたことや、自分が世間で見たことや、そんなの書いとるんですがな」

「それでも、何かお手本を置いて書いとるんじゃなかろうか」

「それは本を読めば読むほど、よい智慧《ちえ》が出るかもしれんが」

「字引も引かねばならんの。字を間違わんように書かんといけんが。字を間違ったら、さっぱりじゃの」》

このとき井伏氏はすでに六十二歳で、日本芸術院会員になったときであるが、母堂の庭訓《ていきん》がどのようなものであったかを推察することができよう。

氏の少年時代の経験で特筆しておくべきことは、十二歳のとき、夜半に強盗が現われて、井伏家の雨戸のそとから「明けろ、戸を明けろ」と怒鳴ったことである。「明けろ、明けろ」という口舌は後日まで井伏少年にとっては《幽霊のようにおそろしかった。いずれにしても私の初めてきいた東京弁は、「戸を明けろ」とか「文句を云わねえで明けろ」という物騒な言葉である。したがって東京弁に対する私の最初の印象は非常に感じが悪かった。》

しかしそんなに感じの悪い東京弁でも、その後七年たって中学を卒業し、その年の九月に初めて上京するときには、《一日も早く東京弁を使いこなせるようになりたいと思っていた。》幸いにその東京行の汽車のなかでは、差向いの座席に東京弁を使う紳士がいたので、井伏氏はその人の口のききかたに注意し、《言葉の抑揚、助詞の「ね」の使いかた、感動詞としてのそれの使いかた、それの配置の仕方など、早く会《え》得《とく》しようと心がけた。》

ところが東京駅に着いて降車口に出ると、客待ちの車夫が四、五人いて、そのなかの一人がいきなり「旦那《だんな》、参りましょう。お安く参ります」と威勢よく声をかけた。《その歯切れのよさに私はびっくりした。同時に、今まで張りつめていた気持に水をかけられたような心地がした。この大東京では車夫馬丁でさえも歯切れのいい東京弁を使う。……私はその車夫の俥《くるま》に乗って、「東京弁のことなんぞ、もうどうだってよい。蛙《かえる》の子は蛙の子じゃ」と考えた。だが、豁然《かつぜん》として悟ったというような爽《さわ》やかなものではない。しぶしぶながらそう思った。》

この東京弁のエピソードは井伏文学を理解する上に重要である。氏はその後小説家となって作中人物に、初印象では《感じの悪かった》東京弁をいろいろしゃべらせなければならなくなるが、そのために作家としての抵抗と苦心がいろいろあった筈《はず》である。言葉にとりわけ敏感な氏のような作家にあっては特にそうである。氏の作品には郷土や、そのほかのさまざまの地方の方言が実に巧みに、時としては深い親しみをもって使用されているのはこの東京弁との闘いを示すものであろう。

氏は名門福山中学に入学するが、学校の内庭に畳一枚ぶんほどの大きさの浅い池があり、そのなかに二疋《ひき》の山椒魚《さんしょううお》が飼われてあった。《寄宿舎にいた私は、どこかで雨蛙を見つけると、かまわず摑《つか》まえて来て山椒魚に食べさしていた。》これを見ると、氏は幼少の頃から生きものに興味を持ち、その生態を観察することを悦《よろこ》んだことがよく分る。氏の処女作『山椒魚』にはこのときの観察が生かされていたことは言うまでもあるまい。

《私は中学三年ごろから、自分の志望を人に諮《き》かれると画家になりたいと答えるようになった。絵が好きだから、そんな返事をするようになっていただけで、画家として生きる決意を貫こうなどというのとは違っていた。それにしても私の兄やお袋が、よくも私のぐうたらぶりを許したものだと思う。》

氏は大正六年三月福山中学校を卒業すると、四、五、六月にわたって、奈良、京都を写生旅行し、そのスケッチを持って京都の橋本関雪に入門を頼んだが断わられた。《その翌日、郷里に帰った。京都で散々だったことを兄に報告すると、画家になろうとするよりも、初めから兄が私に希望していた通り、小説家になる道を辿《たど》った方がいいだろうと云った。》《兄が私を小説家か詩人にしたいと思いついたのは、いつごろのことであったか私には思い当るところがない。中学時代の私の受持の先生に、お伺いでも立てた上のことかもわからない。易を見てもらうようなことはしなかったろう。いずれにしても兄貴としては、出来の悪い舎弟が八方塞《はっぽうふさ》がりにならないうちに、どこかに一つ息の出来る穴を確保さしてやりたいと思っていたのだろう。本人にしても、そういったような気持であった。》

その結果、その年の九月に早稲田《わせだ》大学予科一年に入学した。当時小説家になるには早稲田の文科を卒業するのが早道だと一般に考えられていた。それにしても小説家や詩人が異端視されていた当時、自分の弟に小説家になることをすすめたということは異例中の異例にぞくする。井伏氏には、小説家を志したために父兄と烈《はげ》しい衝突をするということはなかったのである。氏は早稲田大学に通学するかたわら、大正十年には日本美術学校別格科に入学して、週に一、二度絵の勉強に通った。また戦後は新本《にいもと》燦根《きらね》画伯の画室に通って油絵の勉強を始めたり、硲伊之助《はざまいのすけ》氏の指導で陶器を作ったりしている。これは氏の美術好きの根の深いことを物語るものである。これについては安岡章太郎氏は次のように書いているが、全く同感である。

「井伏氏が、文学よりも絵が好きだったというのは、その作品の傾向からみてもウナずける。『風貌《ふうぼう》・姿勢』その他、スケッチ風の人物論の無類のうまさや、魚や鳥や生きものの描写の的確さ、豊かさ、をみても井伏氏に写生の才能のあることはすぐわかる。とくに初期の短篇《たんぺん》は、絵を文字でつづったものだと言えるぐらいだ。(中略) しかし井伏氏が文学よりも絵を好んだというのは、何よりも絵が手にとって見られるモノだからでもあるだろう。百姓が自分の収穫を掌《たなごころ》に受けて眺《なが》めるように、仕事や作業の成果は一個の現物でないと気がすまないという、いわば即物的なリアリズムが井伏氏の資質の根本にありそうな気がする。自分の眼で見てたしかめたものだけしか信じないという現物主義が、井伏氏の心底には多分よほど頑固《がんこ》に根を張っている」

井伏氏は大正十一年に事情があって早稲田大学を中途退学するが、この年の五月に無二の親友青木南八を喪《うしな》っている。《私は今までに、たびたび青木南八のことを書いた。随筆や半自叙伝のほかに「青木南八」という題で思い出を書いたこともある。「鯉《こい》」という小品で、南八に対する感慨を一匹の鯉に托《たく》して書いたこともある。もう書きすぎるほど書いたので重複することしか書けなくなった。しかし学生時代の私を強く庇護《ひご》してくれたのは南八だ。》青木の井伏氏に与えた影響は大きく、ルイ・フィリップの名を初めて氏に教えたのも青木であった。フィリップは氏の愛読する作家である。

井伏氏は早稲田を退学してからも大学の界隈《かいわい》を離れなかった。《私は学生時代の六年間、ときには例外もあったが殆《ほとん》ど早稲田界隈の下宿で暮し、学校を止《よ》してから後の四年間もこの界隈の下宿にいた。したがって私は青春時代の十年間、この界隈の町に縁があった。云いなおせば私は青春という青春をこの辺のどぶのなかに棄《す》ててしまった。いまでもこの町の裏通りを歩いていると、見覚えのある穢《きたな》いどぶのなかにはまだ自分の青春のかけらが落ちているような気持がする。》しかし氏の初期の名作『屋根の上のサワン』や『夜ふけと梅の花』などはみなこの学生町を舞台にしており、このどぶのなかから大空いっぱいに立った壮麗な虹《にじ》である。この日本のカルチェ・ラタンを抜きにして井伏文学は考えられない。

井伏氏はあり余るほど豊かな才能と資質に恵まれながら、文壇的にはきわめて不遇であった。処女作『山椒魚』が『幽閉』という題で同人雑誌「世紀」(大正十二年八月)に発表されたときも、ある評論家から「古くさい」という意味の短評で新聞の文芸欄で片づけられただけであった。しかし、当時、青森中学一年生だった太宰治《だざいおさむ》がこれを読んで「坐《すわ》っておられなかったくらいに興奮した。……私は埋もれたる無名不遇の天才を発見したと思って興奮した」と彼は書いている。井伏文学が正当な評価を受けたのは昭和六年二月号の「改造」に発表された『丹下氏邸《たんげしてい》』についての小林秀雄氏の批評が初めであった。「彼の文章は決して平明でも素朴でもありません。大変複雑で、意識的に隅々《すみずみ》まで構成されているものです。若い作家のうちでは彼は文字の布置について最も心を労しているものの一人です。彼は文章には通達しております。瑣細《ささい》な言葉を光らせる術も、どぎつい色を暈《ぼか》す術も、見事に体得しています」と小林氏は書いている。

大正十二年の関東大震災を境にして左翼文学が擡頭《たいとう》し始め、大正末年から昭和初頭にかけてその旋風は文壇を吹きまくった。左翼にあらざれば文学者に非《あら》ずというような時代の風潮であった。《私が左翼的な作品を書かなかったのは、時流に対して不貞腐《ふてくさ》れていたためではない。無器用なくせに気無精だから、イデオロギーのある作品は書こうにも書けるはずがなかったのだ。生活上の斬新《ざんしん》なイズムを創作上のイズムに取入れるには大きく人間的にも脱皮しなくてはならぬ。勇猛精進なくしては出来得ない。第一、私は『資本論』も読んでいなかった。今だに読んでいない。》これは井伏氏の小説家としての態度、姿勢、心構えを知るための重要な言葉である。こんどの戦争では氏は陸軍の徴用を受け、シンガポールでつぶさに辛酸を嘗《な》めたが、戦争に際しても平常心を決して失わなかった数少ない作家の一人である。このいかなる場合にも平常心を失わないのは井伏氏の特筆すべき特色であって、それが氏の作品を、永井龍男《たつお》氏の言葉を借用すれば、「大黒柱も、厚い梁《はり》も、黒光りがしている」がっしりした建物たらしめている。「この主人は、他人の邪魔になるようなことは決してしなかったが、そのかわり自分の喜びや悲しみについて、余計な口をきかれることも好まなかった。大げさなことは、すべて嫌《きら》いだった。世間に事がなかったのではないが、激しい西風や北風が吹きまくっても、裏の林や竹藪《たけやぶ》まかせで、家のうちは静かなものだった」と永井氏は更に書いている。

以上で井伏文学を味わうための大切なポイントをあらまし述べたつもりであるが、これだけでは作家論の体《たい》を成していないと云う人があるかもしれない。しかし氏の作品を抽象的もしくは概念的な言葉で解説することはほとんど不可能なのである。そのような試みを氏の作品は一切拒否している。私たちのなしうることは、氏の個々の作品を取りあげて、それを隅々まで丁寧に味わい、その苦心の跡を辿り、その面白さを自分自身で会得する以外にはない。このところはこんな風に解釈するのだとか、この作品の面白さはここにあるのだとか教えて貰《もら》っても、一向に興が乗って来ないのが井伏文学である。しかし素直な心で、素直に読み、素直に味わう読者には、氏の作品は心ゆくまで語ってくれ、どこまでもつき合って楽しませてくれる。その資源の豊かさはおどろくばかりである。井伏文学を正しく理解するためには、誠実な生活者である だけで充分であって、いかなる種類のさかしらも必要ではない。

また文学は結局文章に尽きることを教えてくれるのも井伏文学である。文章を味わい、楽しむことを知らない人には井伏文学は全く無縁であるといってよい。文章の名匠として聞えている永井龍男氏は書いている。「この頃の井伏さんの文章は、井伏という木の花のようなものであり、木の枝や樹皮のようなもので、井伏さんその人が文章をなしている。作者が大成して、人柄と作品が一つに結晶する例は、画家の場合にみられるようだが、文章家には稀《まれ》なことだと思う。井伏さんが如何《いか》に文章を愛して生き抜いたかの証拠だと思う」（昭和四十七年）最後に数多い井伏氏の短編のなかで、私の選んだ極《きわ》めつきの名作として、左の六編をあげて置く。これは井伏氏の同意をえたものである。『夜ふけと梅の花』『屋根の上のサワン』『へんろう宿』『白毛』『遥拝《ようはい》隊長』『開墾村の与作』。長編としては『さざなみ軍記』と『黒い雨』の二つをあげておきたい。

（昭和四十九年二月、フランス文学者）

『黒い雨』について

河上徹太郎

これは野間文芸賞昭和四十一年度受賞作品である。最初「新潮」に『姪《めい》の結婚』という題で連載を始め、途中でこの題に改題し、昭和四十年一月号から同四十一年九月号で終っている。

題材は広島原爆罹《り》災者《さいしゃ》の体験談である。しかも作者はこの異常な、センセイショナルな事件を、彼としては珍しく「搦《から》め手《て》から」描かずに、正面からまともに組んで本格的に書いている。そこに彼の素材的な自負があるとともに、この事件に対してきおい立った意気込みがある訳だろう。

世に原爆小説というものは、限りなく出ている。又原爆に対する「政治的」論議は、それに輪をかけてかまびすしく、常日頃聞かされる。それに関する事実の調査は尽くされ、政治上のモラルの問題は果てしなく戦わされている。しかも時にその議論が不《ふ》遜《そん》にも過剰の感を懐《いだ》かせるのは何故《なにゆえ》かというと、つまりその中に肝心の人間性が稀薄《きはく》だからである。だから問題が観念化され、感傷化されるのである。

小説というものは元来日常の人間性の世界を対象としている筈《はず》である。然《しか》し世の原爆小説がえてしてこの枠《わく》から外《はず》れるということは、この事件が余りにショッキングであり、直ちにそれが道徳的批判に訴え、そして有無をいわさずそれに対する政治的討議の議場へ人々を招くことになるからである。

この傾向に真っ向から反対するものはない。然しこうやっていきり立つことは、却《かえ》って問題の真意をぼやけさせることになり得《う》る。殊《こと》に小説としてはリアリティを損じ、データを概念化する結果になる。

『黒い雨』の成功は、右の過誤とは縁がない点にある。この作者は、手馴《てな》れた井伏的登場人物をそのまま使って、彼等の日常性のうちに原爆の雨を降らせたのである。彼等はいつものような八月五日の翌日として八月六日の午前八時を迎えた。そしてそのままの状態で、この作の終るまでの数年後の月日を過した。これには揺がぬ心情が必要だが、彼等はそれをやり終《おお》せた。被爆者は一夜にして殉教者に昇格されるからである。そしてもっと忍耐がいるのは作者自身なのだが、彼がそれに耐えたところに彼の小説家としての立派さがあるのである。

作者井伏の郷里は広島県福山在だが、この地方のねちこい人情は彼の従来の作品に一閃《いっせん》の親しく描かれている。地理的にも当然、犠牲者の過半がこれらの人々である。原爆がたちまち一瞬にして日影美しい安芸《あき》地方を本土上陸作戦が実現されたかのような正真正銘の戦場と化した。丹下氏邸の下男が薪《まき》を切る裏山や、村上オタツが帆を操《あやつ》る二本マストのスクーナーが滑《すべ》る瀬戸内《せとうち》の海が、何の予告もなしに無数の非戦闘員の戦死傷者の凄惨《せいさん》な姿で被《おお》われた。これは信じられないことだが、然し待ったなしの現実である。人々は、槌ツァとか九郎治ツァンとかいって昨日の名で呼ぶけど、彼等の顔は風船のように、水瓜《すいか》のように膨《ふく》れ上がって、識別すべくもない。われわれは沈着でなければならない。井伏はこの阿鼻叫喚《あびきようかん》の巷《ちまた》を腕に腕章を巻いた衛生要員のように、抜かりなく冷静に処置しながら歩く。昨日まで知り抜いていた街角が、今日は瓦礫《がれき》や切れた電線や屍体《したい》でごった返して見境がつかない中を、足許《あしもと》をよく見極《きわ》めながら目的地に向って道を辿《たど》るのである。

この小説の主人公は、閑間《しずま》重松《しげまつ》・シゲ子夫妻と、その姪で養女格の矢須子《やすこ》の一家三人である。矢須子は叔父と同居して、その勤め先の工場で徴用逃《のが》れに働いている。原爆の瞬間、重松は横川駅にいて被爆、かなりの傷を受けている。シゲ子は市内の宅にいてむしろ無事、矢須子は社用で爆心地遠く出張していたので、直撃の被災はない。物語は事件の数年後、彼等の故郷である県の東境に近い山間の小村でやや落着いた戦後生活を営んでいる時期を舞台として描かれているが、被爆当時の模様は、矢須子と重松の二人の詳細な被爆日記を間断なく引用挿入《そうにゅう》することによって、刻明に綴《つづ》られている。それというのも矢須子に縁談が起ったのだが、村内に事件当時広島にいて生還した人のデマで、彼女が市内で勤労奉仕中爆弾が落ちたといい触らされているので、原爆症がありはしないかという疑いを解消する必要があるからである。

然しこの事実は結果的に無残に覆《くつが》えされる。矢須子の足取りはその通り無難だが、それから彼女は叔父たちと避難して歩く間に「黒い雨」に打たれたり、災害地で手傷を負ったりしたので症害を受け、発病するのである。

然しこの発病は、小説の終りの方まで伏せられているので、読者はそれまで知らないでこの話を読んでゆく。作者のこの心遣《づか》いは利《き》いている。読者はこの思いやりのある叔父と同時に、この善良な娘さんの肉体を病毒が蝕《むしば》んでいることを知り、今更ながら驚き、かつ義憤を感じるのである。彼女の病状は、実の被爆者の叔父のそれを追い越し、彼の方はむしろ楽観的だけど、彼女のは絶望的なように報じられて、小説は終るのである。

従って読者の義憤は被災者の憤りや訴えによって惹《ひ》き起されるのではない。彼等の受動的な忍苦が、この感情を唆《そそ》るのである。ここにこの原爆小説の成功の所以《ゆえん》がある。

それは井伏の数十年の小説修業の中で、空とぼけたように人情の生《なま》の奔出を抑《おさ》え、挙《あげ》句《く》の果てにその人物の本音を吐かせる手法が、ここで手を換えてものをいっているのである。

実際のところ、原爆に遇《あ》わねばこの一家は小説としては手の下しようもない平凡な人たちであろう。といって、この画期的な事件の経験者として一朝にしてきおい立ち、別人になって非理を訴えるといったものはない。原爆は彼等の肉体を致命的に傷つけるが、彼等の精神は依然として「善良な市民」である。この「恒《つね》の心」を失わぬという非凡な平凡さが彼等の個性をなし、彼等を市井に伍《ご》したまま英雄と化する。否《いな》、重松の謙譲で慎重な配慮は、敢《あ》えて市井の聖者と呼んでもいい。そして作者は彼等のこの宿命に即することによって、この画期的な事件を彼自身の「恒の心」によって活写することが保証されたのだ。

矢須子は根っから人のいい中流の村娘である。叔父叔母によく事《つか》え、その愛撫《あいぶ》に価する処女だ。この大変事の中でこの気持を捨てない。家庭に対しても勤め先に対しても、非常時のうちに日常の心遣いを忘れない。いい叔父といい姪の仲が、この際故《ゆえ》に一層美しくなっている。かけがえのない下着を洗濯《せんたく》するために叔母と一緒に川へ行き、川原の石の上でそれが乾《かわ》くまで二人で手拭《てぬぐい》を腰に巻いて水につかっているという図は、ほほえましいとかいじらしいとかいうのを通り越して、この行水に何か宗教上の行事の神聖さのようなものを感じさせるのである。

これはいうまでもなく、井伏文学独特のユーモアの一場面である。然しここでは挿話《そうわ》的な一情景ではなく、小説の本筋として大切な叙景なのだ。又こんな場面もあった。それは重松夫妻が避難の途中、ある兵営の前で歩哨《ほしよう》が突っ立っているのをよく見ると、それが黒焦《こ》げの屍体だったので、妻が思わず、「あら、キグチコヘイのような」と呟《つぶや》くと、夫が、「こら、失言だぞ」とたしなめるところがある。このユーモアは勿論《もちろん》笑えない。然しこの笑いは二重になっている。表面は軍人精神のカリカチュアであり、それが今は冷笑に通じているのだが、夫がそれを「失言」だという時、妻の言葉が「軍人精神」に対するとともに、その心底には歩哨の人格に対する冒瀆《ぼうとく》を意味するからである。

これが井伏の（この小説の）庶民性ということである。この小説は勿論痛烈な戦争呪咀《じゆそ》である。然し面と向って反戦を喚《わめ》き立てるのではなく、黙々と戦争に「協力」しながらその犠牲になっている民衆に対する無言のいたわりから出来ている。だからそこに真実の戦争への抵抗が生れるのだ。

或《ある》いはこう考えてもいい。この小説は事によると一寸《ちよつと》辞句を変えれば戦時下にも通用し得はしないかと。その通りだがそれはいささかも「軍に阿《おもね》る」意味ではない。つまりこの中にあの頃の国民の日常性の意識が貫いているということだ。それがこの作品の尊さである。これと事情は違うが、戦争末期に久保田万太郎氏が『樹蔭』という新聞小説を書いた。それは諸式窮屈な時勢に隣組「翼賛」精神に忠実な庶民のかいがいしい日常生活を描いたものだった。この小説は、当時にあっても統制に引っかかるものではなかった。しかも今読んであの頃の人々の悲しい気持を盛った懐《なつか》しい小説である。『黒い雨』にも、内容的には逆だが、同じような悲しい親しさがある。真の小説とはそんなものである。

それにつけても引合いに出したいのは、井伏の戦後第一作である『二つの話』という小説である。それは疎開児童がいつも淋《さび》しがっているので、彼の好きな秀吉に会いに連れていってやるという架空の小説である。その挙句「私」は御手打にあいかかったり、鎌髭《かまひげ》の男に強制労働をさせられたり、何とも遺瀬《やるせ》ない、悲しい物語である。よく夢に、起きて見ると悲しくも何ともない内容だが、見ている間は拭《ぬぐ》いきれぬ独自の哀調に彩《いろど》られている夢があるものだが、そういった物語であった。ここに漲《みなぎ》っている情緒が正《まさ》しく戦争の悪夢というものであろう。『二つの話』はそれを主調低音としていて、戦後第一作として意味があるのだが、『黒い雨』はこの色調の上に本格的に繰り拡《ひろ》げられた悲しい戦争文学の力作である。井伏の軍人小説としては、しゃっちょこばった軍人精神をからかった『遥拝《ようはい》隊長』が挙げられるが、『黒い雨』はそれと類を異にし、凄惨《せいさん》さと同時に、それよりもしみじみと人生永遠の哀愁の籠《こも》った、戦争文学の傑作である。

（昭和四十五年五月、文芸評論家）

この作品は昭和四十一年十月新潮社より刊行された。

井伏鱒二著

山《さん》椒《しょう》魚《うお》

大きくなりすぎて岩屋の棲家から永久に外へ出られなくなった山椒魚の狼狽をユーモア漂う筆で描く処女作「山椒魚」など初期作品12編。

井伏鱒二著

さざなみ軍記・ジョン万次郎漂流記

直木賞受賞

都を追われて瀬戸内海を転戦するなま若い平家の公達の胸中や、数奇な運命に翻弄される少年漁夫の行末等、著者会心の歴史名作集。

井伏鱒二著

荻窪風土記

時世の大きなうねりの中に、荻窪の風土と市井の変遷を捉え、土地っ子や文学仲間との交遊を綴る。半生の思いをこめた自伝的長編。

梶井基次郎著

檸（れもん）檬

昭和文学史上の奇蹟として高い声価を得ている梶井基次郎の著作から、特異な感覚と内面凝視で青春の不安や焦燥を浄化する20編収録。

中島　敦著

李陵・山月記

幼時よりの漢学の素養と西欧文学への傾倒が結実した芸術性の高い作品群。中国古典に取材した4編は、夭折した著者の代表作である。

竹山道雄著

ビルマの竪琴

毎日出版文化賞・芸術選奨受賞

ビルマの戦線で捕虜になっていた日本兵たちが帰国する日、僧衣に身を包んだ水島上等兵の鳴らす竪琴が……大きな感動を呼んだ名作。

太宰治著

晩年

妻の裏切りを知らされ、共産主義運動から脱落し、心中から生き残った著者が、自殺を前提に遺書のつもりで書き綴った処女創作集。

太宰治著

津軽

著者が故郷の津軽を旅行したときに生れた本書は、旧家に生れた宿命を背負う自分の姿を凝視し、あるいは懐しく回想する異色の一巻。

太宰治著

お伽《とぎ》草紙

昔話のユーモラスな口調の中に、人間宿命の深淵をとらえた表題作ほか「新釈諸国噺」「清貧譚」等5編。古典や民話に取材した作品集。

太宰治著

グッド・バイ

被災・疎開・敗戦という未曽有の極限状況下の経験を我が身を燃焼させつつ書き残した後期の短編集。「苦悩の年鑑」「眉山」等16編。

太宰治著

二十世紀旗手

麻薬中毒と自殺未遂の地獄の日々――小市民のモラルと、既成の小説概念を否定し破壊せんとした前期作品集。「虚構の春」など7編。

太宰治著

もの思う葦《あし》

初期の「もの思う葦」から死の直前の「如是我聞」まで、短い苛烈な生涯の中で綴られた機知と諧謔に富んだアフォリズム・エッセイ。

川端康成著 雪国
ノーベル文学賞受賞
雪に埋もれた温泉町で、芸者駒子と出会った島村――ひとりの男の透徹した意識に映し出される女の美しさを、抒情豊かに描く名作。

川端康成著 伊豆の踊子
伊豆の旅に出た旧制高校生の私は、途中で会った旅芸人一座の清純な踊子に孤独な心を温かく解きほぐされる――表題作等4編。

川端康成著 愛する人達
円熟期の著者が、人生に対する限りない愛情をもって筆をとった名作集。秘かに愛を育てる娘ごころを描く「母の初恋」など9編を収録。

川端康成著 掌《てのひら》の小説
自伝的作品である「骨拾い」「日向」、「伊豆の踊子」の原形をなす「指環」等、著者の文学的資質に根ざした豊穣なる掌編小説122編。

川端康成著 山の音
62歳、老いらくの恋。だがその相手は、息子の嫁だった――。変わりゆく家族の姿を描き、戦後日本文学の最高峰と評された傑作長編。

川端康成著 虹いくたび
建築家水原の三人の娘はそれぞれ母が違う。みやびやかな京風俗を背景に、琵琶湖の水面に浮ぶはかない虹のような三姉妹の愛を描く。

遠藤周作著
白い人・黄色い人
芥川賞受賞

ナチ拷問に焦点をあて、存在の根源に神を求める意志の必然性を探る「白い人」、神をもたない日本人の精神的悲惨を追う「黄色い人」。

遠藤周作著
海と毒薬
毎日出版文化賞・新潮社文学賞受賞

何が彼らをこのような残虐行為に駆りたてたのか？　終戦時の大学病院の生体解剖事件を小説化し、日本人の罪悪感を追求した問題作。

遠藤周作著
留学

時代を異にして留学した三人の学生が、ヨーロッパ文明の壁に挑みながらも精神的風土の絶対的相違によって挫折してゆく姿を描く。

遠藤周作著
沈黙
谷崎潤一郎賞受賞

殉教を遂げるキリシタン信徒と棄教を迫られるポルトガル司祭。神の存在、背教の心理、東洋と西洋の思想的断絶等を追求した問題作。

遠藤周作著
死海のほとり

信仰につまずき、キリストを棄てようとした男――彼は真実のイエスを求め、死海のほとりにその足跡を追う。愛と信仰の原点を探る。

遠藤周作著
侍
野間文芸賞受賞

藩主の命を受け、海を渡った遣欧使節「侍」。政治の渦に巻きこまれ、歴史の闇に消えていった男の生を通して人生と信仰の意味を問う。

開高健著
パニック・裸の王様
芥川賞受賞

大発生したネズミの大群に翻弄される人間社会の恐慌「パニック」、現代社会で圧殺されかかっている生命の救出を描く「裸の王様」等。

開高健著
日本三文オペラ

大阪旧陸軍工廠跡に放置された莫大な鉄材に目をつけた泥棒集団「アパッチ族」の勇猛果敢な大攻撃！　雄大なスケールで描く快作。

開高健著
輝ける闇
毎日出版文化賞受賞

ヴェトナムの戦いを肌で感じた著者が、戦争の絶望と醜さ、孤独・不安・焦燥・徒労・死といった生の異相を果敢に凝視した問題作。

開高健著
夏の闇

信ずべき自己を見失い、ひたすら快楽と絶望の淵にあえぐ現代人の出口なき日々——人間の《魂の地獄と救済》を描きだす純文学大作。

開高健著
開口閉口

食物、政治、文学、釣り、酒、人生、読書……豊かな想像力を駆使し、時には辛辣な諷刺をまじえ、名文で読者を魅了する64のエッセー。

開高健著
地球はグラスのふちを回る

酒・食・釣・旅。——無類に豊饒で、限りなく奥深い〈快楽〉の世界。長年にわたる飽くなき探求から生まれた極上のエッセイ29編。

井上靖著 猟銃・闘牛 芥川賞受賞

ひとりの男の十三年間にわたる不倫の恋を、妻・愛人・愛人の娘の三通の手紙によって浮彫りにした「猟銃」、芥川賞の「闘牛」等、3編。

井上靖著 氷壁

奥穂高に挑んだ小坂乙彦は、切れるはずのないザイルが切れて墜死した――恋愛と男同士の友情がドラマチックにくり広げられる長編。

井上靖著 しろばんば

野草の匂いと陽光のみなぎる、伊豆湯ヶ島の自然のなかで幼い魂はいかに成長していったか。著者自身の少年時代を描いた自伝小説。

井上靖著 幼き日のこと・青春放浪

血のつながらない祖母と過した幼年時代――なつかしい昔を愛惜の念をこめて描く「幼き日のこと」他、「青春放浪」「私の自己形成史」。

井上靖著 孔子 野間文芸賞受賞

戦乱の春秋末期に生きた孔子の人間像を描く。現代にも通ずる「乱世を生きる知恵」を提示した著者最後の歴史長編。野間文芸賞受賞作。

井上靖著 北の海（上・下）

高校受験に失敗しながら勉強もせず、柔道の稽古に明け暮れた青春の日々――若き日の自由奔放な生活を鎮魂の思いをこめて描く長編。

大岡昇平著　俘虜記　横光利一賞受賞

著者の太平洋戦争従軍体験に基づく連作小説。孤独に陥った人間のエゴイズムを凝視して、いわゆる戦争小説とは根本的に異なる作品。

大岡昇平著　武蔵野夫人

貞淑で古風な人妻道子と復員してきた従弟勉との間に芽生えた愛の悲劇——武蔵野を舞台にフランス心理小説の手法を試みた初期作品。

大岡昇平著　野火　読売文学賞受賞

野火の燃えひろがるフィリピンの原野をさまよう田村一等兵。極度の飢えと病魔と闘いながら生きのびた男の、異常な戦争体験を描く。

阿川弘之著　春の城　読売文学賞受賞

第二次大戦下、一人の青年を主人公に、学徒出陣、マリアナ沖大海戦、広島の原爆の惨状などを伝えながら激動期の青春を浮彫りにする。

阿川弘之著　雲の墓標

一特攻学徒兵吉野次郎の日記の形をとり、大空に散った彼ら若人たちの、生への執着と死の恐怖に身もだえる真実の姿を描く問題作。

武田泰淳著　ひかりごけ

雪と氷に閉ざされた北海の洞窟で、生死の境に追いつめられた人間同士が相食むにいたる惨劇を直視した表題作など全4編収録。

新潮文庫の新刊

R・デミング
田口俊樹訳
私立探偵マニー・ムーン
戦地帰りのタフガイ探偵が、大立ち回りの末に、関係者を集め謎解きを披露。レトロ新しい〝本格推理私立探偵小説〟がついに登場！

R・ムケルジ
小西敦子訳
裁きのメス
消えたメイド、不可解な水死体、謎めいた手帳……。19世紀のフィラデルフィアを舞台に、女性医師の名推理が駆け抜ける!!

C・S・ルイス
小澤身和子訳
ナルニア国物語7
さいごの戦い
カーネギー賞受賞
王国に突如現れた偽アスラン。ナルニアの王ティリアンは、その横暴に耐えかね剣を抜く。因縁の戦いがついに終結する感動の最終章。

緒乃ワサビ著
記憶の鍵盤
未来の記憶を持つという少女が僕の運命を大きく動かし始めた。過去と未来が交差する三角関係を描く、切なくて儚いひと夏の青春。

小島秀夫原作
野島一人著
デス・ストランディング2
—オン・ザ・ビーチ—
人と人との繋がりの向こうに、何があるのか。世界的人気ゲーム「DEATH STRANDING2: On The Beach」を完全ノベライズ！

窪美澄著
夏日狂想
才能ある詩人と文壇の寵児。二人の男に愛され、傷ついた礼子が見出した道は——。恋愛に翻弄され創作に生きた一人の女の物語。

黒《くろ》い雨《あめ》

新潮文庫　い-4-6

昭和四十五年　六月二十五日　発行
平成十五年　五月三十日　六十一刷改版
令和　七　年　七月三十日　九十三刷

著者　井《い》伏《ぶせ》鱒《ます》二《じ》
発行者　佐藤隆信
発行所　株式会社　新潮社

郵便番号　一六二―八七一一
東京都新宿区矢来町七一
電話　編集部（〇三）三二六六―五四四〇
　　　読者係（〇三）三二六六―五一一一
https://www.shinchosha.co.jp

価格はカバーに表示してあります。

乱丁・落丁本は、ご面倒ですが小社読者係宛ご送付ください。送料小社負担にてお取替えいたします。

印刷・錦明印刷株式会社　製本・錦明印刷株式会社

ISBN978-4-10-103406-5 C0193